高等学校应用型本科"十三五"规划教材

传感器技术及应用

主　编　白亚梅
副主编　车　畅　邹存芝
　　　　张昌玉　于广艳
　　　　姜　波　白永刚

U0285327

哈尔滨工程大学出版社

内 容 简 介

本书介绍了各种传感器的基本原理、特性及应用。全书共12章,第1章概括地介绍了传感器的理论基础、分类和基本特性;第2章至第12章根据测量信号的不同,分别介绍了应变式、电容式、电感式、压电式、光电式、热电式、磁电式、湿度、超声波、气体、生物这几类传感器的工作原理、性能及应用,注重体现知识的实用性。

本书既可以作为本科院校、高等职业院校电子信息工程、电气工程、自动化、测控技术、仪器仪表等专业传感器课程的教学用书,还可以作为高职高专、成人高校电类相关专业的教学用书,也可供从事检测技术和传感器应用的工程人员参考。

图书在版编目(CIP)数据

传感器技术及应用 / 白亚梅主编. —哈尔滨 : 哈尔滨工程大学出版社, 2016.1(2024.1 重印)
ISBN 978 - 7 - 5661 - 1175 - 3

Ⅰ. ①传… Ⅱ. ①白… Ⅲ. ①传感器 Ⅳ. ①TP212

中国版本图书馆 CIP 数据核字(2016)第 000610 号

选题策划　吴振雷
责任编辑　张忠远　付梦婷
封面设计　恒润设计

出版发行　哈尔滨工程大学出版社
社　　址　哈尔滨市南岗区南通大街 145 号
邮政编码　150001
发行电话　0451 - 82519328
传　　真　0451 - 82519699
经　　销　新华书店
印　　刷　哈尔滨市海德利商务印刷有限公司
开　　本　787 mm × 1 092 mm　1/16
印　　张　15.75
字　　数　400 千字
版　　次　2016 年 1 月第 1 版
印　　次　2024 年 1 月第 4 次印刷
定　　价　35.00 元
http://www.hrbeupress.com
E-mail:heupress@ hrbeu.edu.cn

前　言 PREFACE

在科学技术高度发展的现代社会,人类对信息有了更深的依赖。人们在从事工业生产和科学实验等活动时,主要依靠的就是对信息资源的开发、采集、传输和处理。传感器是信息领域的源头技术,在信息采集中,仪器要获得原始的信息,其最基本的元件就是传感器。目前,传感器技术已成为许多国家高新技术竞争的核心,它对培养掌握现代信息技术的工程技术人员具有十分重要的意义。了解和掌握传感器技术与应用也成了电子技术、测控技术、仪器仪表技术、计算机技术等专业的必修课。

本书共 12 章,分别介绍了传感器中几类基本传感器的结构、工作原理、特性、应用及当代传感器的发展方向。同时,本书还介绍了应变式、电容式、电感式、压电式、光电式、热电式、磁电式、超声波、生物等传感器,与传感器在工业、农业、科学、医疗、家用电器等方面的应用实例。通过对本书的学习可掌握检测中常用传感器的静态、动态的数学模型的推导以及系统的分析方法和如何对基本传感器进行正确的使用,以在工作中具有初步选用传感器的能力,并能够对工程设计和应用中有关传感器技术的问题,提出合理的探讨和解决方案,且结合实际应用例子,培养和锻炼组建非电测量和控制系统的实际能力。本书编写过程中力求做到理论清晰的同时,注重与实际的联系。本书结构和内容力求做到重点突出、层次分明、语言精练、易于理解。

本书主要针对应用型本科院校和高等职业院校电子技术、测控技术、电气技术和计算机、机械等其他相关的工科专业的本科生,也可供相关专业从事相关技术工作的人员参考。

本书由白亚梅主编,车畅、邹存芝、张昌玉、于广艳、姜波、白永刚任副主编。全书由白亚梅负责统稿。

本书在编写的过程中同时也得到了学校、学院和系的各级领导的大力支持和帮助,以及兄弟院校相关教师的鼎力支持,在此对所有人员表示衷心的感谢。

由于传感器技术发展较快,编者水平有限,编写时间有些仓促,书中难免存在错误和不妥之处,恳请广大读者批评指正。

编　者

2015 年 10 月

目　　录

第1章 绪 论

在人类文明史的历次产业革命中,用于感受、处理外部信息的传感技术一直扮演着重要的角色。在 18 世纪产业革命以前,传感技术由人的感官实现:人观天象而仕农耕,察火色以冶铜铁。从 18 世纪产业革命以来,特别是在 20 世纪信息革命中,传感技术越来越多地由人造感官,即工程传感器来实现。

新技术革命的到来让世界进入了信息时代。人们在利用信息的过程中,首先要解决的就是要获取准确可靠的信息,而传感器是获取自然和生产领域中信息的主要途径与手段。

在现代工业生产尤其是自动化生产过程中,需要用各种传感器来监视和控制生产过程中的各个参数,使设备工作保持在正常状态或最佳状态,以使产品达到最好的质量。因此可以说,没有众多优良的传感器,现代化生产也就失去了基础。

在基础学科研究中,传感器更具有突出的地位。现代科学技术的发展进入了许多新领域:例如在宏观上要观察上千光年的茫茫宇宙,微观上要观察小到飞米的粒子世界;纵向上要观察长达数十万年的天体演化,短到一秒的瞬间反应。此外,传感器还出现在了对深化物质认识、开拓新能源、新材料等具有重要作用的各种极端技术研究中,如超高温、超低温、超高压、超高真空、超强磁场、超弱磁场等。显然,要获取大量人类感官无法直接获取的信息,没有相应的传感器是不可能的。许多基础科学研究的障碍,重点就是对象信息的获取存在困难,而一些新机理和高灵敏度的检测传感器的出现,往往会导致该领域内的突破。一些相应传感器的发展,往往是对应的边缘学科开发的先驱。

传感器早已渗透到工业生产、宇宙开发、海洋探测、环境保护、资源调查、医学诊断、生物工程,甚至文物保护等领域。可以说,从茫茫的太空,到浩瀚的海洋,以至各种复杂的工程系统,几乎每一个地方都离不开各种各样的传感器。

由此可见,传感器技术在发展经济、推动社会进步方面的重要作用是十分明显的。世界各国都十分重视这一领域的发展。相信不久的将来,传感器技术将会出现一个飞跃,达到与其重要地位相称的新水平。

1.1 传感器的定义与组成

国家标准 GB 7665—87 对传感器下的定义是:"能感受规定的被测量并按照一定的规律转换成可用信号的器件或装置,通常由敏感元件和转换元件组成。"传感器是一种检测装置,它能感受到被测量的信息并能将检测感受到的信息,按一定规律变换成为电信号或其他所需形式的信息输出,以满足信息的传输、处理、存储、显示、记录和控制等要求。它是实现自动检测和自动控制的首要环节。

这一定义包含了以下几方面的含义:

①传感器是测量装置,能完成检测任务;

②它的输入量是某一被测量,可能是物理量,也可能是化学量或生物量;

③它的输出量是某种物理量,这种量要便于传输、转换、处理、显示等,这种量可以是

气、光、电量,但主要是电量;

④输出输入有对应关系,且应有一定的精确程度。

关于传感器,我国曾出现过多种名称,如发送器、传送器、变送器等,它们的内涵相同或相似,所以近年来已逐渐趋向统一,大都使用传感器这一名称了。从字面上可以作如下解释:传感器的功用是"一感二传",即感受被测信息,并将其传送出去。

传感器一般由敏感元件、转换元件、基本转换电路三部分组成,其组成框图如图1-1所示。

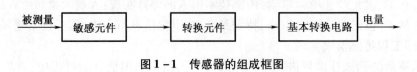

图1-1 传感器的组成框图

1.2 传感器的分类

传感器的品种极多,原理各异,检测对象门类繁多,因此其分类方法很多,人们通常站在不同角度,作突出某一侧面的分类。归纳起来,大致有如下两种分类方法。

1.2.1 按工作原理分类

这是传感器最常见的分类方法。这种分类方法将物理、化学、生物等学科的原理、规律和效应作为分类的依据,有利于对传感器工作原理的阐述和对传感器的深入研究与分析。按照传感器工作原理的不同,传感器可分为电参数式传感器(包括电阻式、电感式和电容式传感器)、压电式传感器、光电式传感器(包括一般光电式、光纤式、激光式和红外式传感器)、热电式传感器、半导体式传感器、波式和辐射式传感器等。这些类型的传感器大部分是分别基于各自的物理效应原理来命名的。

1.2.2 按被测量分类

按被测量的性质进行分类,有利于准确表达传感器的用途,对人们系统地使用传感器也很有帮助。为更加直观、清晰地表达传感器的用途,将种类繁多的被测量分为基本被测量和派生被测量,区别见表1-1。对于各派生被测量亦可通过对基本被测量实物测量来实现。

表1-1 主要基本被测量和派生被测量

基本被测量		派生被测量
位移	线位移	长度、厚度、应变、振动、磨损、平面度
	角位移	旋转角、偏移角、角振动
速度	线速度	速度、振动、流量、动量
	角速度	转速、角振动
加速度	线加速度	振动、冲击、质量
	角加速度	角振动、转矩、转动惯量

表 1–1（续）

基本被测量		派生被测量
力	压力	质量、应力、力矩
时间	频率	周期、计数、统计分布
光		光通量与密度、光谱分布
温度		热容、气体速度、涡流
湿度		水汽、含水量、露点
浓度		气(液)体成分、黏度

1.3 传感器的基本特性

传感器的特性:描述传感器的输入与输出之间的关系。输入量为常量或变化极慢时(慢变或稳定状态)——静特性;输入量随时间变化极快时(快变信号)——动特性。

主要影响因素:传感器内部储能元件(电感、电容、质量块和弹簧等)对测量值会产生影响。

1.3.1 传感器的静态特性

传感器的静态特性是指对静态的输入信号传感器的输出量与输入量之间所具有的相互关系。因为此时输入量和输出量都和时间无关,所以它们之间的关系,即传感器的静态特性可用一个不含时间变量的代数方程表示;或以输入量作横坐标,将与其对应的输出量作纵坐标而画出的特性曲线来描述。表达传感器静态特性的主要参数有线性度、灵敏度与误差、重复性、迟滞、分辨力、稳定性、漂移和静态误差。

1. 线性度

传感器的输出输入关系或多或少都会存在非线性问题。在不考虑迟滞、蠕变、不稳定性等因素的情况下,其静特性可用下列多项式代数方程表示,即

$$y = a_0 + a_1 x + a_2 x^2 + a_3 x^3 + \cdots + a_n x^n$$

式中　y——输出量;

x——输入量;

a_0——输入量 x 为零时的输出量;

$a_1, a_2, \cdots, a_n$——非线性项系数,各项系数决定了特性曲线的具体形式。

线性度是指传感器输出量与输入量之间的实际关系曲线偏离拟合直线的程度,又称非线性误差。

传感器输出量与输入量之间的非线性应进行线性补偿处理,以提高测量准确性。

2. 灵敏度与灵敏度误差

传感器输出的变化量 Δy 与引起该变化量的输入变化量 Δx 之比即为其静态灵敏度,其表达式为

$$S_n = \Delta y / \Delta x$$

传感器输出曲线的斜率就是其灵敏度。对于线性传感器,灵敏度 S_n 是常数;其特性曲

线的斜率处处相同,与输入量大小无关。非线性传感器的灵敏度 S_n 是变量,只能表示传感器在某一工作点的灵敏度,输入量不同,灵敏度 S_n 就不同。两者函数图像如图 1-2 所示。

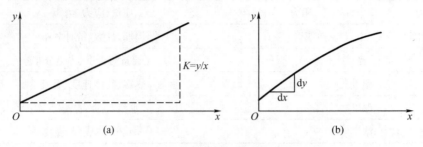

图 1-2 输入量与灵敏度函数
(a)线性测量系统;(b)非线性测量系统

灵敏度的量纲是输出和输入量的量纲之比。例如,热电偶温度传感器,在某一时刻温度变化了 1 ℃时,其输出电压变化了 5 mV,那么其灵敏度应表示为 5 mV/℃。

提高传感器的灵敏度,可得到较高的测量精度,但灵敏度越高,测量范围越窄,其稳定性也往往越差。

3. 重复性

重复性是传感器在输入量按同一方向作全量程多次测试时,所得特性曲线不一致性的程度。

重复性一般采用极限误差表示,即

$$E_Z = \pm \frac{\Delta_{max}}{y_{fs}} \times 100\%$$

式中　Δ_{max}——输出的最大不重复误差;

y_{fs}——输出满量程值。

4. 迟滞(回程误差)

传感器在正行程(输入量增大)和反行程(输入量减小)中实际测得的输出输入曲线不重合现象,称为迟滞。产生迟滞的主要原因是传感器机械部分存在不可避免的缺陷,如轴承摩擦、间隙、紧固件松动、材料的内摩擦和积尘等。

迟滞可用正反行程最大输出差值对满量程输出的百分比来表示,即

$$E_{max} = \frac{\Delta_H}{y_{fs}} \times 100\%$$

迟滞误差的另一名称为回程误差,常用绝对误差表示。检测迟滞误差时,可选择几个测试点。对应于每一输入信号,传感器正行程及反行程中输出信号差值的最大者即为迟滞误差。

5. 分辨力

传感器的分辨力指在规定测量范围内所能检测的输入量的最小变化量。有些传感器在输入量连续变化时,其输出量只做阶梯变化,此时分辨力就是输出量的每个"阶梯"所代表的输入量的大小。在传感器输入零点附近的分辨力称为阈值,有时也用该值相对满量程输入值的百分数表示。

6. 稳定性

稳定性有短期稳定性和长期稳定性之分。

传感器稳定性常用于指代长期稳定性,是指在室温条件下,经过相当长的时间间隔,如一天、一月或一年,传感器的输出与起始标定时的输出之间的差异。

测试时先将传感器输出调至零点或某一特定点,相隔 4 h、8 h 或一定的工作次数后,再读出输出值,前后两次输出值之差即为稳定性误差。稳定性误差可用相对误差表示,也可用绝对误差表示。通常也用其不稳定度来表征稳定程度。

7. 漂移

漂移是指传感器在输入量不变的情况下,由于外界的干扰(例如温度、噪声等),传感器的输出量发生的变化。常见的漂移有零点漂移和温度漂移,一般可通过串联或并联可调电阻来消除。

(1)零点漂移

零点漂移简称为零漂,是指传感器在无输入时,其输出值偏移零值的现象。其主要是由于传感器自身结构参数老化等引起的。

(2)温度漂移

温度漂移简称为温漂,是指在工作过程中输入量没有发生变化,但环境温度发生了变化的情况下,传感器的输出量发生的变化。

8. 静态误差(精度)

静态误差是传感器在其全量程内任一点的输出值与其理论输出值的偏离程度。

求静态误差是把全部校准数据与拟合直线上对应值的残差看成是随机分布,求出其标准偏差 σ,取 2σ 或 3σ 值为传感器的静态误差。其可用相对误差表示为

$$\gamma = \pm\frac{(2\sim 3)\sigma}{\gamma_{fs}}\times 100\%$$

也可以由非线性误差、迟滞误差、重复性误差这几个单项误差综合而得,即

$$\gamma = \sqrt{\gamma_L^2 + \gamma_H^2 + \gamma_R^2 + \cdots}$$

1.3.2 传感器的动态特性

所谓动态特性,是指传感器在输入变化时,其输出的特性。在实际工作中,传感器的动态特性常用它对某些标准输入信号的响应来表示。这是因为传感器对标准输入信号的响应容易用实验方法求得,并且它对标准输入信号的响应与它对任意输入信号的响应之间存在一定的关系,往往知道了前者就能推定后者。最常用的标准输入信号有阶跃信号和正弦信号两种,所以传感器的动态特性也常用阶跃响应和频率响应来表示。

1. 阶跃响应

当给静止的传感器输入一个单位阶跃函数信号(即 $u(t)$)时,其输出特性称为阶跃响应特性。传感器的阶跃响应特性如图 1-3 所示,由图可衡量阶跃响应的几项指标。

$$u(t) = \begin{cases} 0 & t \leq 0 \\ 1 & t > 0 \end{cases}$$

(1)最大超调量 σ_p

最大超调量是指响应曲线偏离阶跃曲线的最大值。

当稳态值为 1,则最大超调量为

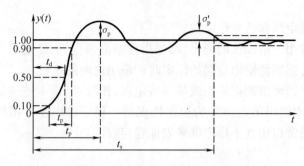

图 1 – 3　传感器的阶跃响应特性

$$\sigma_\mathrm{p} = \frac{y(t_\mathrm{p}) - y(\infty)}{y(\infty)} \times 100\%$$

（2）延滞时间 t_d

延滞时间是指阶跃响应达到稳态值50%所需要的时间。

（3）上升时间 t_r

上升时间有以下三种建议方法：

①响应曲线从稳态值10%到90%所需要的时间，无振荡的传感器常采用此方法。

②响应曲线从稳态值5%到95%所需要的时间。

③响应曲线从零到第一次到达稳态值所需要的时间，有振荡的传感器常采用此方法。

（4）峰值时间 t_p

峰值时间是指响应曲线到第一个峰值所需要的时间。

（5）响应时间 t_s

响应时间是指响应曲线衰减到稳态值之差不超过 ±5% 或 ±2% 时所需要的时间。有时其称为过渡过程时间。

2. 频率响应

在定常线性系统中，拉普拉斯变换（亦称拉氏变换）是广义的傅里叶变换（亦称傅氏变换），在 $s = \sigma + \mathrm{j}\omega$ 中取 $\sigma = 0$，则 $s = \mathrm{j}\omega$，即拉氏变换局限于 s 平面的虚轴，则得到傅氏变换为

$$Y(s) = \int_0^\infty y(t)\mathrm{e}^{-st}\mathrm{d}t \rightarrow Y(\mathrm{j}\omega) = \int_0^\infty y(t)\mathrm{e}^{-\mathrm{j}\omega t}\mathrm{d}t$$

同样有

$$X(\mathrm{j}\omega) = \int_0^\infty x(t)\mathrm{e}^{-\mathrm{j}\omega t}\mathrm{d}t$$

$$H(\mathrm{j}\omega) = \frac{Y(\mathrm{j}\omega)}{X(\mathrm{j}\omega)} = \frac{b_m (\mathrm{j}\omega)^m + b_{m-1}(\mathrm{j}\omega)^{m-1} + \cdots + b_0}{a_n (\mathrm{j}\omega)^n + a_{n-1}(\mathrm{j}\omega)^{n-1} + \cdots + a_0}$$

$H(\mathrm{j}\omega)$ 称为传感器的频率响应函数。它是一个复函数，可以用指数形式表示，即

$$H(\mathrm{j}\omega) = \frac{Y(\mathrm{j}\omega)}{X(\mathrm{j}\omega)} = \frac{Y}{X}\mathrm{e}^{\mathrm{j}\omega} = A(\omega)\mathrm{e}^{\mathrm{j}\omega}$$

式中　$A(\omega) = |H(\mathrm{j}\omega)| = \dfrac{Y}{X}$；

$A(\omega)$——传感器的幅频特性，也称为传感器的动态灵敏度（或增益），其值为传感器的输出与输入的幅度比值随频率而变化的大小。

若以

$$H_R(\omega) = R_e\left[\frac{Y(j\omega)}{X(j\omega)}\right], H_I(\omega) = R_m\left[\frac{Y(j\omega)}{X(j\omega)}\right]$$

式中,其分别为 $H(j\omega)$ 的实部和虚部,则频率特性的相位角为

$$\varphi(\omega) = \tan^{-1}\left[\frac{H_I(\omega)}{H_R(\omega)}\right] = \tan^{-1}\left\{\frac{Im\left[\frac{Y(j\omega)}{X(j\omega)}\right]}{Re\left[\frac{Y(j\omega)}{X(j\omega)}\right]}\right\}$$

式中,$\varphi(\omega)$ 为传感器的输出信号相位随频率而变化的关系。传感器 φ 值通常是负数,表示传感器输出滞后于输入的相位角度,而且 φ 随 ω 而变,故称其为传感器相频特性。

1.4 传感器的地位与作用

传感器技术是一项当今世界令人瞩目的迅猛发展起来的高新技术之一,也是当代科学技术发展的一个重要标志,它与通信技术、计算机技术构成信息产业的三大支柱之一。如果说计算机是人类大脑的扩展,那么传感器就是人类五官的延伸。当集成电路、计算机技术飞速发展时,人们才逐步认识信息摄取装置——传感器没有跟上信息技术的发展而惊呼"大脑发达、五官不灵"。20世纪80年代起,传感器开始受到普遍重视,并逐步在世界范围内掀起了一股"传感器热"。美国国家长期安全和经济繁荣至关重要的22项技术中有6项与传感器信息处理技术直接相关。关于保护美国武器系统质量优势至关重要的关键技术,其中8项为无源传感器。美国空军2000年举出15项有助于提高21世纪空军能力的关键技术中,传感器技术名列第二。日本对开发和利用传感器技术相当重视并将其列为国家重点发展6大核心技术之一。日本科学技术厅制定的20世纪90年代重点科研项目中有70个重点课题,其中有18项是与传感器技术密切相关。美国早在20世纪80年代初就成立了国家技术小组(BTG),帮助政府组织和领导各大公司与国家企事业部门的传感器技术开发工作。德国视军用传感器为优先发展技术,英、法等国对传感器的开发投资逐年升级,原苏联军事航天计划中的第五条列有传感器技术。正是由于世界各国普遍重视和投入开发,传感器发展十分迅速,在近十几年来其产量及市场需求年增长率均在10%以上。目前,世界上从事传感器研制生产单位已增到5 000余家。美国、欧洲、俄罗斯各自从事传感器研究和生产厂家1 000余家,日本有800余家。

人通过五官(视、听、嗅、味、触)接受外界的信息,经过大脑的思维(信息处理)作出相应的动作。同样,如果用计算机控制的自动化装置来代替人的劳动,则可以说电子计算机相当于人的大脑(一般俗称电脑),而传感器则相当于人的五官部分("电五官")。传感器是获取自然领域中信息的主要途径与手段。作为人脑的一种模拟,电子计算机的发展极为迅速,可是人脑五种感觉模拟作用的传感器却发展很慢,因而引起了人们的普通关注,如果不进行传感器的开发,现在的电子计算机将处于一种不能适应实际需要的状态。如同为了很好地将体力劳动和脑力劳动进行协调一样,也要求传感器、电子计算机和执行器三者都能相互协调才行。因此,传感器就成了现代科学的中枢神经系统,日益受到人们的普遍重视,这已成为现代传感器技术的必然趋势。当传感器技术在工业自动化、军事国防和以宇宙开发、海洋开发为代表的尖端科学与工程等重要领域广泛应用的同时,它正以自己的巨大潜力,向着与人们生活密切相关的方面渗透;生物工程、医疗卫生、环境保护、安全防范、家用

电器和网络家居等方面的传感器已层出不穷,并在日新月异地发展。

当今世界已进入信息时代,在利用信息的过程中,首先要解决的就是要获取准确可靠的信息,而传感器是获取自然和生产领域中信息的主要途径与手段。

在现代工业生产尤其是自动化生产过程中,要用各种传感器来监视和控制生产过程中的各个参数,使设备工作在正常状态或最佳状态,并使产品达到最好的质量。传感器是现代化生产的基础。

在基础学科研究中,传感器更具有突出的地位。现代科学技术的发展,进入了许多新领域。此外,还出现了对深化物质认识、开拓新能源、新材料等具有重要作用的各种极端技术研究,如超高温、超低温、超高压、超高真空、超强磁场、超弱磁场等。显然,要获取大量人类感官无法直接获取的信息,就需要有相适应的传感器。许多基础科学研究的障碍,首先就在于对象信息的获取存在困难,而一些新机理和高灵敏度的检测传感器的出现,往往会导致该领域内的突破。一些传感器的发展,往往是一些边缘学科开发的先驱。传感器早已渗透到诸如工业生产、宇宙开发、海洋探测、环境保护、资源调查、医学诊断、生物工程,甚至文物保护等等极其广泛的领域。可以毫不夸张地说,从茫茫的太空,到浩瀚的海洋,以至各种复杂的工程系统,几乎每一个现代化项目,都离不开各种各样的传感器。

由此可见,传感器技术在发展经济、推动社会进步方面的重要作用。世界各国都十分重视这一领域的发展。在不久的将来,传感器技术将会出现一个飞跃,达到与其重要地位相称的新水平。

1.5 传感器的应用领域及发展方向

1.5.1 传感器技术的主要应用

随着现代科学和技术的快速发展和人民生活水平的快速提高,传感器技术受到了越来越广泛的关注,其应用已经渗透到国民经济的各个领域。

1. 传感器技术在工业生产过程的测量与控制方面的应用

在工业生产过程中,必须对温度、压力、流量、液位和气体成分等参数进行检测,从而实现对工作状态的监控。通过诊断生产设备的各种情况,使生产系统处于最佳状态,从而保证产品质量,提高效益。目前传感器与微机、通信等行业的结合渗透,使工业监测自动化,具有准确、效率高等优点。如果没有传感器,现代工业的生产程度将会大大降低。

2. 传感器技术在汽车电控系统中的应用

随着人们生活水平的提高,汽车已逐渐走进千家万户,汽车的安全舒适、低污染、高燃率越来越受到社会重视。传感器在汽车中相当于感官和触角,只有它才能准确地采集汽车工作状态的信息,提高自动化程度。汽车传感器主要分布在发动机控制系统、底盘控制系统和车身控制系统。普通汽车上大约装有 10~20 只传感器,而有的高级豪华车使用传感器多达 300 个。因此传感器作为汽车电控系统的关键部件,它将直接影响到汽车技术性能的发挥。

3. 传感器技术在现代医学领域的应用

传感器技术在医疗领域用于帮助人们快速、准确地获取相关信息。医学传感器作为拾取生命体征信息的器材,它的作用日益显著,并它得到广泛应用。例如,在图像处理、临床化学检验、生命体征参数的监护监测、呼吸、神经、心血管疾病的诊断与治疗等方面,传感器的使用十分普及。

4. 传感器技术在环境监测方面的应用

近年来,环境污染问题日益严重,人们迫切希望拥有一种能对污染物进行连续、快速、随时在线监测的仪器,传感器的发展满足了人们的要求。目前,已有相当一部分生物传感器应用于环境监测中,如大气环境监测。二氧化硫是酸雨雾形成的主要原因,对其的传统的检测方法很复杂,而现在可将亚细胞类脂类固定在醋酸纤维膜上和氧电极制成安培型生物传感器来对酸雨酸雾样品溶液进行检测,大大简化了检测方法。

5. 传感器技术在军事方面的应用

传感器技术在军用电子系统的运用促进了武器、作战指挥、控制、监视和通信方面的智能化。传感器在远方战场监视系统、防空系统、雷达系统、导弹系统等方面都有广泛的应用,也是提高军事战斗力的重要因素。

6. 传感器技术在家用电器方面的应用

20世纪80年代以来,随着以微电子为中心的技术革命的兴起,家用电器正向自动化、智能化、节能、无环境污染的方向发展。自动化和智能化的中心就是研制由微电脑和各种传感器组成的控制系统,如一台空调器采用微电脑控制配合传感器技术,就可以实现压缩机的启动、停机、风扇摇头、风门调节、换气等,从而对温度、湿度和空气浊度进行控制。随着人们对家用电器方便、舒适、安全、节能的要求的提高,传感器将会得到越来越显著的应用。

7. 传感器技术在学科研究方面的应用

科学技术的不断发展,蕴生了许多新的学科领域,无论从宏观的宇宙,还是到微观的粒子世界,许多未知的现象和规律都要获取大量人类感官无法获得的信息,传感器的作用是无法替代的。

8. 传感器技术在智能建筑领域中的应用

智能建筑是未来建筑的一种必然趋势,它涵盖智能自动化、信息化、生态化等多方面的内容,具有微型集成化、高精度与数字化和智能化特征的智能传感器将在智能建筑中占有重要的地位,而传感器则是智能建筑的一个重要元件。

1.5.2 传感器技术的发展方向

科学技术的发展使得人们对传感器技术越来越重视,也认识到它是影响人们生活水平的重要因素之一。因此对传感器的开发成为目前最热门的研究课题之一。传感器技术发展趋势可以从以下几方面来看。

1. 开发新型传感器

传感器的工作机理是基于各种物理(或化学、生物)效应和定律,由此启发人们进一步探索具有新效应的敏感功能材料,并以此研制具有新原理的新型传感器。这是发展高性能、多功能、低成本和小型化传感器的重要途径。

2. 开发新材料传感器材料

开发新材料传感器材料是传感器技术的重要基础。随着传感器技术的发展,除了早期使用的材料,如半导体材料、陶瓷材料以外,光导纤维、纳米材料和超导材料也相继问世。人工智能材料更是给我们带入了一个新的天地。其同时具有三个特征:具有能感知环境条件的变化(传统传感器)的功能;具有识别、判断(处理器)功能;具有发出指令和自采取行动(执行器)功能。随着研究的不断深入,未来将会有更多更新的传感器材料被开发出来。

3. 集成化传感器的开发

传感器集成化包含两种含义:一种含义是同一功能的多元件并列,目前发展很快的自扫描光电二极管列阵、CCD 图像传感器就属此类;另一种含义是功能一体化,即将传感器与放大、运算以及温度补偿等环节一体化,组装成一个器件,例如把压敏电阻、电桥、电压放大器和温度补偿电路集成在一起的单块压力传感器。

4. 多功能集成传感器

多功能是指一器多能,即一个传感器可以检测两个或两个以上的参数,如最近国内已经研制的硅压阻式复合传感器,就可以同时测量温度和压力。

5. 智能传感器的开发

智能传感器是将传感器与计算机集成在一块芯片上的装置。它将敏感技术和信息处理技术相结合,除了感知的本能外,还具有认知能力。例如将多个具有不同特性的气敏元件集成在一个芯片上,利用图像识别技术处理,可得到不同灵敏模式,然后对这些模式所获取的数据进行计算,与被测气体的模式类比推理或模糊推理,可借此识别出气体的种类和各自的浓度。

6. 多学科交叉融合

多学科交叉融合推动了无线传感器网络的发展。无线传感器网络是由大量且无处不在的,有无线通信与计算能力的微小传感器节点构成的自组织分布式网络系统,即是能根据环境自主完成指定任务的“智能”系统。它涉及微传感器与微机械、通信、自动控制、人工智能等多学科的综合技术,其应用已由军事领域扩展到反恐、防爆、环境监测、医疗保健、家居、商业、工业等众多领域,有着广泛的应用前景。1999 年和 2003 年《美国商业周刊》和MIT 技术评论 *TechnologY Review* 在预测未来技术发展的报告中,分别将其列为 21 世纪最具影响的 21 项技术和改变世界的十大新技术之一。

7. 加工技术微精细化

随着传感器产品质量档次的提升,加工技术的微精细化在传感器的生产中占有越来越重要的地位。微机械加工技术即是近年来随着集成电路工艺发展起来的一种,它是离子束、电子束、激光束和化学刻蚀等用于微电子加工的技术,目前已越来越多地用于传感器制造工艺。例如溅射、蒸镀等离子体刻蚀、化学气相淀积(CVD)、外延生长、扩散、腐蚀、光刻等。另外一个发展趋势是越来越多的生产厂家将传感器作为一种工艺品来精雕细琢。无论是每一根导线,还是导线防水接头的出孔,无论是每一个角落,还是每一个细节,传感器的制作都达到了工艺品水平。如日本久保田公司的柱式传感器,其外加了一个黑色的防尘罩。柱式传感器的底座一般易进沙尘及其他物质,而底座一旦进了沙尘或其他物质后,对传感器来回摇摆便产生了影响,外加防尘罩后显然克服了上述弊端。这个附件的设计不仅充分考虑了用户使用现场的环境要求,而且制作工艺、外观都非常考究。

第2章 应变式传感器

应变式电阻传感器是目前用于测量力、力矩、压力、加速度、质量等参数时最常用的传感器之一。它具有很悠久的历史,但新型应变片仍在不断出现。它是利用应变效应制造的一种测量微小变化量(机械)的理想传感器。

2.1 电阻应变效应

导体或半导体材料在受到外界力(拉力或压力)作用时,会产生机械形变。机械形变会导致其阻值变化,这种因形变而使其阻值发生变化的现象称为"应变效应"。导体或半导体的阻值随其机械应变而变化的道理很简单:因为导体和半导体的电阻 $R = \rho \dfrac{L}{A}$ 与电阻率 ρ 及其几何尺寸(其中 L 为长度,A 为截面积)有关,当导体或半导体在受外力作用时,这三者都会发生变化,也因此会引起电阻的变化。通常测量阻值的大小,就可以得到外界作用力的大小。

2.2 应变片的种类、结构及工作原理

电阻应变片的品种繁多,形式多样,按其构造的材料可划分成两大类:金属电阻应变片和半导体电阻应变片。

2.2.1 金属电阻应变片的结构及其工作原理

金属电阻应变片种类很多,但基本结构大体相似,只是它们制造工艺有所不同。一般有金属丝绕式应变片,和以光刻、腐蚀工艺制造的金属箔栅式应变片两种,如图 2-1 所示。

金属丝绕式应变片是将金属电阻丝粘贴在基片上,上面覆盖一层薄膜,使它们变成一个整体,就构成了丝绕式应变片的结构图。图 2-1(a)是回线式应变片。为了克服回线式应变片的横向效应,可采用图 2-1(b)所示的短接方式构造的应变片。而箔栅式应变片则是用光刻、腐蚀等工艺制成一种薄的金属箔栅,其厚度一般在 0.003 ~ 0.010 mm 范围内。其特点是表面积和截面积之比大,散热率好,允许通过较大电流,可以方便地制成各种所需要的形状,便于大批量生产。由于上述优点,箔栅式应变片有逐渐取代丝绕式应变片的趋势。

金属丝绕式应变片性能中最重要的一项技术指标就是其灵敏系数。所谓其灵敏系数就是单位应变所能引起的电阻相对变化。这项指标的好坏决定该应变片的优劣。下面以金属丝绕式应变片为例给出其灵敏系数。

因为金属导体的电阻 R 为

$$R = \rho \frac{L}{A} \tag{2-1}$$

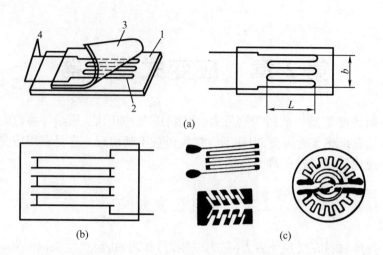

图 2 - 1 金属电阻应变片的结构示意图

(a)电阻丝应变片的结构图;(b)短接式丝式应变片结构;(c)箔式应变片结构

1—基片;2—直径为 0.025 mm 左右的高电阻率的合金电阻丝;3—覆盖层;

4—引线,用以和外接导线连接(L - 敏感栅长度);5—敏感栅的宽度

如果对电阻丝长度作用均匀应力,则 ρ, L, A 的变化将引起电阻 dR 的变化,dR 可以通过对式(2 - 1)作全微分求得,即

$$dR = \frac{\rho}{A}dL + \frac{L}{A}d\rho - \frac{\rho L}{A^2}dA \tag{2 - 2}$$

其相对变化量为

$$\frac{dR}{R} = \frac{dL}{L} + \frac{d\rho}{\rho} - \frac{dA}{A}$$

若电阻丝是圆形的,则 $A = \pi r^2$,r 为电阻丝的半径,对 r 微分得 $dA = 2\pi r dr$,则

$$\frac{dA}{A} = \frac{2\pi r dr}{\pi r_2} = 2\frac{dr}{r} \tag{2 - 3}$$

令 $\frac{dL}{L} = \varepsilon_x$,则 ε_x 为金属丝的轴向应变;令 $\frac{dr}{r} = \varepsilon_y$,则 ε_y 为金属丝的径向应变。从材料力学相关知识可知,在弹性范围内,金属丝受拉力时,会沿轴向伸长,沿径向缩短,那么轴向应变和径向应变的关系可表示为

$$\varepsilon_y = -\mu \varepsilon_x \tag{2 - 4}$$

式中,μ 为金属材料的泊松系数。

将式(2 - 3)和式(2 - 4)代入式(2 - 2)得

$$\frac{dR}{R} = (1 + 2\mu)\varepsilon_x + \frac{d\rho}{\rho} \tag{2 - 5}$$

或

$$\frac{\dfrac{dR}{R}}{\varepsilon_x} = (1 + 2\mu) + \frac{\dfrac{d\rho}{\rho}}{\varepsilon_x}$$

令

$$K_{\mathrm{s}} = \dfrac{\dfrac{\mathrm{d}R}{R}}{\varepsilon_x} = (1 + 2\mu) + \dfrac{\dfrac{\mathrm{d}\rho}{\rho}}{\varepsilon_x} \tag{2-6}$$

则 K_{s} 就称为金属丝的灵敏系数,其物理意义就是单位应变 ε_x 所引起的电阻相对变化。

从式(2-6)中可知,灵敏系数由两个因素决定。一个是受力后材料几何尺寸的变化,即 $(1 + 2\mu)$;另一个是受力后材料的电阻率发生变化,即 $\dfrac{\dfrac{\mathrm{d}\rho}{\rho}}{\varepsilon_x}$。对于确定的材料,$(1 + 2\mu)$ 项是常数,其数值约在 $1 \sim 2$ 之间。实验证明 $\dfrac{\dfrac{\mathrm{d}\rho}{\rho}}{\varepsilon_x}$ 也是一个常数,因此得到

$$\dfrac{\mathrm{d}R}{R} = K_{\mathrm{s}}\varepsilon_x$$

或

$$K_{\mathrm{s}} = \dfrac{\dfrac{\mathrm{d}R}{R}}{\varepsilon_x} \tag{2-7}$$

式(2-7)表示金属电阻丝的电阻相对变化与轴向应变成正比。

2.2.2 半导体应变片的结构和工作原理

半导体应变片是用半导体材料,采用与丝式应变片相同方法制成的半导体应变片。其结构如图 2-2 所示。

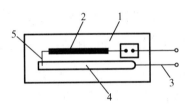

图 2-2 半导体应变片
1—基片;2—半导体敏感条;3—外引线;
4—引线连接片;5—内引线

半导体应变片的工作原理是基于半导体材料的压阻效应。所谓压阻效应是指半导体材料的某一轴向受外力作用时,其电阻率 ρ 发生变化的现象。

半导体应变片受轴向力作用时其电阻相对变化为

$$\dfrac{\Delta R}{R} = (1 + 2\mu)\varepsilon_x + \dfrac{\Delta \rho}{\rho}$$

$\dfrac{\Delta \rho}{\rho}$ 为半导体应变片的电阻率相对变化,其值与半导体敏感条在轴向所受的应变力之比为一常数,即

$$\dfrac{\Delta \rho}{\rho} = \pi\sigma = \pi E \varepsilon_x \tag{2-8}$$

式中,μ 为半导体材料的压阻系数。

将式(2-8)代入 $\dfrac{\Delta R}{R}$ 式中得

$$\dfrac{\Delta R}{R} = (1 + 2\mu + \pi E)\varepsilon_x$$

式中 $(1 + 2\mu)$——几何形状的变化;

πE——压阻效应,随电阻率而变化。

实验证明:πE 比 $(1 + 2\mu)$ 大近百倍,所以 $(1 + 2\mu)$ 可忽略。因此半导体应变片的灵敏系数为

$$K_s = \frac{\dfrac{\Delta R}{R}}{\varepsilon_x} = \pi E \qquad\qquad (2-9)$$

半导体应变片最突出的优点是体积小,灵敏度高,频率响应范围很宽,输出幅值大,不需要放大器,可直接与记录仪连接使用,使测量系统简单;但它也有温度系数大,应变时非线性比较严重的缺点。

综上所述,利用应变片测量应变或应力的基本过程是:

在外力作用下,被测对象产生微小机械变形,应变片随其发生相同的变化,同时,应变片电阻也发生相应变化。当测得应变片电阻值变化量 ΔR 时,便可得到被测对象的应变值 ΔR,根据应力和应变关系,得到应力值 σ 为

$$\sigma = E\varepsilon \qquad\qquad (2-10)$$

式中　σ——是试件的应力;

　　　ε——是试件的应变;

　　　E——是试件材料的弹性模量,单位为 kg/mm^2。

由此可知,应力值 ε 正比于应变 σ,而试件应变又正比于电阻值的变化 dR,所以应力正比于电阻值的变化。这就是利用应变片测量应变的基本原理。

2.3　电阻应变片的测量电路

由于机械应变一般很小,要把微小应变引起的电阻值变化测量出来,就需要把电阻相对变化 $\dfrac{\Delta R}{R}$ 转换为电压或电流的变化。因此,需要设计专用的测量电路。用于测量应变变化而引起的电阻变化的电桥电路通常有直流电桥和交流电桥两种。电桥电路的主要指标是桥路灵敏度、非线性和负载特性。下面具体讨论有关电路和这几项指标。

2.3.1　直流电桥

1. 平衡条件

直流电桥基本形式如图 2 – 3 所示。R_1，R_2，R_3，R_4 称为电桥的桥臂,R_L 为其负载(可以是测量仪表内阻或其他负载)。

当 $R_L \to \infty$ 时,电桥的输出电压 U_o 应为

$$U_o = E\left(\frac{R_1}{R_1 + R_2} - \frac{R_3}{R_3 + R_4}\right)$$

当电桥平衡时,$U_o = 0$,由上式可得到

$$R_1 R_4 = R_2 R_3$$

或

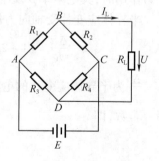

图 2 – 3　直流电桥

$$\frac{R_1}{R_2} = \frac{R_3}{R_4} \qquad\qquad (2-11)$$

式(2 – 11)被称为电桥平衡条件。平衡电桥就是桥路中相邻两臂阻值之比应相等,桥路相邻两臂阻值之比相等方可使流过负载电阻的电流为 0。

2. 电压灵敏度

如果在实际测量中,使第一桥臂 R_1 由应变片来代替,微小应变引起微小电阻变化,电

桥则输出不平衡电压的微小变化,一般需要加入放大器放大才能检测。由于放大器的输入阻抗可以比桥路输出电阻高得多,所以此时仍视为电桥为开路情况。当受应变力时,若应变力电阻变化为 ΔR_1,其他桥臂固定不变,则电桥输出电压 $U_o \neq 0$。下面试求不平衡电桥输出的电压 U_o:

$$U_o = E\left(\frac{R_1 + \Delta R_1}{R_1 + \Delta R_1 + R_2} - \frac{R_3}{R_3 + R_4}\right) = \frac{\Delta R_1 R_4}{(R_1 + \Delta R_1 + R_2)(R_3 + R_4)}E$$

$$= \frac{\left(\dfrac{R_4}{R_3}\right)\left(\dfrac{\Delta R_1}{R_1}\right)}{\left(1 + \dfrac{\Delta R_1}{R_1} + \dfrac{R_2}{R_1}\right)\left(1 + \dfrac{R_4}{R_3}\right)}E \qquad (2-12)$$

设桥臂比 $n = \dfrac{R_2}{R_1}$,由于 $\Delta R_1 \ll R_1$,分母中 $\dfrac{\Delta R_1}{R_1}$ 可忽略,并考虑到平衡条件 $\dfrac{R_2}{R_1} = \dfrac{R_4}{R_3}$,从式(2-12)可得到

$$U_o' \approx E\frac{n}{(1+n)^2}\frac{\Delta R_1}{R_1} \qquad (2-13)$$

电桥电压灵敏度定义为

$$S_V = \frac{U_o'}{\dfrac{\Delta R_1}{R_1}} = E\frac{n}{(1+n)^2} \qquad (2-14)$$

从式(2-14)分析发现:

①电桥电压灵敏度正比于电桥供电电压,供桥电压越高,电桥电压灵敏度越高,但是供桥电压的提高受到应变片允许功耗的限制,所以一般供桥电压应适当选择。

②电桥电压灵敏度是桥臂电阻比值 n 的函数,因此必须恰当地选择桥臂比 n 的值,保证电桥具有较高的电压灵敏度。

下面分析当供桥电压 E 确定后,n 应取何值,电桥电压灵敏度才最高。

由 $\dfrac{\partial S_V}{\partial n} = 0$ 来求 S_V 的最大值,由此得

$$\frac{\partial S_V}{\partial n} = \frac{1-n^2}{(1+n^4)} = 0 \qquad (2-15)$$

可求得 $n = 1$ 时,S_V 为最大。这就是说,在供桥电压确定后,当 $R_1 = R_2$,$R_3 = R_4$ 时,电桥的电压灵敏度最高。此时可分别将式(2-12)、式(2-13)、式(2-14)简化为

$$U_o = \frac{1}{4}E\frac{\Delta R_1}{R_1}\frac{1}{1 + \dfrac{1}{2}\dfrac{\Delta R_1}{R_1}} \qquad (2-16)$$

$$U_o' \approx \frac{1}{4}E\frac{\Delta R_1}{R_1} \qquad (2-17)$$

$$S_V = \frac{1}{4}E \qquad (2-18)$$

由以上三式可知,当电源电压 E 和电阻相对变化 $\dfrac{\Delta R_1}{R_1}$ 一定时,电桥的输出电压及其灵敏度也是定值,且与各桥臂阻值大小无关。

3. 非线性误差及其补偿的方法

在上面分析中,都是假定应变片的参数变化很小,而且可忽略掉$\dfrac{\Delta R_1}{R_1}$,这是一种理想情况。实际情况应按式$(2-12)$计算,其中分母中的$\dfrac{\Delta R_1}{R_1}$不可忽略,此时式$(2-12)$中的输出电压U_o与$\dfrac{\Delta R_1}{R_1}$的关系是非线性的。实际的非线性特性曲线与理想的线性曲线的偏差被称为绝对非线性误差。下面计算非线性误差。

设在理想情况下,从式$(2-12)$中忽略掉$\dfrac{\Delta R_1}{R_1}$,记输出电压为U',非线性误差为

$$r = \frac{U_o - U_o'}{U_o'} = \frac{U_o}{U_o'} - 1 = \frac{\dfrac{\left(\dfrac{R_4}{R_3}\right)\left(\dfrac{\Delta R_1}{R_1}\right)E}{\left[1 + \left(\dfrac{\Delta R_1}{R_1}\right) + \left(\dfrac{R_2}{R_1}\right)\right]\left(1 + \dfrac{R_4}{R_3}\right)}}{\dfrac{\left(\dfrac{R_3}{R_4}\right)\left(\dfrac{\Delta R_1}{R_1}\right)E}{\left(1 + \dfrac{R_2}{R_1}\right)\left(1 + \dfrac{R_4}{R_3}\right)}} - 1$$

$$= \frac{\dfrac{1}{1 + \dfrac{\Delta R_1}{R_1} + \dfrac{R_2}{R_1}}}{\dfrac{1}{1 + \dfrac{R_2}{R_1}}} - 1 = \frac{1 + \dfrac{R_2}{R_1}}{1 + \dfrac{\Delta R_1}{R_1} + \dfrac{R_2}{R_1}} - 1 = \frac{-\dfrac{\Delta R_1}{R_1}}{1 + \dfrac{\Delta R_1}{R_1} + \dfrac{R_2}{R_1}} \qquad (2-19)$$

对于一般应变片来说,所受应变ε通常在$5\,000\,\mu$以下,若取灵敏系数$K_S = 2$,则$\dfrac{\Delta R_1}{R_1} = K_S\varepsilon = 5\,000 \times 10^{-6} \times 2 = 0.01$,代入式$(2-19)$计算,非线性误差为$0.5\%$,但对电阻相对变化较大的情况,就不可忽视该误差。对半导体应变片的测量电路要做特殊处理,才能减小非线性误差。减小或消除非线性误差的方法有如下几种:

(1)提高桥臂比

从式$(2-19)$可以看出,提高桥臂比$n = \dfrac{R_2}{R_1}$,非线性误差可以减小;但从电压灵敏度$S_V \approx E\dfrac{1}{n}$来考虑,电桥电压灵敏度将降低。这是一种矛盾,所以为了达到既减小非线性误差,又不降低其灵敏度的目标,必须适当提高供桥电压E。

(2)采用差动电桥

根据被测试件的受力情况,若使一个应变片受拉,一个受压,则应变符号应相反。测试时,将两个应变片接入电桥的相邻臂上,如图$2-4$所示,称为半桥差动电路。该电桥输出电压U_o为

$$U_o = E\left(\frac{R_1 + \Delta R_1}{R_1 + \Delta R_1 + R_2 - \Delta R_2} - \frac{R_3}{R_3 + R_4}\right)$$

若 $\Delta R_1 = \Delta R_2 R_1 = R_2$，$R_3 = R_4$，则得

$$U_o = \frac{1}{2}E\frac{\Delta R_1}{R_1} \qquad (2-20)$$

由式(2-20)可知，U_o 与 $\dfrac{\Delta R_1}{R_1}$ 呈线性关系，差动电桥无非

线性误差。而且电压灵敏度为 $S_V = \dfrac{1}{2}E$，比使用一只应变片

的情况提高了一倍，同时可以起到温度补偿的作用。

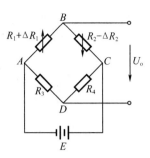

图2-4　半桥差动电路

若将电桥四壁接入四片应变片，如图2-5所示，即两个受拉，两个受压，将两个应变符号相同的接入相对臂上，则为工程全桥差动电路。若满足 $\Delta R_1 = \Delta R_2 = \Delta R_3 = \Delta R_4$，则输出电压为

$$U_o = E\frac{\Delta R_1}{R_1} \qquad (2-21)$$

$$S_V = E$$

由此可知，差动桥路的输出电压 U_o 和电压灵敏度比用单片时提高了四倍，比半桥差动电路提高了一倍。

（3）采用高内阻的恒流源电桥

通过电桥各臂的电流如果不恒定，也是产生非线性误差的一个重要原因。所以供给半导体应变片电桥的电源一般采用恒流源。如图2-6所示，供桥电流为 I，通过各臂的电流为 I_2 和 I_1，若测量电路输入阻抗较高，则

$$\begin{cases} I_1(R_1+R_2) = I_2(R_3+R_4) \\ I = I_1 + I_1 \end{cases}$$

解该方程组得

$$I_1 = \frac{R_3+R_4}{R_1+R_2+R_3+R_4}I$$

$$I_2 = \frac{R_1+R_2}{R_1+R_2+R_3R_4}I$$

输出电压为

$$U_o = I_1R_1 - I_2R_2 = \frac{R_1R_4 - R_2R_3}{R_1+R_2+R_3+R_4}I$$

若电桥初始处于平衡状态($R_1R_4 = R_2R_3$)，而且 $R_1 = R_2 = R_3 = R_4 = R$，则当第一桥臂电阻 R_1 变为 $R_1 = \Delta R_1$ 时，电桥输出电压为

$$U_o = \frac{R\Delta R}{4R+\Delta R}I = \frac{1}{4}I\Delta R\frac{1}{1+\frac{1}{4}\frac{\Delta R}{R}} \qquad (2-22)$$

由式(2-22)可知，分母中的 ΔR 被 $4R$ 除，与式(2-16)相比较可知，比前面的单臂供压电桥的非线性误差减少了50%。

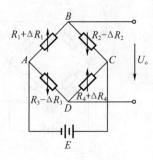

图 2-5 全桥差动电路

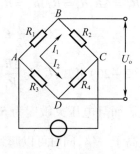

图 2-6 恒流源电桥

2.3.2 交流电桥

1. 交流电桥平衡条件

由上述内容知道,应变电桥输出电压很小,一般都要加放大器,由于直流放大器易于产生零漂,因此目前也常用交流放大器。由于供桥电源为交流电源,引线分布电容(忽略引线电感)使得桥臂的四只应变片均呈现复阻抗特性,即相当于四只应变片各并联了一只电容,但分析电桥平衡和输出电压方法仍与直流电桥相同,故输出电压为

$$\dot{U}_o = \dot{U}_{AC}\left(\frac{Z_1}{Z_1 + Z_2} - \frac{Z_3}{Z_3 + Z_4}\right) = \dot{U}_{AC}\frac{Z_1 Z_4 - Z_2 Z_3}{(Z_1 + Z_2)(Z_3 Z_4)}$$

式中,Z_1,Z_2,Z_3,Z_4 为电阻、电感、电容任意组合后所得的复阻抗。

那么,桥路平衡条件为

$$Z_1 Z_4 = Z_3 Z_4$$

或

$$\frac{Z_1}{Z_2} = \frac{Z_3}{Z_4} \tag{2-23}$$

设各桥臂阻抗为

$$Z_1 = r_1 + jx_1 = z_1 \exp(j\phi_1)$$
$$Z_2 = r_2 + jx_2 = z_2 \exp(j\phi_2)$$
$$Z_3 = r_3 + jx_3 = z_3 \exp(j\phi_3)$$
$$Z_4 = r_4 + jx_4 = z_4 \exp(j\phi_4)$$

式中 $r_1 \sim r_4$ 和 $x_1 \sim x_4$ ——各桥臂的电阻和电抗;

$z_1 \sim z_4$ 和 $\phi_1 \sim \phi_4$ ——各复阻抗的模值和幅角。

由此可得到交流电桥的平衡条件的另一形式,即

$$\begin{cases} z_1 z_4 = z_2 z_3 \\ \phi_1 + \phi_4 = \phi_2 \phi_3 \end{cases}$$

或

$$\begin{cases} r_1 r_4 - r_2 r_3 = x_1 x_4 - x_2 x_3 \\ r_1 x_4 + r_4 x_1 = r_2 x_3 + r_3 x_2 \end{cases}$$

2. 交流电桥的调平方法

利用交流电桥测量应变时,由于引线产生的分布电容的容抗(引线电感忽略),供桥电

源 $\dot{U}$ 的频率以及被测应变片的性能差异,将严重影响交流电桥的初始平衡条件和输出特性,因此必须对电桥预调平衡。

由于式(2-23)中的 Z 阻抗应包括电阻和电容等参数,此处交流电桥平衡,应包含电阻和电容两个平衡条件,因此,交流电桥的平衡可用电阻调整和电容调整的方法实现。

（1）电阻调平法

①串联电阻调平法

串联电阻调平法如图2-7(a)所示,图中 R_5 由下式确定:

$$R_5 = \left(\left| \Delta R_3 \right| + \left| \Delta R_1 \frac{R_3}{R_1} \right| \right)_{\max} \tag{2-24}$$

式中, ΔR_1, ΔR_3 为桥臂 R_1 与 R_2, R_3 与 R_4 的偏差。

②并联电阻调平法

并联电阻调平法如图2-7(b)所示,通过调节电阻 R_5 改变 AD 和 CD 的阻值比,使电桥满足平衡条件。电阻 R_6 决定可调范围, R_6 越小,可调范围越大,但测量误差也越大。 R_5, R_6 通常取相同阻值。 R_5 阻值可按下式确定:

$$R_5 = \frac{R_3}{\left(\left| \frac{\Delta R_1}{R_1} \right| + \left| \frac{\Delta R_3}{R_3} \right| \right)_{\max}} \tag{2-25}$$

（2）电容调平法

①差动电容调平法

差动电容调平法如图2-7(c)所示, C_3 和 C_4 为差动电容,调节 C_3 和 C_4 时,由于电容大小相等,极性相反,可使电桥平衡。

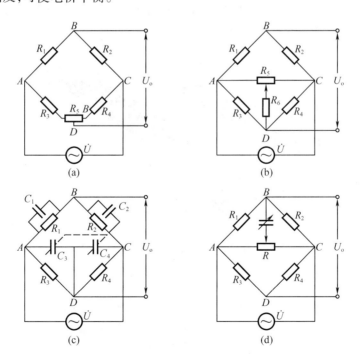

图2-7　交流电桥平衡调节方法

②阻容调平法

阻容调平法如图 2 -7(d)所示,该电桥接入了"T"形 RC 阻容电路,可通过交替调节电容、电阻使电桥达到平衡状态。

（3）交流电桥不平衡状态

①单臂交流电桥

其输出电压为

$$\dot{U}_o = \frac{1}{4} \dot{U}_{AC} \frac{\Delta Z_1}{Z_1}$$

②差动交流电桥(半桥差动电路)

其输出电压为

$$\dot{U}_o = \frac{1}{2} \dot{U}_{AC} \frac{\Delta Z_1}{Z_1}$$

③双差动交流电桥(全桥差动电路)

其输出电压为

$$\dot{U}_o = \dot{U}_{AC} \frac{\Delta Z_1}{Z_1}$$

2.4 电阻应变片的种类、材料及粘贴

2.4.1 电阻应变片的种类

电阻应变片常用的有丝式、箔式、半导体式和薄膜式应变片。图 2 -8 是三种电阻应变片,图 2 -9 是金属丝式应变片结构图。

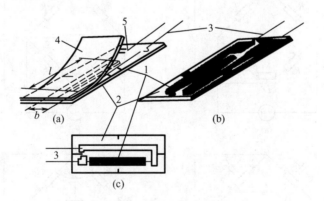

图 2 -8 三种电阻应变片

1—灵敏元件;2—基片;3—引线;4—覆盖层;5—引线接点

为了获得大的电阻变化量,应做如下工作考虑:应变片的纵向效应与测量的形变方向一致,当圆弧部分产生了一个负的电阻变化并降低应变片的灵敏度系数时,必须采用改进结构和调整传感器的安装方向等措施以减小横向效应的影响。

2.4.2　电阻应变片的材料

传感器弹性元件的材料应具有高强度、高弹性极限、低弹性模量、稳定的物理性质以及良好的机械加工和热处理性能。常用的材料有合金钢 40Cr、35CrMnSiA、40CrNiMoA、$60Si_2MnWA$ 硬铝及超硬铝等。对性能要求不太高的传感器也可以用优质碳素钢 45 等材料。

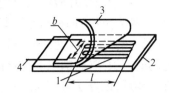

图 2－9　金属丝式应变片结构
1—电阻丝；2—基片；
3—覆盖层；4—引出线

2.4.3　电阻应变片的粘贴

①目测电阻应变片有无折痕、断丝等缺陷,有缺陷的应变片不能粘贴。

②用数字万用表测量应变片电阻值的大小。同一电桥中,各应变片之间的阻值相差不得大于 0.5 Ω。

③试件表面处理:贴片处用细砂纸打磨干净,用酒精棉球反复擦洗贴片处,直到棉球无黑迹为止。

④应变片粘贴:在应变片基底上挤一小滴 502 胶水,轻轻涂抹均匀,立即放在应变片贴片位置。

⑤焊线:用电烙铁将应变片的引线焊接到导引线上。

⑥用兆欧表检查应变片与试件之间的绝缘电阻,应大于 1 000 MΩ。

⑦应变片保护:将 704 硅橡胶覆于应变片上,防止受潮。

2.4.4　电阻应变片的温度误差及补偿

用作测量应变的金属应变片,希望其阻值仅随应变变化,而不受其他因素影响。实际上应变片的阻值受环境温度(包括被测试件的温度)影响很大。由于环境温度变化引起的电阻变化与试件应变所造成的电阻变化因基本上有相同的数量级,从而产生很大的测量误差,其被称为应变片的温度误差,又称热输出。因环境温度改变而引起电阻变化的主要因素是应变片的电阻丝(敏感栅)也具有一定温度系数,且电阻丝材料与测试材料的线膨胀系数不同。

应变片粘贴在试件表面上,当试件不受外力作用,且温度变化时,应变片的温度效应用应变形式表现出来,称之为热输出。可见,应变片热输出的大小不仅与应变计敏感栅材料的性能有关,而且与试件材料的线膨胀系数有关。可选用具有温度补偿功能的应变片,如图 2－10 是自补偿应变片,其中图 2－10(a)为电阻应变片的标定及其补偿图,图 2－10(b)为双元件半桥自补偿应变片图。

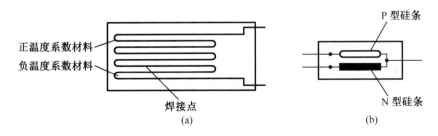

图 2－10　自补偿应变片
(a)电阻应变片的标定及其补偿;(b)双元件半桥自补偿应变片

自补偿应变片所示的应变片,如图 2 - 10(a)所示,由两种不同电阻温度系数(一种为正值,一种为负值)的材料串联组成敏感栅,以实现一定的温度范围内在一定材料的试件上的温度补偿。这种应变片的自补偿条件要求粘贴在某种试件上的两端敏感栅,随温度变化而产生的电阻增量大小相等,符号相反,该方法补偿效果可达 ±0.45 $\mu\varepsilon$/℃。组合式自补偿应变片的另一种形式是用两种同符号温度系数的合金丝串接成敏感栅,在串接处焊出引线并接入电桥,如图2 - 10(b)所示。同时,可以适当调节 R_1 与 R_2 的长度比,或调节外接电阻的值来使之满足条件,满足温度自补偿要求。

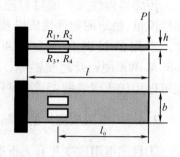

图 2 - 11 全桥应变片的安装图

图 2 - 11 是全桥应变片的安装图,应注意安装时特别位置对称一致并尽可能使四个应变片在一个等温区内。应变片在根部偏右主要是考虑非线性失真变小时,四个应变片一致性会更好。

2.5 应变式传感器的应用

2.5.1 电阻应变片的电子秤

用于衡器的传感器一般有电阻应变片、弹性金属结构传感器等元件,自从 1983 年将电阻应变片应用于商用计价秤后,电子秤已逐渐取代传统的机械式案秤和光栅式码盘秤。这种电阻应变式计价秤的称重误差已可做到小于满量程的 0.02% 。

下面介绍用电阻应变片的电子秤结构、工作原理和有关电路。

电阻应变片电子秤中最常出现的是采用 S 形双弯曲悬梁测力传感器和单片机结合的数字式电子秤,它具有零点跟踪、非线性校正、精度选择、称重、去皮重、累计、显示和打印等多种功能。

传感器弹性体为双弯曲梁,四个应变片分别粘贴在梁的上、下两表面上以组成全桥电路,如图 2 - 12(a)所示。当载荷 W 作用时,R_1,R_2 受拉伸,阻值增加;R_3,R_4 受压缩,组织减小,电桥失去平衡,产生 ΔU 电压输出,且 ΔU 与 W 成正比,即

$$\Delta U = U \frac{\Delta R}{R} = K_s \varepsilon U$$

对于双弯曲的应变为

$$\varepsilon = \frac{3W\left(d - \frac{a}{2} - \delta\right)}{Ebh^2}$$

式中　d——梁端到梁中心距离;

　　　δ——梁端到应变片的距离;

　　　h——梁厚度;

　　　b——梁宽度;

　　　E——材料的杨氏模量;

　　　a——应变片的基长。

双连孔传感器的输出为

$$\Delta U = K_{\mathrm{S}} U \frac{3W(\mathrm{d} - \dfrac{a}{2} - \delta)}{Ebh^2}$$

传感器的灵敏度为

$$S = \frac{\Delta U}{U} = K_{\mathrm{S}} \frac{3W(\mathrm{d} - \dfrac{a}{2} - \delta)}{Ebh^2}$$

S形双弯曲梁应变式测力传感器有以下特点:

1. 输出灵敏度高

由于结构是双连孔形的,粘贴应变片处较薄,应变大,而其他部位较厚,故强度、刚度好。

2. 变化加载点不影响输出

在传感器上装配上、下承压板,变成了S形状(图2-12(d)),则传感器部分如图2-12(c)所示,由该图可证明变化加载点对输出特性不产生影响。

$$M_1 = Wx$$
$$M_2 = W(x + a)$$
$$M_2 - M_1 = W(x + a) - Wx = Wa$$

由此可见,输出只与应变片基长 a(常数)有关,而与重物加载点 x 无关。

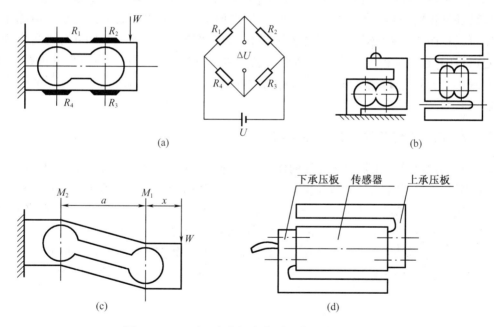

图 2-12 S形双弯曲梁应变测力传感器结构原理

3. 抗侧向力强

倘若增加一个侧向力,对于中间梁而言,只是增加了一对轴向力,所以四个应变片将同时增、减 ΔR,故对输出无影响。

4. 结构简单、精度高、量度宽、工作可靠

为了提高测量精度,传感器可采用种种补偿措施来消除有关误差。例如图 2 – 13 即是一种调零电路。电桥 2(补偿电桥)串联在应变片传感器的输出和测量仪表之间,通过调节补偿电桥中的电位器 W,改变其输出电压 U_{o2},用 U_{o2} 来抵消传感器的零点偏移输出电压 U_{o1},因此调节 W 可使传感器在空载输出电压 U_o 为零。

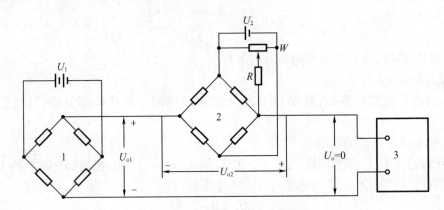

图 2 – 13　调零电桥及其接法

1—称重传感器;2—调零电桥;3—测量仪表

图 2 – 14 是一种电子秤的逻辑框图,其各部分的功能如图所示。其中数字倍增器的作用是保证各量程的分辨率始终保持在一个固定数值上。如果用微处理机与模拟电路结合的方案可以将图 2 – 14 的若干数字电路省略掉,只使用如图 2 – 15 所示的部分即可实现自动称重的目的,且增加很大程度的灵活性。它可以根据预先编制的程序对称重进行采样、处理和控制,完成自动校准、自动调零、自动量程、自动判断、自动计价、自动显示和打印结果等功能。

2.5.2　应变式传感器对加速度的测量

应变式加速度计和压阻加速度计的体积小、质量轻、输出阻抗低,可用于飞机、轮船、机车、桥梁等振动加速度的测量。它们的工作原理及其结构如图 2 – 16 所示。加速度传感器是一种利用金属丝(箔)应变片或半导体应变片作为敏感元件进行加速度测量的传感器。应变式加速度计和压阻加速度计,它们体积小、重量轻、输出阻抗低,可用于飞机、轮船、机车、桥梁等振动加速度的测量。他们的工作原理及其结构如图 2 – 16(a)和(b)所示。加速度传感器是一种利用金属丝(箔)应变片或半导体应变片作为敏感元件进行加速度测量的传感器。

1. 应变加速度计

其结构如图 2 – 16(a)所示,其工作原理如下:

在悬臂梁 2 的一端固定质量块 1,梁的另一端用螺钉固定在壳体 6 上,在梁的上下两面粘贴应变片 5,梁和质量块的周围充满阻尼液(硅油),用以产生必要的阻尼。测量振动时,将传感器壳体和被测对象刚性固定在一起,因此作用在质量块上的惯性力 F 使悬臂梁产生变形(应变)。这样,粘贴在梁上用应变片所构成的电桥失去平衡而输出电压,且此输出电压的大小正比于外界振动加速度 a。

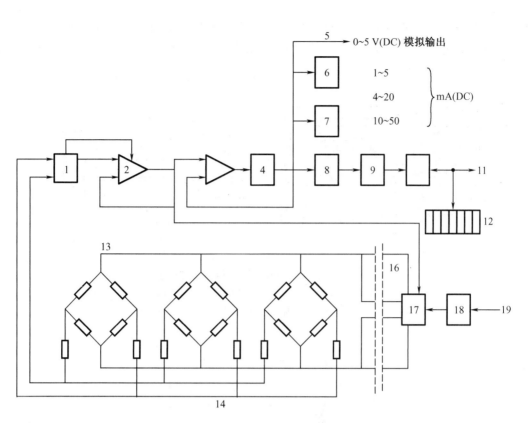

图 2 – 14 电子逻辑框图

1—零点自动调节器;2—前置放大器;3—输出放大器;4—低通滤波器;5—模拟输出;
6—电流放大器 7—给定值控制器;8—模 – 数转换器;9—数字倍增器;10—脉冲存储器;
11—BCD 码输出;12—数字显示器;13—传感器非线性补偿;14—传感器桥路;15—隔离电阻;
16—远距离传输补偿;17—电压调节器;18—电源;19—交流电网

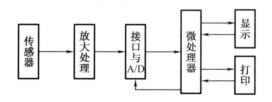

图 2 – 15 带微处理器的电子秤

2. 压阻式加速度计

压阻式加速度计其结构和金属丝(箔)应变式加速度计相类似。它用硅梁代替金属梁,直接在硅梁上扩散四个应变电阻,其结构如图 2 – 16(b)所示。这种结构的优点是体积小、灵敏度高、滞后小、蠕变小,具有良好的线性和稳定性,频率范围从零到几十千赫。

2.5.3 应变式压力传感器

应变式压力传感器主要用来测量流动介质的动态压力或静态压力,如动力管道设备的进出口气体或液体的压力、发动机内部的压力变化、枪管及炮管内部的压力、内燃机管道压力等。应变片压力传感器大多采用膜片式或筒式弹性元件。如图 2-17 所示的振动式地音入侵探测器,适合于金库、仓库、古建筑的防范,挖墙、打洞、爆破等破坏行为的及时发现。

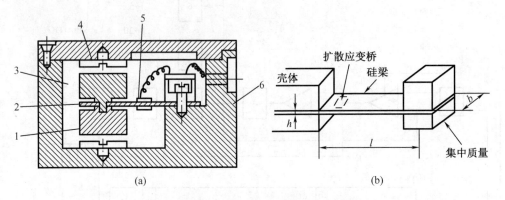

(a)   (b)

图 2-16 应变式加速度计结构与工作原理

(a)应变加速度计结构图;(b)压阻式加速度计结构图

1—质量块;2—悬臂梁;3—阻尼液;4—螺钉;5—应变片;6—壳体

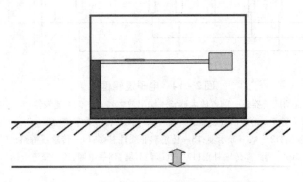

图 2-17 振动式地音入侵探测器示意图

2.5.4 应变式数显扭矩扳手

应变式数显扭矩扳手如图 2-18 所示,可用于汽车、摩托车、飞机、内燃机、机械制造和家用电器等领域,可准确控制紧固螺纹的装配扭矩。其量程 2~500 N·m,耗电量小于等于 10 mA,有公制/英制单位转换、峰值保持和自动断电等功能。

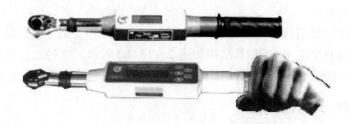

图 2-18 应变式数显扭矩扳手

第3章　电容式传感器

电容测量技术在近几年来有很大进步,不但广泛应用于位移、振动、角度和加速度等机械量的精密测量,还逐步应用于压力、差压、液面、料面和成分含量等方面的测量。电容式传感器具有结构简单、体积小、分辨率高、可非接触测量等一系列突出优点,并在非电测量和自动检测中得到了广泛应用。

3.1　电容式传感器的工作原理

电容式传感器是一个具有可变参数的电容器。多数场合下,电容是由两个金属平行板组成并且以空气为介质,如图3-1(a)所示。图3-1(b)是变量转换关系图。电容式传感器由两个平行板组成,电容器的电容量为

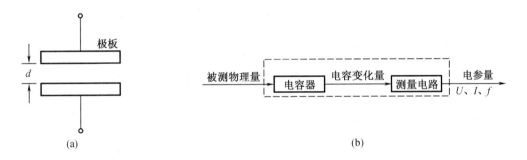

图 3-1　电容式传感器

(a)平行板电容器;(b)变量转换关系图

$$C = \frac{\varepsilon A}{d} \tag{3-1}$$

式中　ε——电容极板间介质的介电常数,对于真空,$\varepsilon = \varepsilon_0$;

　　　A——两平行板所覆盖的面积;

　　　d——两平行板之间的距离;

　　　C——电容量。

当被测参数使得式(3-1)中的 A,d 或 ε 值发生变化时,电容量 C 也随之变化。如果保持其中两个参数不变,仅改变另一个参数,就可把该参数的变化转换为电容量的变化。因此,电容量变化的大小与被测参数的大小成正比。在实际使用中,电容式传感器常通过改变平行板间距 d 来进行测量,因为这样获得的测量灵敏度高于改变其他参数的电容传感器的灵敏度。改变平行板间距 d 的传感器可以测量微米量级的位移,而改变面积 A 的传感器只适用于测量厘米数量级的位移,但改变面积的传感器的线性程度好。

3.1.1　变极距型电容传感器

由式(3-1)可知,电容量 C 与极板距离 d 不是线性关系,而是如图3-2所示的双曲线

关系。若电容器极板距离由初始值 d_0 缩小 Δd,极板距离分别为 d_0 和 $d_0 - \Delta d$,其电容量 C_0 和 C_1 分别为

$$C_0 = \frac{\varepsilon A}{d_0} \qquad (3-2)$$

$$C_1 = \frac{\varepsilon A}{d_0 - \Delta d} = \frac{\varepsilon A}{d_0\left(1 - \dfrac{\Delta d}{d_0}\right)} = \frac{\varepsilon A\left(1 + \dfrac{\Delta d}{d_0}\right)}{d_0\left(1 - \dfrac{\Delta d}{d_0}\right)} \qquad (3-3)$$

图 3-2 为平行板电容器极板距离与电容量关系图。

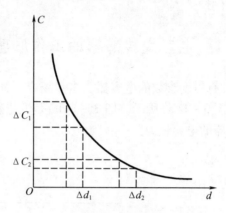

图 3-2　电容量与极板距离的关系

当 $\Delta d \ll d_0$ 时,式(3-3)可以简化为

$$C_1 = \frac{\varepsilon A\left(1 + \dfrac{\Delta d}{d_0}\right)}{d_0} = C_0 + C_0\frac{\Delta d}{d_0} \qquad (3-4)$$

此时 C_1 与 Δd 近似呈线性关系,所以改变极板距离的电容式传感器往往设计成 Δd 在极小范围内变化。另外,由图 3-2 可以看出,当 d_0 较小时,对于同样的 ΔC 变化所引起的电容变化量 ΔC 可以增大,从而使传感器的灵敏度提高;但 d_0 过小时,也容易引起电容器击穿。改善击穿条件的办法是在极板间放置云母片,如图 3-3 所示。此时,电容 C 变为

$$C = \frac{A}{\dfrac{d_{\mathrm{g}}}{\varepsilon_0 \varepsilon_0} + \dfrac{d_0}{\varepsilon_0}} \qquad (3-5)$$

式中　ε_{g}——云母的相对介电常数,值为 7;

　　　ε_0——空气的介电常数,值为 1;

　　　d_{g}—云母片的厚度;

　　　d_0—空气隙厚度。

云母的相对介电常数为空气的 7 倍,其击穿电压不小于 1 000 kV/mm,而空气的击穿电压仅为 3 kV/mm。即使厚度为 0.01 mm 的云母片后,它的击穿电压也不小于 10 kV/mm。因此有了云母片后,极板之间的起始距离可以大大减小。同时式(3-5)分母中的 $\dfrac{d_{\mathrm{g}}}{\varepsilon_{\mathrm{g}}}$ 项是恒定值,它能使电容式传感器输出特性的线性度得到改善,只要云母片厚度选取得当,就能获

得较好的线性关系。

一般电容式传感器起始电容在 20～30 pF 之间,极板距离在 25～200 μm 的范围内,最大位移应该小于极板距离的 1/10。在实际应用中,为了提高传感器的灵敏度和克服某些外界因素(例如电源电压、环境温度等)对测量的影响,常常把传感器制成差动形式,其原理如图 3-4 所示。当动极板移动后,C_1 和 C_2 呈差动变化,即其中一个电容量增大,而另一个电容量则相应减小,这样可以消除外界因素所造成的测量误差。

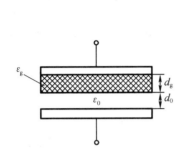

图 3-3　放置云母片的电容器

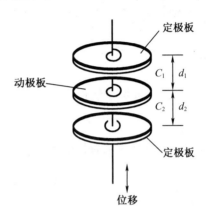

图 3-4　差动电容式传感器原理

3.1.2　变面积型电容传感器

图 3-5 是一只电容式角位移传感器原理图。当动极板有一个角位移 θ 时,定极板的遮盖面积就改变,从而改变了两极板件的电容量。当 $\theta = 0$ 时,则

$$C_0 = \frac{\varepsilon_1 A}{d} \tag{3-6}$$

式中,ε_1 为介电常数。

当 $\theta \neq 0$ 时,则

$$C_1 = \frac{\varepsilon_1 A\left(1 - \dfrac{\theta}{\pi}\right)}{d} = C_0 - C_0\frac{\theta}{\pi} \tag{3-7}$$

可以看出,这种形式的传感器电容量 C 与角位移 θ 是呈线性关系的。

图 3-6 为圆柱形电容式位移传感器。在初始位置($a = 0$)时,动极板、定极板相互覆盖,此时电容量为

$$C_0 = \frac{2\pi\varepsilon_1 l}{\ln\left(\dfrac{D_0}{D_1}\right)} \tag{3-8}$$

式中　l, D_0 和 D_1——单位为 cm;

　　　C_0——单位为 pF。

当动极板发生位移 a 后,其电容量为

$$C = C_0 - C_0\frac{a}{l} \tag{3-9}$$

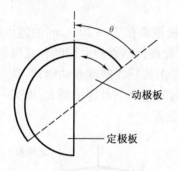

图 3-5　电容式角位移传感器原理

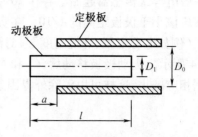

图 3-6　圆柱形电容式传感器

由此可知 C 与 a 呈线性关系,所以将动极板稍作径向移动时,不影响电容器的输出特性。

3.1.3　变介质型电容传感器

图 3-7 为一种改变工作介质的电容式传感器,其电容量为

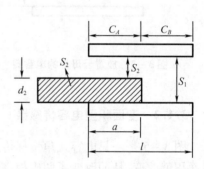

$$C = C_A + C_B \qquad (3-10)$$

$$C_A = ba\frac{1}{\dfrac{d_2}{\varepsilon_2} + \dfrac{d_1}{\varepsilon_1}} \qquad (3-11)$$

$$C_B = b(l+a)\frac{1}{\dfrac{d_1+d_2}{\varepsilon_1}} \qquad (3-12)$$

图 3-7　改变介质电容式传感器

式中,b 为极板宽度。

设在电极中无 ε_2 介质时的电容量为 C_0,即

$$C_0 = \varepsilon_1\frac{bl}{d_1+d_2}$$

将 C_A,C_B 和 C_0 的表达式代入式(3-10),可得

$$C = ba\frac{1}{\dfrac{d_2}{\varepsilon_2}+\dfrac{d_1}{\varepsilon_1}} + b(l-a)\frac{1}{\dfrac{d_1+d_2}{\varepsilon_1}}$$

$$= C_0 + C_0\frac{a}{l}\frac{1-\dfrac{\varepsilon_1}{\varepsilon_2}}{\dfrac{d_1}{d_2}+\dfrac{\varepsilon_1}{\varepsilon_2}} \qquad (3-13)$$

式(3-13)表明,电容量 C 与位移 a 呈线性关系。

3.2　电容式传感器的测量电路

根据电容式传感器的特性,在实际应用中,通常采用如下几种电路测量其电容量的变化并以此来实现对其他测量的检测。

3.2.1　桥式电路(电桥测量电路)

如图3－8所示为电容式传感器的电桥测量电路。一般传感器包括在电桥内,并用稳频、稳幅和固定波形的低阻信号源去激励,最后经电流放大及相敏整流得到直流输出信号。

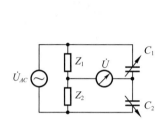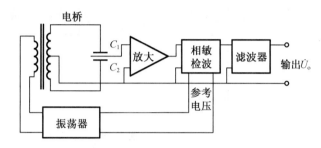

图3－8　电桥测量电路

从图可以看出电桥平衡条件为

$$\frac{Z_2}{Z_1} = \frac{C_1}{C_2} = \frac{d_2}{d_1} \tag{3－14}$$

此外 C_1 和 C_2 为差动电容,d_1 和 d_2 为相应的间隙。当差动电容的动极板移动 Δd 时,根据差动电桥输出电压公式,可得该电桥的输出电压 U_o 为:

$$\dot{U}_o = \frac{\dot{U}_{AC}}{2} \frac{\dfrac{1}{\mathrm{j}\omega\Delta C}}{R_0 + \dfrac{1}{\mathrm{j}\omega C_0}} = \frac{\dot{U}_{AC}}{2} \frac{\Delta Z}{Z} \tag{3－15}$$

式中　R_0——电容损耗电阻;

　　　ΔC——差动电容变化量;

　　　C_0——当 $C_1 = C_2$ 时的电容量;

　　　Z——为 C_0,R_0 的等效阻抗。

3.2.2　调频电路

调频测量电路将电容式传感器作为振荡器谐振回路的一部分。当输入量导致电容量发生变化时,振荡器的振荡频率就发生变化,将频率的变化在鉴频中变换为振幅的变化,再放大后就可以用仪表指示或用记录仪器记录下来。调频接收系统可以分为直放式调频和外差式调频两种类型。其中外差式调频线路比较复杂,但是性能远优于直放式调频电路。图3－9(a)和(b)分别表示这两种调频系统。

图3－9中的调频振荡器的振荡频率由下式决定:

$$f = \frac{1}{2\pi} \frac{1}{\sqrt{LC}}$$

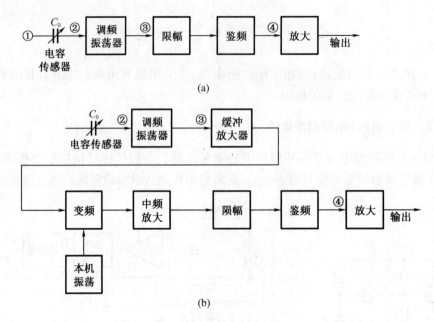

(a)

(b)

图 3-9 调频电路方框图

式中 L——振荡回路的电感；

   C——总电容, $C = C_1 + (C_0 \pm \Delta C) + C_2$；

   C_1——振荡回路的固有电容；

   C_2——传感器的引线分布电容；

   $C_0 \pm \Delta C$——传感器的电容。

当被测信号为 0 时, $\Delta C = 0$, 则 $C = C_1 + C_0 + C_2$, 所以振荡器有一个固有频率 f_o：

$$f_0 = \frac{1}{2\pi \sqrt{(C_1 + C_0 + C_2)L}}$$

当被测信号不为 0 时, 即 $\Delta C \neq 0$, 振荡频率有相应变化, 此时频率为

$$f = \frac{1}{2\pi \sqrt{(C_1 + C_0 + C_2 \pm \Delta C)L}} = f_0 \pm \Delta f$$

此变化过程的波形如图 3-10 所示。

用调频系统作为电容传感器的测量电路主要有以下特点：

(1) 选择性好, 且灵敏度高；

(2) 抗外来干扰能力强；

(3) 特性稳定；

(4) 能取得高电平的直流信号 (伏特数量级)；

(5) 因为是频率输出, 易于用数字仪器和计算机接口。

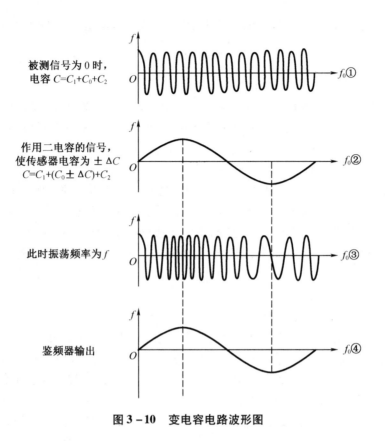

被测信号为0时，
电容 $C=C_1+C_0+C_2$

作用二电容的信号，
使传感器电容为 $\pm\Delta C$
$C=C_1+(C_0\pm\Delta C)+C_2$

此时振荡频率为 f

鉴频器输出

图 3-10　变电容电路波形图

3.3　电容式传感器的特点及设计要求

3.3.1　电容式传感器的特点

1. 电容式传感器的优点

（1）温度稳定性好

电容式传感器的电容值一般与电极材料无关，这有利于选择温度系数低的材料；又因为电容器本身的损耗非常小，所以发热很小，因此，传感器具有良好的零点稳定性。由于自身发热而引起的零漂可以认为是不存在的。

（2）结构简单、适应性强

电容传感器的结构简单，易于制造，易于保证较高的精度；可以做得非常小巧，以实现某些特殊测量；由于不用有机材料和磁性材料，能承受很大的温度变化和各种辐射及强磁场作用，可以在恶劣环境中工作，也可以在许多各向同性的电介质液体中工作。

（3）动态响应好

电容式传感器由于极板间的静电引力很小（约 10^{-5} N），需要的作用能量极小，又由于它的可动部分可以做得很小很薄，即质量很轻，因此其固有频率很高，动态响应时间短，能在几兆赫兹的频率下工作，特别适合动态测量。又由于其介质损耗小可以用较高频率供电，所以系统工作频率高。它可用于测量高速变化的参数，如测量振动、瞬时压力等。

由电磁学理论知,当带电极板的电位不变时,极板间的静电引力可以由下式求出

$$F = -\varepsilon_0 \frac{U^2 S}{2d^2} \qquad (3-16)$$

式中,负号表明 F 的方向总是力图增加极间电容。

例如,极板直径为 $D = 12.7$ mm$(S = \pi D^2/4)$,间隙 $d = 0.025$ 4 mm 的圆平板电容器,两极板间的电位差 $U = 10$ V 时,静电引力 $F \approx 0.87 \times 10^{-4}$ N,这与电感式传感器相比是极小的。

(4)可以实现非接触测量、具有平均效应

当被测件不能允许采用接触测量的情况下,电容传感器可以完成测量任务。当采用非接触测量时,电容式传感器具有平均效应,可以减小工件表面粗糙度等量对测量的影响。

电容式传感器除上述优点之外,还因带电极板间的静电引力极小,所以所需输入能量极小,特别适宜低能量输入的测量,例如测量极低的压力、力和很小的加速度、位移等,可以做得很灵敏,分辨力非常高。

2. 电容式传感器的缺点

(1)输出阻抗高,负载能力差

电容式传感器的容量受其电极几何尺寸等限制,一般为几十到几百皮法。这使传感器的输出阻抗很高,尤其当采用音频范围内的交流电源时,输出阻抗高达 $10^6 \sim 10^8$ Ω。因此传感器负载能力差,易受外界干扰影响而产生不稳定现象,严重时甚至无法工作,必须采取屏蔽措施,从而给设计和使用带来不便。

电容式传感器容抗大还要求传感器绝缘部分的电阻值极高(几十兆欧以上),否则绝缘部分将作为旁路电阻而影响传感器的性能(如灵敏度降低),为此还要特别注意周围环境如温湿度、清洁度等对绝缘性能的影响。

高频供电虽然可降低传感器输出阻抗,但放大、传输远比低频时复杂,且寄生电容影响加大,难以保证工作稳定。

(2)寄生电容影响大

传感器的初始电容量很小,而其引线电缆电容(1～2 m 导线的电容可达 800 pF)、测量电路的杂散电容以及传感器极板与其周围导体构成的电容等"寄生电容"却较大。

(3)输出特性非线性

变极距型电容传感器的输出特性是非线性的,虽可采用差动结构来改善,但不可能完全消除这一特性。其他类型的电容传感器也只有忽略了电场的边缘效应时,输出特性才呈线性。否则边缘效应所产生的附加电容量将与传感器电容量直接叠加,使输出特性非线性。

3.3.2 设计要求

电容式传感器所具有的高灵敏度、高精度等独特的优点是与其正确设计、选材和精细的加工工艺分不开的。在设计传感器的过程中,在所要求的量程、温度和压力等范围内,应尽量使它具有低成本、高精度、高分辨力、稳定可靠和高的频率响应等。具体要求如下:

1. 绝缘材料的绝缘性能

温度变化使传感器内各零件的几何尺寸和相互位置及某些介质的介电常数发生改变,从而改变传感器的电容量,产生温度误差。

湿度也影响某些介质的介电常数和绝缘电阻值,因此必须从选材、结构、加工工艺等方面来减小温度和湿度等误差。

电容式传感器的金属电极的材料以选用温度系数低的铁镍合金为好,但铁镍合金较难加工。也可采用在陶瓷或石英上喷镀金或银的工艺,这样电极可以做得极薄,对减小边缘效应极为有利。传感器内电极表面不便经常清洗,应加密封以防尘、防潮。也可在电极表面镀以极薄的惰性金属(如铑等)层来代替密封件起保护作用,其可防尘、防湿、防腐蚀,并在高温下可减少表面损耗、降低温度系数。尽量采用空气或云母等介电常数的温度系数近似为零的电介质(但亦受湿度变化的影响)作为电容式传感器的电介质。若用某些液体如硅油、煤油等作为电介质,当环境温度、湿度变化时,它们的介电常数会随之改变,因此产生误差。此误差虽可用后接的电子电路加以补偿,但无法完全消除。

在可能的情况下,传感器内尽量采用差动对称结构,这样可以通过某些类型的测量电路(如电桥)来减小温度等误差。选用 50 kHz 至几兆赫兹作为电容传感器的电源频率,以降低对传感器绝缘部分的绝缘要求。传感器内所有的零件应先进行清洗、烘干后再装配。传感器要密封以防止水分侵入内部而引起电容值变化和绝缘性能下降。壳体的刚性要好,以免安装时变形。

2. 消除和减小边缘效应

边缘效应如图 3-11 所示。适当减小极间距,使电极直径或边长与间距比增大,即可减小边缘效应的影响,但易产生击穿并有可能限制测量范围。电极应做得极薄使之与极间距相比很小,这样也可减小边缘电场的影响。可在结构上增设等位环来消除边缘效应。

带等位环的平板式电容传感器如图 3-12 所示。等位环 3 与电极 2 同平面并将电极 2 包围,彼此绝缘但等电位,这使电极 1 和电极 2 之间的电场基本均匀,而发散的边缘电场发生在等位环 3 外周,不影响传感器两极板间电场。

边缘效应引起的非线性与变极距型电容式传感器原理上的非线性恰好相反,在一定程度上起了补偿作用。

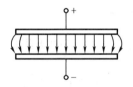

图 3-11　边缘效应

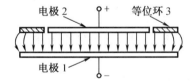

图 3-12　带有等位环的平板式
电容器传感器

3. 消除和减小寄生电容的影响

寄生电容与传感器电容相并联,影响传感器灵敏度,而它的变化则为虚假信号影响仪器的精度,必须消除和减小它。

有六种方法可减小寄生电容的影响,即增加传感器原始电容值、整体屏蔽法、集成化、采用"驱动电缆"(双层屏蔽等位传输)技术、采用运算放大器法和注意传感器的接地与屏蔽。本节讨论前五种方法。

(1)增加传感器原始电容值

采用减小极片或极筒间的间距(平板式间距为 0.2~0.5 mm,圆筒式间距为 0.15 mm),

增加工作面积或工作长度来增加原始电容值,但受加工及装配工艺、精度、示值范围、击穿电压、结构等限制。一般电容值变化在 $10^{-3} \sim 10^3$ pF 范围内,相对值变化在 $10^{-6} \sim 1$ 范围内。

(2)集成化

将传感器与测量电路本身或其前置级装在一个壳体内,省去传感器的电缆引线,这样,寄生电容值减小而且易固定不变,使仪器工作稳定。但这种传感器因电子元件的特点而不能在高、低温或环境差的场合使用。

(3)"驱动电缆"(双层屏蔽等位传输)技术

当电容式传感器的电容值很小,且因某些原因(如环境温度较高),测量电路只能与传感器分开时,可采用"驱动电缆"技术。采用这种技术可使电缆线长达 10 m 之远也不影响仪器的性能。其结构如图 3-13 所示。

传感器与测量电路前置级间的引线为双屏蔽层电缆,其内屏蔽层与信号传输线(即电缆芯线)通过增益为 1 的放大器成为等电位,从而消除了芯线与内屏蔽层之间的电容。

由于屏蔽线上有随传感器输出信号变化而变化的电压,因此称其为"驱动电缆"。外屏蔽层接大地或接仪器地,用来防止外界电场的干扰。当电容式传感器的初始电容值很大(几百微法)时,只要选择适当的接地点仍可采用一般的同轴屏蔽电缆,电缆可以长达 10 m,仪器仍能正常工作。

(4)运算放大器法

运算放大器法结构如图 3-14 所示。

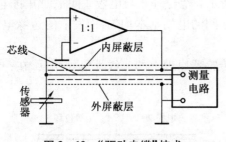

图 3-13 "驱动电缆"技术

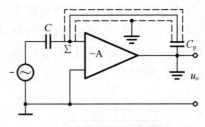

图 3-14 运算放大器法

利用运算放大器的虚地减小引线电缆寄生电容 C_p。电容传感器的一个电极经电缆芯线接运算放大器的虚地 Σ 点,电缆的屏蔽层接仪器地,这时与传感器电容相并联的为等效电缆电容 $C_p/(1+A)$,大大减小了电缆电容的影响。外界干扰因屏蔽层接仪器地,对芯线不起作用。

传感器的另一电极接大地,用来防止外电场的干扰。若采用双屏蔽层电缆,其外屏蔽层接大地,干扰影响就更小。实际上,这是一种不完全的电缆"驱动技术",结构较简单。开环放大倍数 A 越大,精度越高,选择足够大的 A 值可保证所需的测量精度。

(5)整体屏蔽法

整体屏蔽法结构如图 3-15 所示。其将电容式传感器和所采用的转换电路、传输电缆等用同一个屏蔽壳屏蔽起来,正确选取接地点可减小寄生电容的影响和防止外界的干扰。

C_1 和 C_2 构成差动电容传感器,与平衡电阻 Z_1 和 Z_2 组成测量电桥,C_{p1} 和 C_{p2} 为寄生电容。

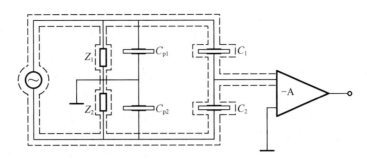

图 3 – 15 交流电桥的整体屏蔽

屏蔽层接地点选择在两平衡电阻阻抗臂 Z_1 和 Z_2 中间,使电缆芯线与其屏蔽层之间的寄生电容 C_{p1} 和 C_{p2} 分别与 Z_1 和 Z_2 相并联。如果 Z_1 和 Z_2 比 C_{p1} 和 C_{p2} 的容抗小得多,则寄生电容 C_{p1} 和 C_{p2} 对电桥平衡状态的影响就很小。最易满足上述要求的是变压器电桥,其结构如图 3 – 16 所示。

Z_1 和 Z_2 是具有中心抽头并相互紧密耦合的两个电感线圈,流过 Z_1 和 Z_2 的电流大小基本相等但方向相反。因 Z_1 和 Z_2 在结构上完全对称,所以线圈中的合成磁通近于零,Z_1 和 Z_2 仅为其绕组的铜电阻及漏感抗,它们都很小。结果寄生电容 C_{p1} 和 C_{p2} 对 Z_1 和 Z_2 的分路作用即可被削弱到很低的程度而不致影响交流电桥的平衡。

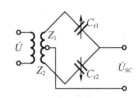

图 3 – 16 变压器式交流电桥

还可以再加一层屏蔽,将所加外屏蔽层的接地点选在差动式电容传感器两电容 C_1 和 C_2 之间。这样进一步降低了外界电磁场的干扰,而内外屏蔽层之间的寄生电容等效作用在测量电路前置级,不影响电桥的平衡,因此在电缆线长达 10 m 以上时仍能测出 1 pF 的电容。

(6)防止和减小外界干扰

当外界干扰(如电磁场)在传感器上和导线之间感应出电压并与信号一起输送至测量电路时就会产生误差。干扰信号足够大时,仪器无法正常工作。此外,接地点不同所产生的接地电压差也是一种干扰信号,也会给仪器带来误差和故障。

防止和减小干扰的措施可归纳为五种:

①屏蔽和接地:传感器壳体、导线、传感器与测量电路前置级等;

②增加原始电容量,降低容抗;

③导线和导线之间要离得远,线要尽可能短,最好成直角排列,若必须平行排列时,可采用同轴屏蔽电缆线;

④尽可能一点接地,避免多点接地,地线要用粗的良导体或宽印制线;

⑤采用差动式电容传感器,减小非线性误差,提高传感器灵敏度,减小寄生电容的影响和温度、湿度等误差。

3.4　电容式传感器的应用

电容传感器由于其检测头结构简单,可以不用有机材料和磁性材料构成,所以能经受相当大的温度变化及各种辐射作用。因而其可以在温度变化大、有各种辐射等恶劣环境下工作。电容传感器可以制成非接触式测量器,响应时间短,适合于在线和动态测量,且电容传感器灵敏度高,采用现代精密测量方法时,已能测量电容值 10^{-7} 的变化量。又因为其极间的相互吸力十分微小,从而保证了比较高的测量精度。因此,电容传感器近年来越来越受重视,它被广泛地应用在厚度、位移、压力、速度、浓度和物位等物理量测量中。下面举例来说明电容传感器的应用情况。

3.4.1　电容式压力传感器

图 3 – 17 表示出了两种电容式压力传感器。图 3 – 17(a)为单只变极距型电容传感器,用于测量流体或气体的压力。液体或气体压力作用于弹性膜片(动极片),使弹性膜片产生位移,位移导致电容量的变化,从而引起由该电容组成的振荡器的振荡频率变化,频率信号经计数、编码、传输到显示部分,即可指示压力变化量。

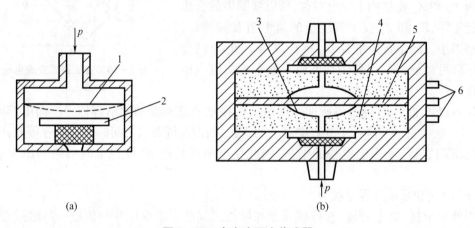

(a) (b)

图 3 – 17　电容式压力传感器

1—弹性膜片;2—凹玻璃圆片;3—固定极板;4—金属涂层(定极);
5—弹性膜片;6—输出端子

图 3 – 17(b)为一种小型差动式电容压力传感器。它由金属弹性膜片与镀金凹型玻璃圆片组成。当被测压力 p 通过过滤器进入空腔时,因弹性膜片两侧压力差而使弹性膜片凸向一侧产生位移,该位移改变了两个镀金玻璃圆片与弹性膜片间的电容量,再通过如脉冲宽度调制等电路的处理即可实现压力测量。这种传感器的灵敏度和分辨率都很高。其灵敏度取决于初始间隙 d_0,d_0 越小,灵敏度越高。根据实验,该传感器可以测量 $0 \sim 0.75$ Pa 的微小压差。其动态响应主要取决于弹性膜片的固有频率。

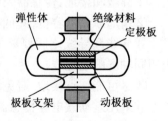

图 3 – 18　电容式称重传感器

3.4.2 电容式称重传感器

在弹性钢体上高度相同处打一排孔,在孔内形成一排平行的平板电容,当称重时,钢体上端面受力,圆孔变形,每个孔中的电容极板间隙变小,其电容相应增大。由于在电路上各电容是并联的,因而输出反映的结果是平均作用力的变化,测量误差将大大减小。

3.4.3 容栅式传感器

容栅传感器是在变面积型电容传感器的基础上发展起来的一种新型传感器。它的电极不止一对,电极排列呈梳状,故被称为容栅式传感器。一组中有多个电极或多个电极并联,极大地提高了灵敏度。

容栅式传感器可实现直线位移和角位移的测量,根据结构形式,其可分为长容栅、片状圆容栅三类。这里主要介绍两种常用的类型,图 3 - 19 和图 3 - 20 分别为长容栅和片状圆容栅示意图。

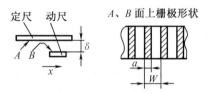

图 3 - 19 长容栅示意图

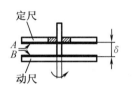

图 3 - 20 片状圆容栅示意图

电容与栅极关系为

$$C_{\max} = n\frac{\varepsilon ab}{\delta}$$

式中　n——动尺栅极数;

　　　a,b——栅极长度和宽度。

1. 容栅结构原理(长容栅)

容栅式传感器的最小电容量理论上为零,实际上为固定电容 C_0,其为容栅固有电容。当动尺沿 x 方向平行于定尺不断移动时,每对电容的相对遮盖长度 a 将由小到大地进行周期性变化,电容量值也随之作周期变化,如图 3 - 21 所示,经电路处理后,可测得线位移值。

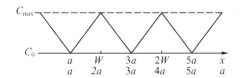

图 3 - 21 容栅移动时电容量值的相应周期变化

2. 圆形容栅传感器(片状圆容栅)

最大电容为

$$C_{\max} = n\frac{\varepsilon\alpha(r_2^2 + r_1^2)}{2\delta}$$

式中　r_1,r_2——圆盘上栅极片内半径和外半径；

　　　　α——每条栅极片对应的圆心角。

3.4.4　电容式加速度传感器

两个固定极板间有一个用弹簧片支撑的质量块 m，质量块的两端面经抛光后作为动极板，当传感器测量竖直方向的振动时，由于 m 的惯性作用，使其相对固定电极产生位移，两个差动电容器 C_1 和 C_2 的电容发生相应的变化，其中一个变大，另一个变小。

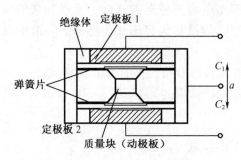

图 3-22　电容式加速度传感器

加速度传感器可以安装在轿车上作为碰撞传感器。当传感器测得的负加速度值超过设定值时，微处理器会据此判断发生了碰撞。于是处理器启动轿车前部的折叠式安全气囊，使其迅速充气膨胀，托住驾驶员及前排乘员的胸部和头部。

3.4.5　电容式液位计

电容式液位计利用液位高低变化影响电容器电容量大小的原理来对液位进行测量。依此原理还可对导电介质和非导电介质进行测量，此外还能测量有倾斜晃动及高速运动的容器的液位。其不仅可作液位控制器，还能用于连续测量。

1. 安装形式

电容式液位计的安装形式因被测介质性质不同而有差别。图 3-23 为用来测量导电介质的单电极电容液位计，它只用一根电极作为电容器的内电极，一般采用紫铜或不锈钢作内电极，外套用聚四氟乙烯塑料管或涂搪瓷作为绝缘层，而导电液体和容器壁则构成电容器的外电极。

图 3-24 为用于测量非导电介质的同轴双层电极电容式液位计。它用内电极和与之绝缘的同轴金属套组成电容的两极，在外电极上开有很多流通孔以使液体流入极板间。

以上介绍的是两种最一般的安装方法，在有些特殊场合还有其他特殊安装形式，如大直径容器或介电系数较小的介质，为增大测量灵敏度通常也只用一根电极，安装时将电极靠近容器壁，使其与容器壁构成电容器的两极；在测大型容器或非导电容器内装非导电介质时，则可用两根不同轴的圆筒电极平行安装构成电容。

在测极低温度下的液态气体时，一个电容灵敏度太低，所以可取同轴多层电极结构，把奇数层和偶数层的圆筒分别连接在一起成为两组电极，变成相当于多个电容并联，以增加灵敏度。

若将测定电极安装在金属储罐的顶部，储罐的罐壁和测定电极之间就形成了一个电

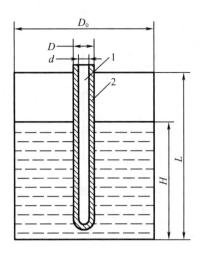

图 3-23　单电极电容液位计

1—内电极;2—绝缘套

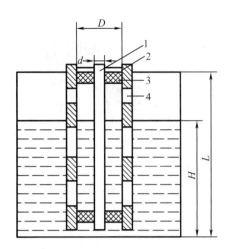

图 3-24　同轴双层电极电容式液位计

1、2—内、外电极;3—绝缘套;4—流通孔

容器。

图 3-24 中电容随料位高度 h 变化的关系为

$$C = \frac{k(\varepsilon_r - \varepsilon_0)h}{\ln \dfrac{D}{d}}$$

式中　k——比例常数;

　　　D——储罐的内径;

　　　d——测定电极的直径;

　　　h——被测物料的高度;

　　　ε_0——空气的相对介电常数;

　　　ε_r——被测物料的相对介电常数。

可以看出,两种介质的介电常数差别越大、D 与 d 相差越小,传感器的灵敏度越高。

3.4.6　电容式料位计

电容式料位计不仅能测不同性质的液体,而且还能测量不同性质且为固体如块状、颗粒状的物料。但因固体摩擦力大,容易"滞留",产生虚假料位,因此一般不使用双层电极,而是只用一根电极棒。

电容式料位计在测量时,物料的温度、湿度、密度变化或掺有杂质时,会引起介电常数变化,产生测量误差。为了消除这一介质因素引起的测量误差,一般会将一根辅助电极埋入被测物料中辅助测量,如图 3-25、图 3-26 所示辅助电极与测量电极(也称主电极)可以同轴,也可以不同轴。设辅助电极长 L_0,它相对于料位为零时的电容变化量为

$$C_{L_0} = \frac{2\pi(\omega - \omega_0)}{\ln(D/d)} L_0$$

主电极的电容变化量为 C_x,则有:

$$\frac{C_x}{C_{L_0}} = \frac{H}{L_0}$$

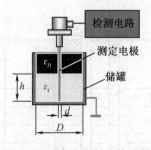

图 3-25　电容式料位传感器

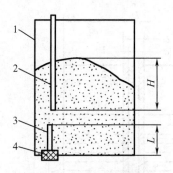

图 3-26　电容式料位计
1—金属电容；2—测量电极；
3—辅助电极；4—绝缘套

由于 L_0 是常数，因此料位变化仅与两个电容变化量之比有关，而介质因素波动所引起的电容变化对主电极与辅助电极是相同的，在相比时被抵消掉，从而起到误差补偿作用。

3.4.7　电容式油量表

电容式油量表为机械式油量表，其结构如图 3-27 所示。在油箱内，会装有类似卫生间水箱里的浮球，通过杠杆带动电阻丝式圆盘电位器，由电流表指示出油量。当油箱中注满油时，液位上升，指针停留在转角为 θ_h 处。当油箱中的油位降低时，电容传感器的电容量 C_x 减小，电桥失去平衡，伺服电动机反转，指针逆时针偏转（示值减小），同时带动 R_P 的滑动臂移动。当 R_P 阻值达到一定值时，电桥又达到新的平衡状态，伺服电动机停转，指针停留在新的位置（θ_x 处）。

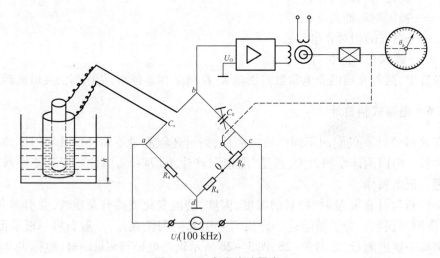

图 3-27　电容式油量表

3.4.8 湿度测量

湿敏电容一般是用高分子薄膜电容制成的,常用的高分子材料有聚苯乙烯、聚酰亚胺、酪酸醋酸纤维等。

当环境湿度发生改变时,湿敏电容的介电常数发生变化,使其电容量也发生变化,其电容变化量与相对湿度成正比。

HM1500 湿度传感器为其中常用的一种,其结构如图 3 - 28 所示。

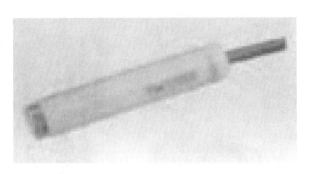

图 3 - 28　HM1500 湿度传感器

3.4.9 电容式键盘

常规的键盘有机械按键和电容式按键两种。电容式键盘是基于电容式开关的键盘,原理是通过按键改变电极间的距离产生电容量的变化,暂时形成震荡脉冲允许通过的条件。这种开关是无触点非接触式的,磨损率极小。其外形如图 3 - 29 所示。

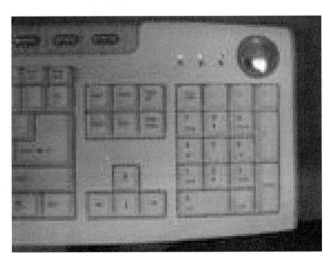

图 3 - 29　电容式键盘

3.4.9 电容传声器

传声器(Microphone)即话筒,音译作麦克风,目前使用的话筒大多是动圈式和电容式。电容传声器以振膜与后极板间的电容量变化通过前置放大器变换为输出电压。图3-30和图3-31分别为驻极体和膜片电容传声器。

图3-30 驻极体电容传声器

图3-31 膜片电容传声器

第4章 电感式传感器

电感式传感器是基于电磁感应原理,利用线圈自感或互感的变化来实现非电量电测的一种传感器。利用这种转换原理,它可以测量位移、振动、压力、应变、流量、密度等参数。

电感式传感器具有以下优点:

(1)结构简单,工作可靠;

(2)灵敏,分辨率高(位移变化可达 0. 01 μm);

(3)零点稳定,漂移最小可达 0. 1 μm;

4. 测量精度高,线性好(非线性误差可达 0. 05% ~0. 1%);

5. 输出功率大,不用放大器一般也有 0. 1 ~5 V/mm 的输出值,且性能稳定。

电感式传感器的主要缺点:有频率响应较低,不宜用于快递动态信号的测量;分辨率和示值误差与测量范围有关,测量范围愈大分辨率和示值精度响应降低;存在交流零位信号。

电感式传感器的种类很多,通常所说的电感式传感器是基于自感原理的自感式传感器;而采用互感原理的互感式传感器有差动变压器式传感器(利用变压器原理,且往往做成差动形式)和电涡流式传感器两种。

电感式传感器常见的有气隙型和螺管型两种结构,本章将逐一讨论。

4.1 自感式传感器

4.1.1 气隙型电感传感器

1. 工作原理

气隙型传感器的结构如图 4 - 1 所示。图 4 - 1(a)中所示为变隙式电感传感器,主要由线圈 3、衔铁 1 和铁芯 2 等组成。图 4 - 1(a)中的点画线表示磁器,磁路中空气隙厚度为 δ,工作时衔铁与被测体相连,被测体使衔铁运动产生位移,导致气隙厚度 δ 变化引起气隙磁阻的变化,从而使线圈电感值变化。当传感器线圈接入测量电路后,电感的变化进一步转换成电压、电流或频率的变化,实现了非电量到电量的转换。

由磁路基本知识知,线圈电感 L 为

$$L = N^2/R_m \qquad (4-1)$$

式中　N——线圈匝数;

　　　R_m——磁路总磁阻。

对于变隙式电感传感器,因为气隙较小(一般为 0. 1 ~1 mm),所以可认为气隙磁场是均匀的。若忽略磁路铁损,则磁路总磁阻为

$$R_m = \frac{l_1}{\mu_1 S_1} + \frac{l_2}{\mu_2 S_2} + \frac{\delta}{\mu_0 S} \qquad (4-2)$$

式中　l_1,l_2——铁芯、衔铁磁路长度;

　　　μ_1,μ_2——铁芯、衔铁的磁导率;

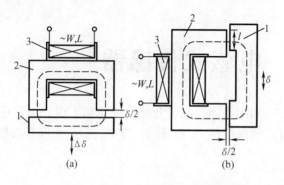
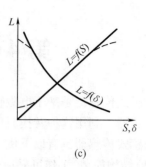

图 4 – 1　气隙型电感式传感器

(a)变隙式；(b)变截面式；(c)特性曲线

S_1，S_2——铁芯、衔铁的横截面积；

δ——空气隙总长度；

μ_0——真空磁导率，$\mu_0 = 4\pi \times 10^{-7}\mathrm{H/m}$；

S——气隙横截面积。

因此

$$L = \frac{N^2}{R_\mathrm{m}} = N^2 / \left(\frac{l_1}{\mu_1 S_1} + \frac{l_2}{\mu_2 S_2} + \frac{\delta}{\mu_0 S} \right) \qquad (4-3)$$

　　由于电感式传感器的铁芯和衔铁为铁磁材料，且一般工作于非饱和状态，其磁导率 μ 远大于空气的磁导率 μ_0，因此铁芯磁阻远小于气隙磁阻，所以式(4-3)可简写成：

$$L = \frac{N^2 \mu_0 S}{\delta} \qquad (4-4)$$

　　由式(4-4)知，电感式传感器的电感量 L 是气隙长度 δ 和截面积 S 的函数，即 $L = f(\delta, S)$。如果 S 保持不变，则 L 是 δ 的单值函数，可据此构成变隙式传感器；若保持 δ 不变，使 S 随位移变化，则可构成变截面式电感传感器，其结构如图 4 – 1(b)。气隙型电感传感器的特性曲线如图 4 – 1(c)所示，变隙式传感器的特性($L-\delta$ 关系曲线)为非线性，而变截面式传感器特性($L-S$ 关系曲线)为线性，若考虑铁芯部分磁阻，特性曲线为图 4 – 1(c)中虚线。

2. 特性分析

　　变隙式电感传感器的主要特性是灵敏度和线性度。当铁芯和衔铁采用同一种导磁材料且截面积相同时，由于气隙 δ 一般较小，故可认为气隙磁通截面与铁芯截面相等，设磁路总长为 l，当 $\mu_1 = \mu_2 = \mu_3 \mu_0$，$S_1 = S_2 = S$ 时，式(4-2)可写成：

$$R_\mathrm{m} = \frac{1}{\mu_0 S}\left(\frac{l - \delta}{\mu_1} + \delta \right) = \frac{1}{\mu_0 S} \frac{l + \delta(\mu_\mathrm{r} - 1)}{\mu_\mathrm{r}} \qquad (4-5)$$

　　一般 $\mu_\mathrm{r} \gg 1$，则

$$R_\mathrm{m} \approx \frac{1}{\mu_0 S} \frac{l + \delta\mu_\mathrm{r}}{\mu_\mathrm{r}} = \frac{l}{\mu_0 \mu_\mathrm{e} S} \qquad (4-6)$$

$$L = \frac{N^2}{R_\mathrm{m}} = \frac{\mu_0 S N^2}{\delta + l/\mu_\mathrm{r}} = K \frac{1}{\delta + l/\mu_\mathrm{r}} \qquad (4-7)$$

式中　μ_r——导磁材料相对磁导率；

　　　μ_e——传感器磁路等效相对磁导率，$\mu_\mathrm{e} = l\mu_\mathrm{r} / (l + \delta\mu_\mathrm{r})$；

K——常数,$K = \mu_0 N^2 S$。

传感器工作时,若衔铁移动使气隙总长度减少 $\Delta\delta(\delta \to \delta - \Delta\delta)$,则电感增加 $\Delta L_1 (L \to L + \Delta L_1)$,由式(4-7)得

$$L + \Delta L = K \frac{1}{\delta - \Delta\delta + l/\mu_r} \tag{4-8}$$

$$\Delta L_1 = K \left(\frac{1}{\delta - \Delta\delta + l/\mu_r} - \frac{1}{\delta + l/\mu_r} \right)$$

$$= K \frac{\Delta\delta}{(\delta - \Delta\delta + l/\mu_r)(\delta + l/\mu_r)}$$

$$\frac{\Delta L_1}{L} = K \frac{\Delta\delta}{(\delta - \Delta\delta + l/\mu_r)(\delta + l/\mu_r)} \frac{\delta + l/\mu_r}{K}$$

$$= \frac{\Delta\delta}{\delta - \Delta\delta + l/\mu_r} = \frac{\Delta\delta}{\delta} \times \frac{1}{1 + l/\mu_r - \Delta\delta/\delta}$$

$$= \frac{\Delta\delta}{\delta} \cdot \frac{1}{1 + l/\delta\mu_r} \times \frac{1}{1 - \frac{\Delta\delta}{\delta}\left(\frac{1}{1 + l/\delta\mu_r} \right)} \tag{4-9}$$

因为 $\left| \dfrac{\Delta\delta}{\delta} \times \dfrac{1}{1 + l/\delta\mu_r} \right| < 1$,所以上式可呈极数形式,即

$$\frac{\Delta L_2}{L} = \frac{\Delta\delta}{\delta} \times \frac{1}{1 + l/\delta\mu_r} \left[1 + \frac{\Delta\delta}{\delta} \times \frac{1}{1 + l/\delta\mu_r} + \left(\frac{\Delta\delta}{\delta} \times \frac{1}{1 + l/\delta\mu_r} \right)^2 + \cdots \right] \tag{4-10}$$

同理,当总气隙长度增加 $\Delta\delta(\delta \to \delta + \Delta\delta)$ 时,电感减小 $\Delta L_2 (L \to L - \Delta L_2)$,则

$$\frac{\Delta L_2}{L} = -\frac{\Delta\delta}{\delta + \Delta\delta + l/\mu_r}$$

$$= -\frac{\Delta\delta}{\delta} \times \frac{1}{1 + l/\delta\mu_r} \left[1 - \frac{\Delta\delta}{\delta} \times \frac{1}{1 + l/\delta\mu_r} + \left(\frac{\Delta\delta}{\delta} \times \frac{1}{1 + l/\delta\mu_r} \right)^2 - \cdots \right] \tag{4-11}$$

若忽略高次项,则电感变化灵敏度为

$$K_L = \frac{\Delta L}{\Delta\delta} = \frac{L}{\delta} \times \frac{1}{1 + L/\delta\mu_r} \tag{4-12}$$

若考虑一次非线性项时,其线性度为

$$\delta_L = \frac{\Delta\delta}{\delta} \times \frac{1}{1 + l/\delta\mu_r} \times 100\% \tag{4-13}$$

单线圈气隙电感传感器特性如图 4-2 所示,可以看出:

(1)当气隙 δ 发生变化时,电感的变化与气隙变化呈非线性关系,其非线性程度随气隙相对变化 $\Delta\delta/\delta$ 的增大而增加。

(2)气隙减小 $\Delta\delta$ 所引起的电感变化 ΔL_1 和气隙增加同样 $\Delta\delta$ 所引起的电感变化 ΔL_2 并不相等,$\Delta L_1 > \Delta L_2$,其差值随 $\Delta\delta/\delta$ 的增加而增大。

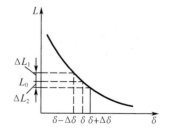

图 4-2 电感式传感器的 $L \sim \delta$

由于转换原理的非线性和衔铁正、反方向移动时电感值变化的不对称,为了保证一定的线性精度,变隙式电感传感器(包括下面谈到的差动式)都只能工作在很小区域,即都只

能用于微小位移测量。

为了改善电感式传感器的灵敏度和线性度,往往采用差动式结构。图 4 – 3(a)为电感传感器的结构示意图,它由两个相同的线圈和磁路组成,当衔铁移动时,一个线圈的电感增加,而另一个线圈的电感减小,形成差动形式。若将这两个差动线圈分别接入测量电桥的相邻桥臂,而两个差动线圈的磁路和电气参数也完全相同时,则当磁路气隙改变 $\Delta\delta$ 时,其电感相对变化为

$$\frac{\Delta L}{L} = \frac{\Delta L_1 - \Delta L_2}{L} = 2\frac{\Delta\delta}{\delta} \times \frac{1}{1 + l/\delta\mu_r}\left[1 + \left(\frac{\Delta\delta}{\delta} \times \frac{1}{1 + l/\delta\mu_r}\right)^2 + \cdots\right] \qquad (4-14)$$

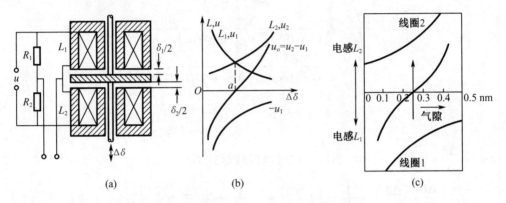

(a)   (b)   (c)

图 4 – 3　差动变隙式电感传感器及其特性

(a)传感器结构;(b)电压输出特性;(c)特性曲线

电感变化灵敏度为

$$K_L = \frac{\Delta L}{\Delta\delta} = 2\frac{L}{\delta}\frac{1}{1 + l/\delta\mu_r} \qquad (4-15)$$

线性度为

$$\delta_L = \left(\frac{\Delta\delta}{\delta} \times \frac{1}{1 + l/\delta\mu_r}\right)^2 \times 100\% \qquad (4-16)$$

由式(4 – 14)、式(4 – 15)、式(4 – 16)可以看出:

(1)差动式电感传感器的灵敏度比前面单线圈电感传感器提高一倍;

(2)差动式电感传感器非线性失真小,若 $\Delta\delta/\delta = 10\%$ 时,由计算得到,单线圈的非线误差为 $\delta_L < 10\%$,差动式线圈的非线性误差为 $\delta_L < 1\%$。

差动变隙式电感传感器的电压输出特性如图 4 – 3(b)所示。图中 a 点对应于气隙 $\delta_1 = \delta_2$,也就是衔铁的初始位置,在该处 $L_1 = L_2$,$u_1 = u_2$,电桥的输出 $u_o = 0$,电桥处于平衡状态。在 a 点两侧,u_o 与 δ 的特性对称,而且线性较好。该特性曲线在 a 点附近的斜率比 L_1 或 L_2 单独工作时的特性曲线斜率大,也就是说,差动电感对位移 δ 有更高的灵敏度。对变隙式传感器,当 $\Delta\delta/\delta = 0.1 \sim 0.2$ 时,可使传感器的线性度小于 4%。

差动式电感传感器的工作行程也很小,若取 $\delta = 2$ mm,则行程为 $0.2 \sim 0.4$ mm;较大行程的位移测量常常利用螺管式电感传感器。

4.1.2 螺管式电感传感器

螺管式电感传感器也有单线圈和差动式两种结构形式,其结构分别如图4-4所示。

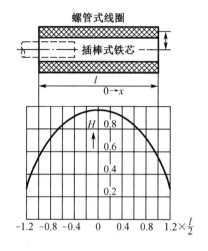 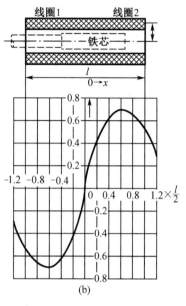

(a)

(b)

图4-4 螺管式电感传感器

(a)单线圈结构及其磁场强度沿轴向分布曲线;

(b)差动结构及其磁场强度沿轴向分布曲线

单线圈螺管式电感传感器结构很简单,其主要元件为一只螺管线圈和一根圆柱形铁芯。传感器工作时,铁芯在线圈中插入长度的变化会引起螺管线圈电感值的变化。当用恒流源进行激励时,线圈的输出电压与铁芯的位移量有关。

对于一个有限长单线圈螺管,如图4-5所示。线圈长度为$l(m)$,线圈平均半径为$r(m)$,线圈匝数为N,线圈的平均激励电流为$I(A)$,则沿线圈轴向的磁场强度

$$H = \frac{NI}{2l}(\cos\theta_1 - \cos\theta_2) = \frac{NI}{2l}\left[\frac{l+2_x}{\sqrt{4r^2+(l+2_x)^2}} + \frac{l+2_x}{\sqrt{4r^2+(l-2_x)^2}}\right] \quad (4-17)$$

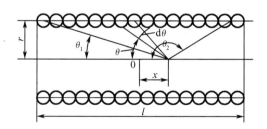

图4-5 螺管线圈轴向磁场分布计算

轴向的磁感强度为

$$B = \mu_0 H \tag{4-18}$$

当螺管无限长（$r \ll l$）时，可认为轴向 B 均匀，与其中部磁感强度相等，即

$$B_n = \mu_0 H_n = \mu_0 \frac{NI}{l} \tag{4-19}$$

此时线圈的磁通为

$$\Phi = B_n S = \frac{\mu_0 NI}{l} \pi r^2 \tag{4-20}$$

按自感的定义，空心螺管的自感为

$$L_0 = \frac{\Psi}{I} = \frac{N\Phi}{I} = \frac{\mu_0 \pi N^2}{l} r^2 \tag{4-21}$$

若在螺管中插入一铁芯，其长度与螺管长度相同，半径为 r_c，磁导率为 $\mu_o \mu_r$，则铁芯被螺管轴向磁场 H_n 磁化时，其磁感强度 B_c 为

$$B_c = \mu_r \mu_0 H_n = \mu_r \mu_0 NI/l \tag{4-22}$$

B_c 可等效为 l，电流为 $\mu_r I$，线圈匝数为 W 的空心螺管线圈产生的磁场，所以其等效磁通匝链数 ψ_o 为

$$\Psi_c = N\Psi_c = NB_c S_c = \frac{\mu_0 \mu_r N^2}{l} \pi r_c^2 \tag{4-23}$$

其附加电感 L_c 为

$$L_c = \frac{\Psi_c}{I} = \frac{\mu_0 \mu_r N^2}{l} \pi r_c^2 \tag{4-24}$$

则线圈的总电感 L 为

$$L = L_0 + L_c = \frac{\mu_0 \pi N^2}{l} \left[r^2 + \mu_r r_c^2 \right] \tag{4-25}$$

若铁芯长度 l_c 小于螺管线圈长度 l，则线圈的电感为

$$L = \frac{\mu_0 \pi}{l_c} \left(\frac{l_c}{l} N \right)^2 \left(r^2 + \mu_r r_c^2 \right) + \frac{\mu_0 \pi}{l - l_c} \left(\frac{l - l_c}{l} N \right)^2 r^2$$

$$= \frac{\mu_0 \pi N^2}{l^2} \left(l r^2 + \mu_r l_c r_c^2 \right) \tag{4-26}$$

当铁芯长度 l_c 增加 Δl_c 时，线圈电感增加 ΔL，即

$$L + \Delta L = \frac{\mu_0 \pi W^2}{l_2} \left[l r^2 + \mu_r r_c^2 (l_c + \Delta l_c) \right] \tag{4-27}$$

电感变化量为

$$\Delta L = \frac{\mu_0 \pi N^2}{l_2} \mu_r r_c^2 \Delta l_c \tag{4-28}$$

其相对变化量为

$$\frac{\Delta L}{L} = \frac{\Delta l_c}{l_c} \times \frac{1}{1 + (l/l_c)(r/r_2)^2 / \mu_r} \tag{4-29}$$

这种传感器的电感灵敏度为

$$K_L = \frac{\Delta L}{\Delta l_c} = \frac{\mu_0 \pi N^2}{l_2} \mu_r r_c^2 \tag{4-30}$$

由式(4-30)可知,欲提高传感器的灵敏度可采取下列措施:增加 N(可用细导线绕制或增加线圈层数);增加铁芯半径 r_c(考虑线圈框架内壁与衔铁外径在工作时不被卡住);增大 μ_r(采用高磁导率材料)。

若被测量与 Δl_c 成正比,则 ΔL 与被测量也成正比。实际上由于非理想状态下磁场强度分布不均匀,输入量与输出量之间的关系是非线性的。

为了提高灵敏度与线性度,常采用差动螺管式电感传感器(图4-4(b)),沿轴向的磁场强度分布由下式给出

$$H = \frac{JN}{2l}\left[\frac{l-2x}{\sqrt{4r^2+(l-2x)^2}} - \frac{l+2x}{\sqrt{4r^2+(l+2x)^2}} + \frac{2x}{\sqrt{r^2+x_2}} \right] \tag{4-31}$$

图4-4(b)中 $H = f(x)$ 曲线表明:为了获得较好的线性关系,取铁芯长度 $l_c = 0.6l$ 时,则贴心工作在 H-x 曲线拐弯处,此时 H 变化小。当衔铁向线圈2移动 Δl_c 时,线圈2的电感增加 ΔL_2,由式(4-28)表示;线圈1中的铁芯长度则减小 Δl_c,则电感变化 ΔL_1 与 ΔL_2 大小相等,符号相反。所以差动输出

$$\frac{\Delta L}{L} = \frac{\Delta L_1 - \Delta L_2}{L} = 2\frac{\Delta l_c}{l_c} \times \frac{1}{1+(l/l_c)(r/r_c)^{2/\mu_r}} \tag{4-32}$$

由式(4-32)可见,$\Delta L/L$ 与铁芯长度相对变化 $\Delta l_c/l_c$ 成正比,比单个螺管式电感传感器灵敏度提高一倍。这种传感器(如DWZ型差动螺管式电感传感器)的测量范围为 5～50 mm,非线性误差在 ±0.5% 左右。差动螺管式电感传感器的两个差动线圈通常作为交流电桥的两个相邻桥臂。

综上所述,螺管式电感传感器的特点:

(1)结构简单,制造装配容易;

(2)由于空气隙大,磁路的磁阻大,因此灵敏度较低,易受外部磁场干扰,但线性范围大;

(3)由于磁阻大,为了达到一定电感量,需要的线圈匝数多,因而线圈的分布电容大,同时线圈的铜损耗电阻也大,温度稳定性较差;

(4)插棒式差动电感的铁芯通常比较细,一般情况下用软钢制成,在特殊情况下也用铁淦氧磁性材料,因此这种铁芯的损耗较大,线圈的 Q 值也较低。

4.2　差动变压器式传感器

4.2.1　差动变压器式传感器的工作原理

差动变压器是把被测的非电量变化转换为传感器线圈的互感系数的变化的元件。这种传感器是根据变压器的基本原理制成的,并且次级绕组常用差动的形式连接,故称之为差动变压器式传感器。其结构如图4-6所示,电路原理图如图4-7所示。

当次级开路时,初级线圈激励电流为

$$\dot{I} = \frac{\dot{U}}{r_1 + j\omega L_1}$$

根据电磁感应定律,次级绕组中感应电势的表达式为

$$\dot{E}_{2a} = -j\omega M_1 \dot{I}_1$$

$$\dot{E}_{2a} = -j\omega M_2 \dot{I}_1$$

因次级两绕组反相串联,且考虑到次级开路,则

$$\dot{U}_2 = \dot{E}_{2a} - \dot{E}_{2b} = -\frac{j\omega(M_1 - M_2)\dot{U}_1}{r_1 + j\omega L_1}$$

输出电压有效值为

$$U_2 = \frac{\omega(M_1 - M_2)U_1}{\sqrt{r_1^2 + (\omega L_1)^2}}$$

(1)当活动衔铁处于中间位置时,有

$$M_1 = M_2 = M$$

则有

$$U_2 = 0$$

(2)当活动衔铁向 W_{2a} 方向移动时,有

$$M_1 = M + \Delta M, \quad M_2 = M - \Delta M$$

则有

$$U_2 = \frac{2\omega \Delta M U_1}{\sqrt{r_1^2 + (\omega L_1)^2}}$$

(3)当活动衔铁向 W_{2b} 方向移动时,有

$$M_1 = M - \Delta M, M_2 = M + \Delta M$$

则有

$$U_2 \frac{2\omega \Delta M U_1}{\sqrt{r_1^2 + (\omega L_1)^2}}$$

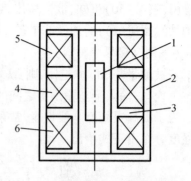

图 4 - 6　差动变压器式传感器结构图

1—活动衔铁;2—导磁外壳;

3—骨架;4—匝数为 W_1 初级绕组;

5—匝数为 W_{2a} 的次级绕组;

6—匝数为 W_{2b} 的次级绕组

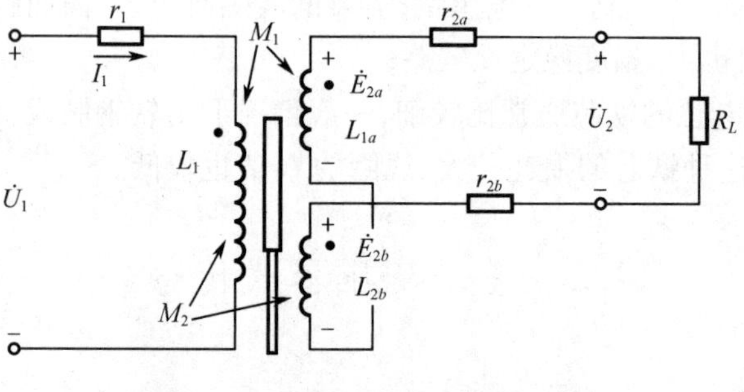

图 4 - 7　差动变压器式传感器电路图

4.2.2　差动变压器式传感器的测量电路

差动变压器输出电压特性曲线如图 4 - 8 所示,结构如图 4 - 9 所示。

差动变压器的测量电路基本上可分成两大类:不平衡测量电路和平衡测量电路。

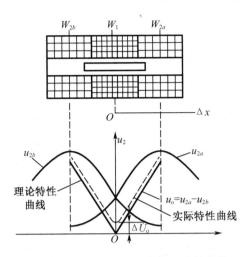

图4-8　差动变压器输出电压特性曲线

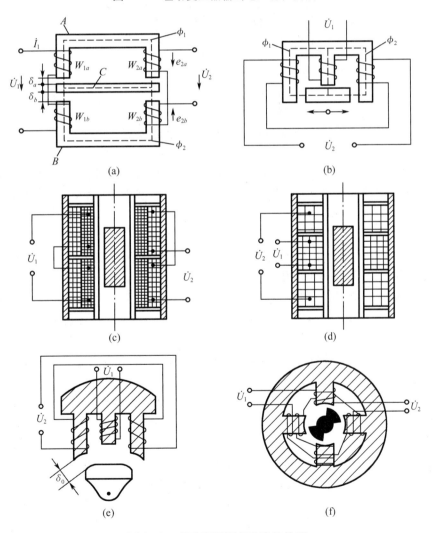

图4-9　差动变压器各种类结构图

（a）、（b）变隙式差动变压器；（c）、（d）螺线管式差动变压器；（e）、（f）变面积式差动变压器

1. 不平衡测量电路

（1）交流电压测量

这类测量方法包括电压表、示波器等仪器仪表来直接测量差动变压器的输出电压。该类测量方法只能反映位移的大小而不能反映位移的方向。

（2）相敏检波电路

图 4－10 为二极管相敏检波电路。这种电路容易做到输出平衡，而且便于阻抗匹配。

图 4－10 中调制电压 e_r 和 e_s 同频，经过移相器使 e_r 和 e_s 保持同相或反相，且满足 $e_r \gg e_s$，调节电位器 R 可调平衡。图 4－10 中电阻 $R_1 = R_2 = R_0$，电容 $C_1 = C_2 = C_0$，输出电压为 U_{CD}。

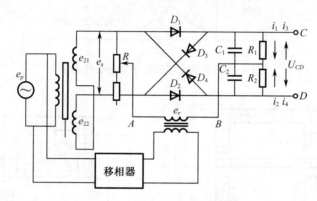

图 4－10　二极管相敏检波电路图

电路工作原理如下：当差动变压器铁芯在中间位置时，$e_s = 0$，只有 e_r 起作用。设此时 e_r 为正半周，即 A 为"＋"，B 为"－"，则 D_1、D_2 导通，D_3、D_4 截止，流过 R_1、R_2 上的电流分别为 i_1、i_2，其电路原理图如图 4－10 所示。

压降 U_{CB} 及 U_{DB} 大小相等方向相反，故输出电压 $U_{CD} = 0$。当 e_r 为负半周时，A 为"－"，B 为"＋"，此时 D_3、D_4 导通，D_1、D_2 截止，流过 R_1、R_2 上的电流分别为 i_3、i_4，其电压降 U_{BC} 与 U_{BD} 大小相等方向相反，故输出电压 $U_{CD} = 0$。

若铁芯上移，$e_s \neq 0$，设 e_s 和 e_r 同位相，由于 $e_r \gg e_s$，故 e_r 正半周时 D_1、D_2 仍导通，D_3、D_4 截止，但 D_1 回路内总电势为 $e_r + e_s/2$，而 D_2 回路为 $e_r - e/2$，故回路电流 $i_1 > i_2$，输出电压 $U_{CD} = R_0(i_1 - i_2) > 0$。当 e_r 为负半周时，D_3、D_4 导通，D_1、D_2 截止，此时 D_3 回路内总电势为 $e_r - e_s/2$，D_4 回路内总电势为 $e_r + e_s/2$，D_4 所以回路电流 $i_4 > i_3$，故输出电压 $U_{CD} = R_0(i_4 - i_3) > 0$。因此，铁芯上移时，输出电压 $U_{CD} > 0$。

当铁芯下移时，e_s 和 e_r 相位相反。同理可得 $U_{CD} > 0$。由此可见，该电路能判别铁芯移动方向，而且，移动位移的大小决定 B 输出电压 U_{CD} 的高低。

（3）差动整流电路

这是一种最常用的测量电路形式。在把差动变压器两个次级电压分别整流后，以它们的差作为输出，这样次级电压的相位和零点参与电压都不再需要考虑。图 4－11 示出几种典型差动整流电路，其中图 4－11(a)、4－11(b)用在连接高阻抗负载(如数字电压表)的场合，是电压输出型整流电路；图 4－11(c)、图 4－11(d)用在连接低阻抗负载(如动圈式电流表)的场合，是电流输出型整流电路。

差动整流后输出电压的线性度与不经整流的次级输出电压的线性度相比有些变化。

当次级线圈阻抗高、附加电阻小、接入电容器滤波时,其输出线性度的变化倾向是铁芯位移大,线性度增加。利用这一特性性能使差动变压器的线性范围得到扩展。

（4）动态位移测量

在应用差动变压器测量振动及过渡过程时,铁芯的动作速度较快,所以测量电路必须满足快速测量的要求。一般激磁电流频率为测量频率的 10 倍以上,以此来减小调制误差。

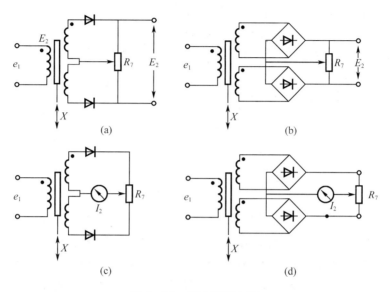

图 4 - 11　差动整流电路
(a)半波电压输出;(b)全波电压输出;(c)半波电流输出;(d)全波电流输出

另外有时也利用直流电流激励的差动变压器来进行动态位移测量。这种差动变压器测量的信号不是位移而是速度。速度信号积分后就得到位移信号。用这种测量方法进行测量时,高频响应好,不需要滤波,也没有相位滞后。这种测量方法的缺点是不能进行静态标定。

2.平衡测量电路

（1）自动平衡电路

差动变压器与自动平衡电路的组合比较困难,这是因为由相位变化引起的残余电压的补偿较为困难。自动平衡电路由电源、振荡器、放大器组成,其工程原理如图 4 - 12 所示。由于铁芯移动,使差动变压器 D 输出感应电压,此时电压经放大器放大后,使可逆电机 M 带动电位器 R 旋转,使放大器输出电压趋于零,从而电路达到新的平衡。这种电路一般用在需要大型指示器的场合。

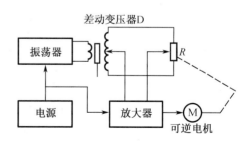

图 4 - 12　自动平衡测量电路

（2）力平衡电路

力平衡电路的结构原理图如图4－13所示，其杠杆通常处在某一平衡位置上。差动变压器的线圈固定，铁芯处在零位。当杠杆受力或位移作用时就绕支点偏转，使差动变压器铁芯产生位移，与使差动变压器输出一信号电压。此电压经放大器放大后，再经整流便产生一相应电流。该电流流过力平衡线圈，使力平衡线圈在永久磁铁产生的磁场中受到一作用力，此作用力矩与被测力矩相等时，杠杆将稳定在新的平衡位置上。这时流过力平衡线圈的电流与被测力（或位移）成正比。

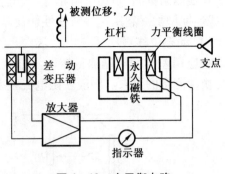

图4－13　力平衡电路

4.3　电涡流式传感器

成块的金属导体置于变化着的磁场中时，金属导体内就会产生感应电流。这种电流的流线在金属导体内自动闭合，通常被称为电涡流。电涡流式传感器（线圈—金属导体系统）就是一种基于电涡流效应原理制作的传感器。电涡流的大小与金属导体的电阻率 ρ、导磁率 μ、厚度 t 以及线圈与金属之间的距离 x、线圈的激磁电流角频率 ω 等参数有关。若保持其中若干参数恒定，就能按电涡流大小对线圈作用的差异来测量另外的参数。

电涡流传感器结构简单、频率响应宽、灵敏度高、抗干扰能力强、测量线性范围大，而且又具有非接触测量的优点，因此其广泛应用于工业生产和科学研究的各个领域。电涡流传感器可以测量位移、振动、厚度、转速、温度等参数，并且还可以进行无损探伤和制作接近开关。

电涡流传感器主要有两种类型：高频反射式和低频透射式，其中高频反射式电涡流传感器应用较为广泛。

4.3.1　电涡流式传感器的工作原理

本节主要介绍电涡流传感器类型中的高频反射式电涡流传感器。

1. 基本原理

如图4－14（a）所示，若有一块电导率为 σ、磁导率为 μ、厚度为 t、温度为 T 的金属导体板，距其一侧 x 处有一半径为 r 的线圈，当线圈中通以交变电流 i_1 时，线圈周围空间就产生交变磁场 H_1。此时，置于此磁场中的金属板将产生感应电动势，从而形成电涡流 i_2，此电涡流又将产生一个磁场 H_2。由于 H_2 对线圈的反作用（减弱线圈原磁场）导致线圈的电感量、阻抗和品质因数发生变化。

显然，传感器线圈的阻抗、电感和品质因数的变化与电涡流效应及静磁学效应有关，即变化与金属导体的电导率、线圈与金属导体之间的距离等参数有关。线圈的阻抗 Z 可以用函数表达式表述为

$$Z = F(\sigma, \mu, t, r, x, I, \omega) \tag{4－33}$$

电涡流传感器实质是一个线圈－导体系统。系统中，线圈的阻抗是一个多元函数。当

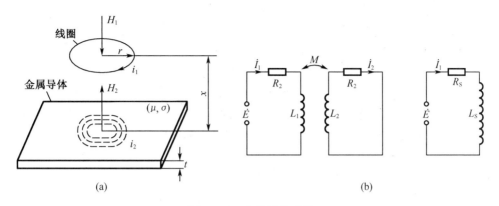

图 4 - 14　电涡流传感器

(a)原理;(b)等效电路

激励线圈和金属导体材料确定后,可使 σ, μ, t, r, I 及 ω 等参数不变,则此时线圈的阻抗 Z 就成为距离 x 的单值函数,即

$$Z = f(x) \tag{4-34}$$

这就是电涡流传感器测位移的原理。

2. 等效电路分析

由线圈 - 金属导体系统构成的电涡流传感器可以用图 4 - 14(b)所示的等效电路来分析。线圈回路的电阻为 R_1 ,电感为 L_1 ,激励电流为 $\dot{I}_1$,激励电压为 $\dot{E}$;金属导体中的电涡流等效为一个短路线圈安全构成另一回路,涡流电阻为 R_2 ,涡流环路电感为 L_2 ,电涡流为 $\dot{I}_2$;线圈和导体之间的互感系数为 M ,互感系数 M 受线圈与导体之间距离的影响。由图4 - 14(b)所示的等效电路,根据基尔霍夫定律,可以列出电路方程组为

$$\begin{cases} R_1 \dot{I}_1 + j\omega L_1 \dot{I}_1 - j\omega \dot{M} I_2 = \dot{E} \\ - j\omega M \dot{I}_1 + R_2 \dot{I}_2 + j\omega L_2 \dot{I}_2 = 0 \end{cases} \tag{4-35}$$

两式联立解得

$$\begin{cases} \dot{I}_1 = \dfrac{\dot{E}}{R_1 + \dfrac{\omega^2 M^2 R_2}{R_2^2 + (\omega L_2)^2} + j\omega \left[L_1 = \dfrac{\omega^2 M^2 L_2}{R_2^2 + (\omega L_2)^2} \right]} = \dfrac{\dot{E}}{Z} \\ \dot{I}_2 = j\omega \dfrac{\dot{M} I_1}{R_2 + j\omega L_2} = \dfrac{M\omega^2 L_2 \dot{I}_1 + j\omega M R_2 \dot{I}_1}{R_2^2 + (\omega L_2)^2} \end{cases} \tag{4-36}$$

由此可得传感器线圈由于受金属导体中电涡流效应影响的复阻抗为

$$Z = R_1 + \frac{\omega^2 M^2 R_2}{R_2^2 + (\omega L_2)^2} + j\omega \left[L_1 - \frac{\omega^2 M^2 L_2}{R_2^2 + (\omega L_2)^2} \right] = R_S + j\omega L_S \tag{4-37}$$

从而可得出线圈的等效电阻和等效电感分别为

$$\begin{cases} R_S = R_1 + \dfrac{\omega^2 M^2}{R_2^2 + (\omega L_2)^2} R_2 = R_1 + R_2' \\ L_S = L_1 - \dfrac{\omega^2 M^2}{R_2^2 + (\omega L_2)^2} L_2 = L_1 - L_2' \end{cases} \qquad (4-38)$$

式中 R_S——考虑电涡流效应后,传感器线圈的等效电阻;

L_S——考虑电涡流效应后,传感器线圈的等效电感;

R_2'——电涡流环路电阻 R_2 反射到线圈内的等效电阻;

L_2'——电涡流环路电感 L_2 反射到线圈内的等效电感。

讨论:

(1)线圈等效电阻 $R_S = R_1 + R_2'$。无论金属导体为何种材料,只要有电涡流产生就有 R_2',同时随着导体与线圈之间距离的减小(M 增大),R_2' 会增大,因此 $R_S > R_1$;

(2)线圈的等效电感 $L_S = L_1 - L_2'$。L_1 与静磁学效应有关,由于线圈与金属导体构成一个磁路,线圈自身的电感 L_1 要受该磁路"有效磁导率"的影响,当金属导体为磁性材料时,磁路的有效磁导率不会随距离的减小而增大,L_1 也会增大;若金属导体为非磁性材料,磁路的有效磁导率不会随距离改变,因此 L_1 不变。L_2' 则与电涡流效应有关,电涡流将产生一与元磁场方向相反的磁场并由此减小线圈电感,线圈与导体间距离越小(M 越大),L_2' 越大,电感量的减小程度越大,故从总的结果来看 $L_S > L_1$;

(3)线圈原有的品质因数 $Q_0 = \omega L_1 / R_1$,当产生电涡流效应后,线圈的品质因数 $Q = \omega L_S / R_S$,显然 $Q > Q_0$。

3. 电涡流形成范围

为了得到线圈－金属导体系统的输出特性,必须知道金属导体上的电涡流的分布情况。但电涡流的分布是不均匀的,电涡流密度不仅是距离 x 的函数,而且电涡流只能在金属导体的表面薄层内形成,在半径方向上也只能在有限的范围内形成电涡流。下面分别讨论线圈－导体系统中各参数与电涡流形成范围的关系,以便在电涡流传感器中能恰当地利用这些关系。

(1)电涡流与距离的关系

根据线圈－导体系统的电磁作用,如不考虑电涡流分布的不均匀性,则可以得到导体中的电涡流 I_2 与距离 x 的关系为

$$I_2 = I_1 \left[1 - \frac{x}{\sqrt{x^2 - r_{os}^2}} \right] \qquad (4-39)$$

式中 I_1——线圈的激励电流;

r_{os}——线圈的外半径。

由式(4-39)可以画出电涡流与 x/r_{os} 的关系曲线,如图 4-15 所示。

图中曲线表明,电涡流随着 x/r_{os} 的增加而迅速减小。在导体与线圈间的距离 x 大于线圈的外半径 r_{os} 时,所产生的电涡流已很微弱,为了能产生相当强的电涡流效应,应使 $x/r_{os} < 1$,一般取 $x/r_s = 0.05 \sim 0.15$。

(2)电涡流的径向形成范围

由于传感器线圈的磁场在电涡流的半径 r 方向上不可能波及无限大的范围,所以电涡流有一定的径向形成范围,且电涡流密度又是 x 和 r 的函数。但对于一定的距离 x 来说,则电涡流密度 j 仅是 r 的函数,即

$$j = \frac{\partial F(x,r)}{\partial r}\bigg|_{x=\text{const.}} = f(r) \qquad (4-40)$$

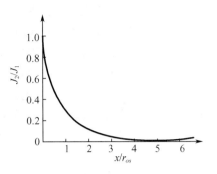

图 4 – 15　电涡流强度与 $x - r_{os}$ 关系曲线

　　求此函数关系的计算是非常复杂的。传统的方法是对麦克斯韦(Maxwell)方程积分,而解这些方程需要假设某些理想化条件,以致计算误差大,甚至失去实际意义。罗斯(H.R.Loos)提出一种"分割法"的分析方法,将金属导体平板分成若干同心的短路环进行计算,计算精度取决于分成的短路环的数目。但分割法对形象表示线圈 – 导体系统的基本性能仍有困难,须寻求更简单的模型。一个彻底的简化方法是只有一个电涡流密度环,但环中的电涡流密度 j_r 是半径的函数,而不是一个恒定的电涡流密度环。电涡流密度的分布用精细划分的模型计算得:当 $r=0$ 时,电涡流密度 $j_r=0$;随着半径增大,电涡流密度 j_r 也增大,在 $r=r_{os}$ 附近,j_r 达到一个最大值;而随着半径 r 的继续增大,电涡流密度 j_r 逐渐减小直至 $j_r=0$。环电涡流密度 j_r 随电涡流半径 r 的变化规律可用下列公式表示:

$$j_r = \begin{cases} j_0 v^4 e^{-4(1-\nu)} & 0 \leqslant r \leqslant r_{os} \\ j_0 v^{14} e^{14(1-\nu)} & r \geqslant r_{os} \end{cases} \qquad (4-41)$$

式中　$v = r/r_{os} - r_{os}$——传感器线圈外径;

　　　r——电涡流环半径。

　　在 $r=r_{os}$ 处,$j_r=j_0$,电流密度达最大值;且 $\lim\limits_{r\to 0} j_r=0$,$\lim\limits_{r\to\infty} j_r=0$。

　　根据式(4-41)作出 $j_r/j_0 \sim r/r_{os}$ 曲线,如图 4-16 所示。该计算和曲线表明:

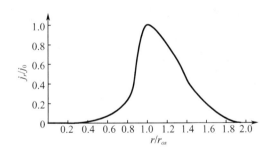

图 4 – 16　电涡流密度的径向分布曲线

　　(1)在这个简化模型环的轴线附近,电涡流密度非常小,可设想为一个孔;

　　(2)电涡流在径向有一定的形成范围,它与线圈的外径 r_{os} 有固定的比例关系,也就是说,线圈外径 r_{os} 确定后,电涡流的径向形成范围也就确定下来了。在径向距离 $r=r_{os}$ 处,电涡流密度 j_r 最大(j_0);而在 $r=1.8\,r_{os}$ 处,电涡流密度将衰减到最大值的 5%。

　　(3)电涡流的轴向贯穿深度

　　由于趋肤效应,磁场不能透过所有厚度的金属导体。当磁场进入导体后,磁场强度将随着离表面的距离增大而按指数衰减,所以电涡流密度在金属导体中轴向分布也是按指数规律衰减的,可用下式表示:

$$j_x = j_0 e^{-x/\delta} \qquad (4-42)$$

式中　j_x——金属导体内离表面距离为 x 处的电涡流密度；

　　　j_0——金属导体表面上的电涡流密度，即最大电涡流密度；

　　　x——金属导体内某点离表面的距离；

　　　δ——电涡流密度 $j_x = j_0/e$ 处离开导体表面的距离，即趋肤深度。

在这里我们称趋肤深度 δ 为电涡流的轴向贯穿深度，它的数值与线圈的激励频率 f、金属导体材料的导电性质（电导率 σ 和磁导率 $\mu = \mu_r\mu_0$）有关，可由下式计算

$$\delta = \sqrt{\frac{1}{\mu_r\mu_0\mu\sigma f}} = \sqrt{\frac{\rho}{\pi\mu f}} \tag{4-43}$$

式中　μ_r——导体的相对磁导率；

　　　μ_0——真空中的磁导率，$\mu_0 = 4\pi \times 10^{-7}\,\text{H/m}$。

由式（4-43）看出，对于一定激励频率 f，电导率 σ 和磁导率 μ 越小，贯穿深度越大。例如，在激励频率 $f = 1\,\text{MH}_z$ 的情况下，金属导体为铁时，贯穿深度 $\delta = 1.78\ \mu\text{m}$；导体为铜时，$\delta = 65.6\ \mu\text{m}$。另外，激励频率越低，贯穿深度越大，如图 4-17 所示。因此，点涡流传感器可分为高频反射式和低频透射式两类。

由于贯穿深度的定义是在导体表面下 δ 处的电涡流密度为导体表面上电流密度的 $1/e$。若要使导体的电涡流密度趋于零，如为表面电涡流密度的 $1/10\,000$，则该处离导体表面距离 $x = 9.2\delta$。

以上分析了导体中的电涡流分布情况，引入电涡流形成范围的概念，其目的是要说明以下两点：

（1）电涡流密度的大小，与导体离线圈的距离直接相关，随着距离的增大，电涡流密度将显著减小，如图 4-15 所示；

（2）电涡流密度的大小，在径向与离开轴心的距离有关，如图 4-16 所示。

综合考虑以上两点，电涡流密度与 x,r 的关系曲线如图 4-18 所示。

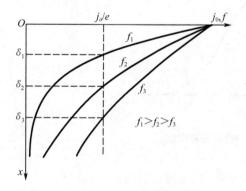

图 4-17　贯穿深度与激励频率关系

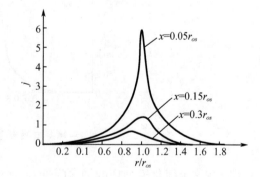

图 4-18　电涡流密度与 x,r 的关系曲线

4.3.2　电涡流式传感器的结构

电涡流式传感器的基本结构如图4－19所示。线圈1绕制在用聚四氟乙烯做成的线圈骨架2内，线圈用多股漆包线或银线绕制成扁平盘状。使用时，通过骨架衬套3将整个传感器安装在支架4上，5和6是电缆和插头。传感器的一些主要技术参数如下：线圈外径分别为7 mm，15 mm，28 mm时，线性范围分别为1 mm，3 mm，5 mm，分辨率分别为1 μm，3 μm，5 μm；非线性误差约为3%；使用温度范围为－15～＋80 ℃。

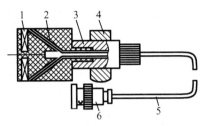

图4－19　电涡流传感器结构

1—线圈；2—骨架；3—衬套；

4—支架；5—电缆；6—插头

4.3.3　电涡流式传感器的测量电路

根据电涡流传感器的原理，被测参量可以由传感器转换为传感器线圈的阻抗 Z、电感 L 和品质因数 Q 等三个电参数。究竟利用哪个参量并将其最后变换为电压或电流信号输出，要由测量电路决定。电涡流传感器作测量时，为了提高灵敏度，用一只电容 C 与传感器线圈并联（一般在传感器内）组成 LC 并联谐振回路。传感器线圈等效电感的变化使并联谐振回路的谐振频率发生变化，将其被测量变换为电压或电流信号输出。并联谐振回路的谐振频率为

$$f = \frac{1}{2\pi \sqrt{LC}} \tag{4-44}$$

目前，电涡流传感器所配用的谐振式测量电路有调幅式、调频式以及交流电桥测量电路。

1. 调幅式测量电路

调幅式测量电路如图4－20所示，图中电感线圈 L 和电容 C 是构成该电路的基本元件。稳频稳幅正弦波振荡器的输出信号由电阻 R 加到传感器上。先使传感器远离被测物，则 $L = L_\infty$（即 x 趋于 ∞ 时的电感值），调振荡器的频率为 $f_0 = 1/(2\pi \sqrt{L_\infty C})$，得出最大输出电压 u_∞。然后保持振荡器的频率 f_0 和幅值不变，当被测物与传感器线圈接近时，由于电涡流效应，使线圈的电感量 L 变化，并使回路失谐，从而使输出电压 u 降低，由 u 的下降程度判断距离 x 的大小。按照图4－20(a)示原理线路，将 $L-x$ 的关系转换成 $u-x$ 的关系，可得图4－20(b)所示输出特性曲线。位移型电涡流传感器的线性范围大约为1/5 线圈外径，而且线性程度较差，非线性误差约为3%。

如果保持正弦波振荡器的幅值不变，改变振荡器的频率，使传感器线圈处于不同状态时电路都产生谐振，则可得如图4－21所示的传感器回路的并联谐振曲线，即 $u-f$ 曲线。当传感器线圈处于空气中不与任何导体靠近（即 $x \rightarrow \infty$，$L = L_\infty$）时，谐振频率为 f_0，谐振曲线峰值最高；当线圈与铁磁性导体材料靠近（距离 x 减小）时，线圈的等效电感增大，谐振频率减小为 $f_1 f_2$，谐振曲线左移，峰值降低，底部变宽；若线圈与非铁磁性材料靠近时，线圈的等效电感减小，谐振频率增大为 $f_1 f_2$，谐振曲线右移，峰值降低，底部变宽。

2. 调频式测量电路

所谓调频就是指用被测量的变化去改变（调制）激励信号的工作效率，使激励信号的工

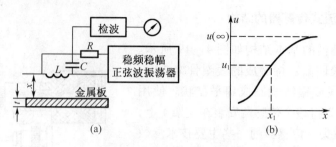

图 4 – 20 调幅式测量电路

(a)电路原理;(b)输出特性

作频率随被测量的变化而变化。调频谐振电路中电涡流传感器的电感线圈就是激励振荡器的一个振荡元件。所以线圈电感量的变化可以直接使振荡器的振荡频率发生变化,从而实现频率调制,再通过鉴频器及附加电路将频率的变化再变成电压输出。其原理如图 4 – 22(a)所示。

图 4 – 22(b)是一个简单调频电路。它由两部分组成:晶体管 BG_1 与电容 C_2、C_3 传感器构成下一个电容三点式振荡器,其振荡频率 f 随传感器电感 $L(x)$ 的变化而变化;而晶体管 BG_2 与射极电阻 R_6 等元件构成一个射极输出器,起阻抗匹配作用,最终将频率变为电压输出。

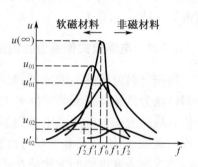

图 4 – 21 谐振曲线

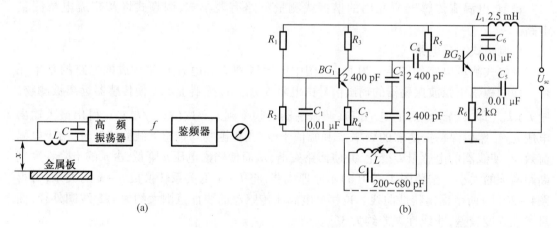

(a)   (b)

图 4 – 22 调频式测量原理

(a)原理图;(b)测量电路

3. 电桥测量电路

电路原理图如图 4 – 23 所示,图中 Z_1、Z_2 为差动式传感器的两个线圈,或者一个是传感器线圈,一个是固定平衡线圈。桥路输出电压幅值随传感器线圈阻抗变化而变化。

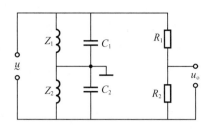

图 4 – 23　电涡流式传感器测量电路

4.4　电感式传感器的应用

4.4.1　差动式自感测厚仪

差动式自感测厚仪由电桥式相敏检波测量电路组成,如图 4 – 24 所示。图中电感 L_1,L_2 构成桥路相邻两桥臂,另外两个桥臂是 C_1 和 C_2。桥路对角线输出端用四只二极管 $D_1 \sim D_4$ 和四只附加电阻 $R_1 \sim R_4$(减小温度误差)组成相敏整流器,电流由电流表 M 指示。R_5 是调零电位器,R_6 用来调节电流表满刻度值。电桥电源由变压器 B 供电。B 采用磁饱和交流稳压器,R_7 和 C_3、C_4 起滤波作用。当自感传感器中的衔铁处于中间位置时,$L_1 = L_2$,电桥平衡,$U_C = U_D$ 电流表 M 中无电流流过。当试件的厚度发生变化时,$L_1 \neq L_2$,此时有两种情况:

1. 若 $L_1 > L_2$,则不论电源电压极性是 a 点为正,b 点为负(D_1,D_4 导通)还是 a 点为负,b 点为正(D_2,D_3 导通),d 点电位总是高于 c 点电位,M 的指针向逆时针偏转;

2. 若 $L_1 < L_2$,则 c 点电位总是高于 d 点电位,M 的指针向顺时针偏转。

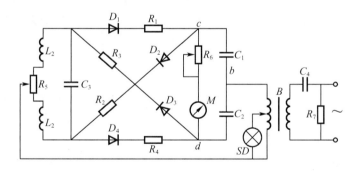

图 4 – 24　差动式电感测厚仪电路图

根据电流表的指针偏转方向和刻度可以判定衔铁的移位方向,同时也可知道被测件厚度发生了多大变化。

4.4.2　涡流式传感器应用举例

1. 位移测量

由前文可知,电涡流传感器的等效阻抗 Z 与被测材料的电阻率 ρ、导磁率 μ_r、激磁频率 f 及线圈被测件间的距离 x 有关。所以当 ρ,μ_r,f 确定后,Z 就只与 x 有关,通过适当的测量电路,可得到输出电压与距离 x 的关系,如图 4 - 25 所示。在曲线中部呈现线性关系,一般其线性范围为扁平线圈外径的 1/5 ~ 1/3,线性误差约为 3% ~ 4%。根据上述关系,电涡流传感器可以用于测量位移,如汽轮机主轴的轴向窜动,金属材料的热膨胀系数,钢水液位等,量程范围可以从 0 ~ 1 mm 到 0 ~ 30 mm,一般分辨力为满量程的 0.1%。

2. 振幅测量

为了非接触式地测量各种振动的振幅,如机床主轴振动形状的测量,可以使用多个涡流传感器安置在被测轴附近,再用多通道测量仪或记录器,测出在机床主轴振动时,瞬时振动分布形状。

3. 转速测量和膜厚测量

在一个旋转金属体上安装一只有 N 个齿的齿轮,旁边安装点涡流传感器,则当旋转体转动时,齿轮的齿与传感器的距离变小,电感量变小;距离变大,电感量变大。经电路处理后将周期性地输出信号,该输出信号频率 f 可用频率计测出,然后换算成转速。

利用涡流检测法,能够检测金属表面的氧化膜、漆膜或电镀膜等膜的厚度。但因金属材料的性质不同,其膜厚检测的方式也有很大的不同。本节介绍金属表面氧化层厚度的测量,它是各种测量方法中较为有效的一种方法。氧化层膜厚测定方法如图 4 - 26 所示。假定某金属表面有氧化膜,则电感传感器与金属表面的距离为 x。因为金属表面电涡流对传感器线圈中有磁场的反作用,改变了传感器的电感量,于是设此时电感量为 $(L_0 - \Delta L)$。当金属表面无氧化层时,传感器与其表面距离为 x_0,对应的电感量为 L_0,那么该金属表面的氧化层厚度为 $(x_0 - x)$,该厚度就可以通过电感量的变化而测得。金属氧化层的涡流测量电路可由图 4 - 27 所示的测量电路实现。在膜厚测量电路中,正弦振荡器 IC_1,IC_2 将产生频率为 1 ~ 100 kHz 的正弦波,加在变压器 B_1 的初级线圈上;次级输出的正弦信号加至桥式电路的输入端,由该桥路在非平衡状态下获取金属材料表面的涡流变化;涡流变化量再由检测放大器 IC_3 进行适当放大,又经交流放大器 IC_4 和 IC_5 放大数十倍后,经转换电路将涡流变化量转换为膜厚,最后由指示仪表显示。图 4 - 27 中 W_1,W_2,W_3 分别为灵敏度调整、零点调整和电平调节电位器。除此之外,还可用电阻率或导磁率的变化对材料进行无损伤测定。

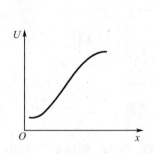

图 4 - 25 位移与电压关系曲线

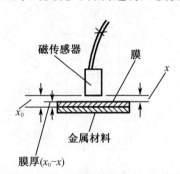

图 4 - 26 膜厚测量方法示意图

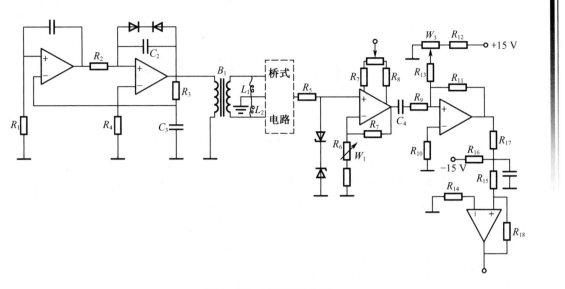

图 4 – 27 膜厚测量电路

第5章　压电式传感器

5.1　压电效应

  压电式传感器的制作基于某些晶体材料的压电效应,是一种典型的有源传感器(或发电型传感器)。因为压电效应是可逆的,所以压电式传感器是一种典型的"双向传感器"。

  压电转换元件具有自发电和可逆两种重要性能。压电式传感器具有响应频带宽、灵敏度高、信噪比大、结构简单、工作可靠、质量轻等优点;缺点是无静态输出、阻抗高等。因压电转换元件是典型力敏元件,可测量压力、加速度、机械冲击和振动等量,所以在力学、声学、医学等多领域应用广泛。

  某些物质沿某一方向受到外力作用时,会产生变形,同时其内部产生极化现象,此时在这种材料的两个表面产生符号相反的电荷;当外力去掉后,它又重新恢复到不带电的状态,这种现象被称为压电效应。这种材料当作用力方向改变时,电荷极性也随之改变。这种机械能转化为电能的现象称为"正压电效应"或"顺压电效应"。

  极化是指在外加电场作用下,电介质在宏观上显示出电性的现象。极化方向就是极化电荷产生的极化电场方向。若在某些物质的极化方向上施加电场,这些材料将在某一方向上产生机械变形或机械压力;当外加电场撤去时,这些变形或应力也随之消失。这种电能转化为机械能的现象称为"逆压电效应"或"电致伸缩效应"。电能与机械能的转换如图 5 - 1 所示。

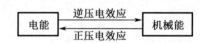

图 5 - 1　压电效应的可逆性

5.2　压 电 材 料

5.2.1　压电材料的特性

压电材料应具备以下几个主要特性:
①转换性能:要求具有较大的压电常数;
②机械性能:机械强度高、刚度大;
③电性能:高电阻率和大介电常数;
④环境适应性:温度和湿度稳定性要好,要求具有较高的居里点,获得较宽的工作温度范围;
⑤时间稳定性:要求压电性能不随时间变化。

5.2.2　压电材料的分类

常见的压电材料可分为两类,即压电单晶体和多晶体压电陶瓷。压电单晶体有石英

(包括天然石英和人造石英)和水溶性压电晶体(包括酒石酸钾钠、酒石酸乙烯二铵和酒石酸二钾等);多晶体压电陶瓷有钛酸钡压电陶瓷、锆钛酸铅系压电陶瓷、铌酸盐系压电陶瓷和铌镁酸铅压电陶瓷等。

1. 石英晶体

在一定的温度范围内,其介电常数和压电系数几乎不随温度而变化。但是当温度升高到 573 ℃时,石英晶体将完全丧去压电特性,这就是它的居里点。

石英晶体的突出优点是性能非常稳定,它有很大的机械强度和稳定的机械性能。但石英材料价格昂贵,且压电系数比压电陶瓷低得多。因此一般仅用于标准仪器或要求较高的传感器中。

石英晶体有天然和人工两种类型。人工培养的石英晶体的物理和化学性质几乎与天然石英晶体没有区别,因此目前广泛应用的是成本较低的人造石英晶体。

因为石英是一种各向异性晶体,因此,按不同方向切割的晶片,其物理性质(如弹性、压电效应、温度特性等)相差很大。在设计石英传感器时,应根据不同使用要求正确地选择石英片的切型。

2. 压电陶瓷

压电陶瓷主要有以下几种:

(1)钛酸钡压电陶瓷

最早使用的压电陶瓷材料是钛酸钡($BaTiO_3$)。钛酸钡($BaTiO_3$)是由碳酸钡($BaCO_3$)和二氧化钛(TiO_2)按1:1 的分子比例混合后在高温下合成的压电陶瓷。它具有很高的介电常数和较大的压电系数(约为石英晶体的 50 倍)。不足之处是居里点温度低(120 ℃),温度稳定性和机械强度不如石英晶体。

(2)锆钛酸铅系压电陶瓷(PZT)

锆钛酸铅(PZT 系列)它是钛酸钡($BaTiO_3$)和锆酸铅($PbZrO_3$)组成的固溶体 $Pb(Zr,Ti)O_3$。它具有较高的压电系数和较高的工作温度。它与钛酸钡相比,压电系数更大,居里点温度在 300 ℃以上,各项机电参数受温度影响小,时间稳定性好。此外,在锆钛酸中添加一种或两种其他微量元素(如铌、锑、锡、锰、钨等)还可以获得不同性能的 PZT 材料。因此锆钛酸铅系压电陶瓷是目前压电式传感器中应用最广泛的压电材料。

铌镁酸铅是 20 世纪 60 年代发展起来的压电陶瓷。它由铌镁酸铅($Pb(Mg_{1/3},Nb_{2/3})O_3$)、锆酸铅($PbZrO_3$)和钛酸铅($PbTiO_3$)按不同比例配成的不同性能的压电陶瓷,具有极高的压电系数和较高的工作温度,而且能承受较高的压力。

3. 新型压电材料

(1)压电半导体材料

压电半导体材料有 ZnO、CdS、ZnO、CdTe 等,这种力敏器件具有灵敏度高、响应时间短等优点。此外用 ZnO 作为表面声波振荡器的压电材料,可检测力和温度等参数。

(2)高分子压电材料

某些合成高分子聚合物薄膜经延展拉伸和电场极化后,具有一定的压电性能,这类薄膜称为高分子压电薄膜。目前出现的压电薄膜有聚二氟乙烯 PVF_2、聚氟乙烯 PVF、聚氯乙烯 PVC、聚 γ 甲基 – L 谷氨酸脂 PMG 等。高分子压电材料是一种柔软的压电材料,不易破碎,可以大量生产和制成较大的面积。

5.2.3 石英晶体的压电效应

天然结构石英晶体的理想外形是一个正六面体,如图 5 - 2(a)所示。在图 5 - 2(b)中可看出,在晶体学中它可用三根互相垂直的轴来表示,其中 $z-z$ 称为光轴;$x-x$ 轴称为电轴;与 $x-x$ 轴和 $z-z$ 轴同时垂直的 $y-y$ 轴(垂直于正六面体的棱面)则称为机械轴。通常把沿电轴 $x-x$ 方向的力作用下产生电荷的压电效应被称为"纵向压电效应",而把沿机械轴 $y-y$ 方向的力作用下产生电荷的压电效应称为"横向压电效应",沿光轴 $z-z$ 方向受力则不产生压电效应。沿相对两棱加力时,则产生切向效应。压电式传感器主要是利用纵向压电效应。

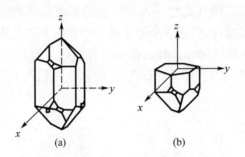

图 5 - 2 石英晶体

(a)理想石英晶体的外形;(b)坐标系

石英晶体具有压电效应,是由其内部结构决定的。

组成石英晶体的硅离子 Si_4^+ 和氧离子 O_2^- 在 Z 平面投影,如图 5 - 3(a)所示。为讨论方便,将这些硅、氧离子等效为图 5 - 3(b)中正六边形排列,图中" + "代表 Si_4^+,"—"代表 O_2^-。

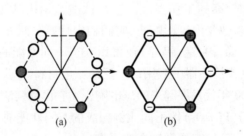

图 5 - 3 硅氧离子的排列示意图

(a)硅氧离子在 Z 平面上的投影;

(b)等效为正六边形排列的投影

当石英晶体未受外力作用时,正、负离子正好分布在正六边形的顶角上,形成三个互成 120°夹角的电偶极矩 P_1,P_2,P_3,如图 5 - 4(a)所示。

因为 $P = qL$(q 为电荷量,L 为正负电荷之间的距离),且此时正负电荷中心重合,电偶极矩的矢量和等于零,即 $P_1 + P_2 + P_3 = 0$。所以晶体表面不产生电荷,呈电中性。

当晶体受到沿 x 方向的压力($F_x < 0$)作用时,晶体沿 x 方向将产生收缩,正、负离子的相对位置随之发生变化,如图 5 - 4(b)所示。此时正、负电荷中心不再重合,电偶极矩 P_1 减

小，P_2，P_3 增大，它们在 x 方向上的分量不再等于零，即 $(P_1+P_2+P_3)_x>0$；在 y,z 方向上的分量为 $(P_1+P_2+P_3)_y=0$，$(P_1+P_2+P_3)_z=0$。

当晶体受到沿 x 方向的拉力（$F_x>0$）作用时，其变化情况如图 5-4(c) 所示。电偶极矩 P_1 增大，P_2、P_3 减小，此时它们在 x,y,z 三个方向上的分量为：$(P_1+P_2+P_3)_x<0$，$(P_1+P_2+P_3)_y=0$，$(P_1+P_2+P_3)_z=0$，在 x 轴的正向出现负电荷，在 y,z 方向依然不出现电荷。

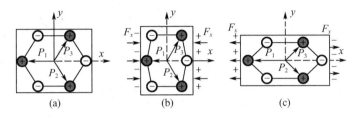

图 5-4 石英晶体结构及纵向压电效应

（a）未受力；（b）受到沿 x 方向的压力；（c）受到沿 x 方向的拉力

可见，当晶体受到沿 x（电轴）方向的力 F_x 作用时，在 x 轴的方向的晶体表面上出现正负电荷，而在 y 轴和 z 轴方向的分量均为零。在垂直于 y 轴和 z 轴的晶体表面上不出现电荷。

这种因 x 轴作用力，而在垂直于此轴晶面上产生电荷的现象，称为"纵向压电效应"。

晶体在 y 轴方向受力 F_y 作用下的情况如图 5-5。当 $F_y<0$ 时，如图 5-5(a)；当 $F_y>0$ 时，晶体的形变如图 5-5(b)。由此可见，晶体在 y（即机械轴）方向的力 F_y 作用下，在 x 方向产生正压电效应，这种沿 y 轴作用力，而在垂直于 x 轴的晶面上产生电荷的现象，被称为"横向压电效应"。在 y,z 方向施力同样不会在对应轴上产生压电效应。

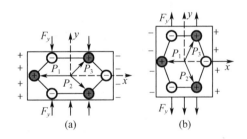

图 5-5 石英晶体的横向压电效应

（a）受到沿 y 方向的压力；（b）受到沿 y 方向的拉力

晶体在 z 轴方向受力 F_z 的作用时，因为晶体沿 x 方向和沿 y 方向所产生的应变完全相同，所以正、负电荷中心保持重合，电偶极矩矢量和等于零。这就表明，在沿 z（即光轴）方向的力 F_z 作用下，晶体不产生压电效应。

当晶体受到沿 Z 轴方向的力（无论是压缩力或拉伸力）作用时，因为石英晶体在 x 轴方向和 y 方向的变形相同，正、负电荷中心始终保持重合，电偶极矩在 x,y 方向的分量等于零。所以沿光轴方向施加作用力时，石英晶体不会产生压电效应。

石英晶体的电荷极性和受力方向关系如图 5-6 所示，当作用力 F_x 或 F_y 的方向相反时，电荷的极性随之改变。如果石英晶体的各个方向同时受到均等的作用力（如液体压力），石英晶体将保持电中性，所以石英晶体没有体积变形的压电效应。

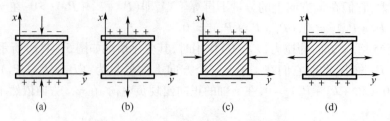

图 5-6　石英晶体的电荷极性和受力方向关系

若从晶体上沿 y 方向切下一块如图 5-7 所示的晶片,当沿电轴 x 方向施加应力 σ_x 时,晶片将产生厚度变形,并发生极化现象。在晶体线性弹性范围内,极化强度 P_{11} 与应力 σ_x 成

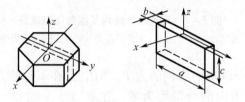

图 5-7　石英晶体的切片示意图

正比,即

$$P_{11} = d_{11}\sigma_x = d_{11}\frac{F_x}{ab} \tag{5-1}$$

式中　d_{11}——纵向压电系数;

　　　a,b——石英晶片的长度和宽度。

而 P_{11} 在数值上等于晶面上的电荷密度

$$P_{11} = \frac{Q_{xx}}{ab} \tag{5-2}$$

将以上两式联立,得

$$Q_{xx} = d_{11}F_x \tag{5-3}$$

而若沿 x 方向对晶片施加电场,电场强度大小为 u_{xx}。根据逆压电效应,晶体在 x 轴方向将产生伸缩,即

$$\Delta b = d_{11}u_{xx}$$

$$u_{xx} = \frac{Q_{xx}}{C_x} = d_{11}\frac{F_x}{C_x} \tag{5-4}$$

若在同一切片上,沿机械轴 y 方向施加应力 σ_y,则仍在与 x 轴垂直的平面上产生电荷 Q_{xy},其大小为

$$Q_{xy} = d_{12}\frac{ac}{bc}F_y = d_{12}\frac{a}{b}F_y \tag{5-5}$$

根据石英晶体轴对称条件,即 $d_{11} = -d_{12}$,则

$$Q_{xy} = -d_{11}\frac{a}{b}F_y \tag{5-6}$$

反之,若沿 y 方向对晶片施加电场,根据逆压电效应,晶片在 y 轴方向将产生伸缩变

形,即

$$\Delta a = -d_{11}\frac{a}{b}u_{xy} \tag{5-7}$$

$$u_{xy} = \frac{Q_{xy}}{C_x} = -d_{11}\frac{a}{b}\frac{F_y}{C_x} \tag{5-8}$$

由此可得关于石英晶体的压电效应的结论如下：

①当晶片受到 x 方向的压力作用时，Q_x 只与作用力 F_x 成正比,而与晶片的几何尺寸无关；

②沿机械轴 y 方向向晶片施加压力时,产生的电荷是与几何尺寸有关的；

③石英晶体不是在任何方向都存在压电效应的；

④晶体若在哪个方向上有正压电效应,则在此方向上一定也存在逆压电效应；

⑤无论是正压电效应或逆压电效应,其作用力(或应变)与电荷(或电场强度)之间皆呈线性关系。

5.2.4　压电陶瓷的压电效应

压电陶瓷是人工制造的多晶体压电材料。材料内部的晶粒有许多自发极化的电畴,它有一定的极化方向,因而内部存在电场。在无外电场作用时,电畴在晶体中杂乱分布,使它们各自的极化效应被相互抵消,压电陶瓷内极化强度为零。因此原始的压电陶瓷呈中性,不具有压电性质。

在陶瓷上施加外电场时,电畴的极化方向发生转动,趋向于按外电场方向的排列,从而使材料得到极化。外电场越强,就有越多的电畴更完全地转向外电场方向。让外电场强度大到使材料的极化达到饱和的程度,即所有电畴极化方向都整齐地与外电场方向一致时再去掉外电场,电畴的极化方向就有了基本变化,即剩余极化强度很大。此时材料才具有压电特性。

压电陶瓷是人工制造的多晶压电材料。它由无数细微的电畴组成,这些电畴实际上是自发极化的小区域,自发极化的方向完全是任意排列的。在无外电场作用时,从整体来看,这些电畴的极化效应被互相抵消,使原始的压电陶瓷呈电中性,不具有压电性质。未极化的电畴如图5-8(a)。为了使压电陶瓷具有压电效应,必须进行极化处理。极化的电畴如图5-8(b)。所谓极化处理,就是在一定温度下对压电陶瓷施加强电场(如 20~30 kV/cm 直流电场),经过 2~3 h 以后,压电陶瓷就具备压电性能了,这是因为陶瓷内部的电畴的极化方向在外电场作用下都趋向于电场的方向,这个方向就是压电陶瓷的极化方向,通常取 z 轴方向。经过极化处理的压电陶瓷,在外电场去掉后,其内部仍存在着很强的剩余极化强度,当压电陶瓷受外力作用时,电畴的界限发生移动,因此剩余极化强度将发生变化,压电陶瓷就呈现出压电效应。在陶瓷上施加外电场时,电畴的极化方向发生转动,趋向于按外电场方向的排列,从而使材料得到极化。外电场愈强,就有更多的电畴更完全地转向外电场方向。让外电场强度大到使材料的极化达到饱和的程度,即所有电畴极化方向都整齐地与外电场方向一致时,当外电场去掉后,电畴的极化方向基本变化,即剩余极化强度很大,这时的材料才具有压电特性。

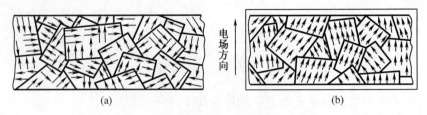

图 5 – 8   压电陶瓷的电畴

(a)未极化的电畴;(b)极化的电畴

陶瓷片内的极化强度总是以电偶极矩的形式表现出来,如图 5 – 9,即在陶瓷的一端出现正束缚电荷时,另一端会出现负束缚电荷。由于束缚电荷的作用,在陶瓷片的电极面上吸附了一层来自外界的自由电荷。这些自由电荷与陶瓷片内的束缚电荷符号相反而数量相等,它屏蔽和抵消了陶瓷片内极化强度对外界的作用。

如果在陶瓷片上加一个与极化方向平行的压力 F,如图 5 – 10 所示,陶瓷片将产生压缩形变。片内的正、负束缚电荷之间的距离变小,极化强度也变小,因此释放部分吸附在电极上的自由电荷,而出现放电现象。当压力撤销后,陶瓷片恢复原状,极化强度也随之变大,因此电极上又吸附一部分自由电荷而出现充电现象,这种由机械能转化为电能的现象,就是压电陶瓷的正压电效应。

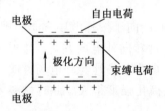

图 5 – 9   陶瓷片内束缚电荷与电极上吸附的

自由电荷示意图

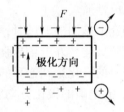

图 5 – 10   正压电效应示意图

若在片上加一个与极化方向相同的电场,如图 5 – 11 所示电场的作用将使极化强度增大。陶瓷片内的正、负束缚电荷之间距离也增大,即陶瓷片沿极化方向产生伸长形变。同理,如果外加电场的方向与极化方向相反,则陶瓷片沿极化方向产生缩短形变。这种由电效应转变为机械效应,或者由电能转变为机械能的现象,就是压电陶瓷的逆压电效应。

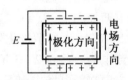

图 5 – 11   逆压电效应

示意图

对于压电陶瓷,通常取它的极化方向为 z 轴,垂直于 z 轴的平面上任何直线都可作为 x 或 y 轴,这是它和石英晶体的不同之处。当压电陶瓷在沿极化方向受力时,则在垂直于 z 轴的上、下两表面上将会出现电荷,其电荷量 Q_{zz} 与作用力 F_z 成正比,即

$$Q_{zz} = d_{zz}F \tag{5 – 9}$$

式中 d_{zz}——压电陶瓷的压电系数;

F——作用力。

输出电压为

$$u_{zz} = \frac{d_{zz}}{C_z} F_z \qquad\qquad (5-10)$$

压电陶瓷在受到沿 y 方向的作用力 F_y 或沿 x 方向的作用力 F_x 时,在垂直于 z 轴的上、下平面上分别出现正、负电荷,其电荷量 Q_{zx},Q_{zy} 与作用力 F_y,F_x 也成正比,即

$$Q_{zx} = d_{z1} \frac{S_z}{S_x} F_x \qquad\qquad (5-11)$$

同理

$$Q_{zy} = d_{z2} \frac{S_z}{S_y} F \qquad\qquad (5-12)$$

式中　S_z——极化面面积;

　　　S_x,S_y——受力面面积;

　　　d_{z1},d_{z2}——压电陶瓷的横向压电系数。

当作用力 F_z、F_y 或 F_x 反向时,电荷的极性也反向。压电陶瓷的压电系数比石英晶体的大得多,所以采用压电陶瓷制作的压电式传感器的灵敏度较高。极化处理后的压电陶瓷材料的剩余极化强度和特性与温度有关,它的参数也会随时间变化而令压电特性减弱。

压电陶瓷的压电系数比石英晶体的大,所以灵敏度较石晶体英高。极化处理后的压电陶瓷材料的剩余极化强度和特性与其温度有关。

5.3　压电式传感器的测量电路

5.3.1　压电元件常用的结构形式

当石英晶体承受机械应力作用时,对能量转换有意义的几种基本变形方式可将机械能转换为电能,如图 5-12 所示,其中厚度变形和剪切变形是最常用的两种方式。

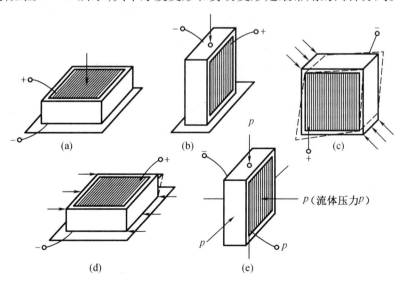

图 5-12　压电效应的几种类型

(a)厚度变形;(b)长度变形;(c)面剪切变形;(d)厚度剪切变形;(e)体积变形

1. 厚度变形

如图 5-12(a),应力与电荷面垂直,即石英晶体的纵向压电效应。

2. 长度变形

如图 5-12(b),应力与电荷面平行,长宽伸缩,即石英晶体的横向压电效应。

3. 面剪切变形

如图 5-12(c),即晶体受剪切面与产生电荷的面共面。

4. 厚度剪切变形

如图 5-12(d),晶体受剪切面与产生电荷的面不共面,如 y 切晶片。

5. 体积变形

如图 5-12(e),对钛酸钡压电陶瓷可以利用体积变形,对石英晶体各个方向施加相同的作用力,石英晶体保持电中性不变,所以石英晶体没有体积变形的压电效应。

6. 弯曲变形

它不是基本的变形方式,而是拉、压应力和剪切应力共同作用的结果,根据具体的晶体切割及弯曲情况选择合适的压电常数。

5.3.2 压电元件的连接方式

在实际应用中,由于单片的输出电荷很小,因此,组成压电式传感器的元件不止一片,常常将两片或两片以上的晶片联结在一起。联结的方法有两种,即并联和串联。

并联方法把两片或两片以上压电晶片的负电荷集中在中间电极上,正电荷集中在两侧的电极上,所有正电荷连接在一起形成正极,所有负电荷连接在一起形成负极。图 5-13(a)传感器的电容量大、输出电荷量大、时间常数也大,即

$$q' = 3q; \quad U' = U; \quad C' = 3C$$

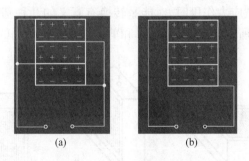

图 5-13 压电元件连接方式

(a)并联;(b)串联

故这种传感器适用于测量缓变信号及电荷量输出信号。

串联方法正电荷集中于上极板,负电荷集中于下极板,晶片按照 +,-,+,-,+,- 的顺序连接。图5-13(b)传感器本身的电容量小、响应快、输出电压大,即

$$q' = q; \quad U' = 3U; \quad C' = \frac{1}{3}C$$

故这种传感器适用于测量以电压作输出的信号和频率较高的信号。

在上述两种接法中,并联接法输出电荷大,本身电容大,时间常数大,适宜用在测量慢变信号并且以电荷作为输出量的场合。而串联接法输出电压大,本身电容小,适宜用于以

电压作输出信号,并且测量电路输入阻抗很高的场合。

5.3.3 压电式传感器的等效电路

压电式传感器对被测量的感受程度是通过其压电元件产生电荷量的大小来反映的,因此它相当于一个电荷源,当压电元件电极表面聚集电荷时,它又相当于一个以压电材料为电介质的电容器。如图5-14(a)压电元件的电容为

$$C_an = \frac{\varepsilon S}{\delta} = \frac{\varepsilon_r \varepsilon_0 S}{\delta} \tag{5-13}$$

当两极板聚集异性电荷时,板间就呈现出一定的电压,其大小为

$$U_a = \frac{q}{C_a} \tag{5-4}$$

因此,压电传感器还可以等效为电压源 U_a 和一个电容器 C_a 的串联电路,如图5-14(b)。

图5-14 压电式传感器等效电路

(a)并联等效电路;(b)串联等效电路

在实际使用时,压电传感器通过导线与测量仪器相连接,连接导线的等效电容 C_c、前置放大器的输入电阻 R_i 和输入电容 C_i 对电路的影响也必须一起考虑进去。当考虑了压电元件的绝缘电阻 R_a 以后,压电传感器完整的等效电路可表示成如图5-15所示的电压等效电路和电荷等效电路。这两种等效电路是完全等效的。

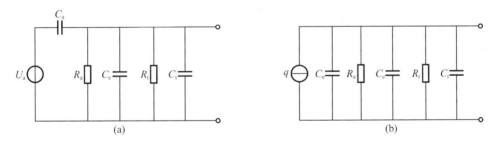

图5-15 压电传感器的完整等效电路

(a)电压源;(b)电荷源

利用压电式传感器测量静态或准静态量值时,必须采取一定的措施令电荷从压电晶片上经测量电路的漏失减小到足够小程度。而在动态力作用下,电荷可以得到不断补充,可以供给测量电路一定的电流,故压电传感器适宜进行动态测量。

5.3.4 压电式传感器的测量电路

因为压电式传感器的输出电信号很微弱,所以通常会先把传感器信号先输入到高输入阻抗的前置放大器中,经过阻抗交换以后再用一般的放大检波电路再将信号输入到指示仪

表或记录器中(其中,测量电路的关键在于高阻抗输入的前置放大器)。

前置放大器的作用:一是将传感器的高阻抗输出变换为低阻抗输出;二是放大传感器输出的微弱电信号。

前置放大器电路有两种形式:一是用电阻反馈的电压放大器,其输出电压与输入电压(即传感器的输出)成正比;另一种是用带电容板反馈的电荷放大器,其输出电压与输入电荷成正比。因为电荷放大器电路的电缆长度变化的影响不大,几乎可以忽略不计,所以电荷放大器应用日益广泛。

1. 电压放大器(阻抗变换器)

压电式传感器与电压放大器连接等效电路如图 5 – 16 所示,图 5 – 16(b)为图 5 – 16(a)的简化电路。

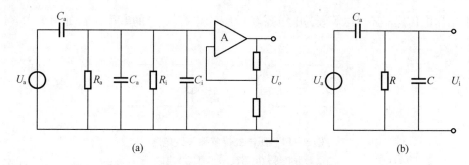

图 5 – 16 压电传感器接放大器的等效电路

(a)放大器电路;(b)等效电路

在图 5 – 16(b)中,电阻 $R = R_i/(R_a + R_i)$,电容 $C = C_c + C_i$,而 $u_a = q/C_a$,若压电元件受正弦力 $f = F_m \sin\omega t$ 的作用,则其电压为

$$\dot{U}_a = \frac{\mathrm{d}F_m}{C_a}\sin\omega t = U_m\sin\omega t \tag{5 – 15}$$

式中 U_m——压电元件输出电压幅值,$U_m = \mathrm{d}F_m/C_a$;

d——压电系数。

由此可得放大器输入端电压 U_i,其复数形式为

$$\dot{U}_i = d_{33}\dot{F}\frac{\mathrm{j}\omega R}{1 + \mathrm{j}\omega R(C_a + C)} \tag{5 – 16}$$

U_i 的幅值 U_{im} 为

$$U_{im}(\omega) = \frac{d_{33}F_m\omega R}{\sqrt{1 + \omega^2 R^2 (C_a + C_c + C_i)^2}} \tag{5 – 17}$$

输入电压和作用力之间相位差为

$$\phi = \frac{\pi}{2} - \arctan\left[\omega(C_a + C_c + C_i)R\right] \tag{5 – 18}$$

在理想情况下,传感器的 R_a 电阻值与前置放大器输入电阻 R_i 都为无限大,即 $\omega(C_a + C_c + C_i)R \gg 1$,那么由式(5 – 17)可知,理想情况下输入电压幅值 U_{im} 为

$$U_{im} = \frac{d_{33}F_m}{C_a + C_c + C_i} \tag{5 – 19}$$

上式表明前置放大器输入电压 U_{im} 与频率无关,一般在 $\omega/\omega_0 > 3$ 时,就可以认为 U_{im} 与

ω 无关，ω_0 表示测量电路时间常数之倒数，即

$$\omega_0 = \frac{1}{(C_a + C_c + C_i)R} \qquad (5-20)$$

这表明压电传感器有很好的高频响应。但当作用于压电元件的力为静态力（$\omega=0$）时，前置放大器的输出电压将等于零。因为电荷会通过放大器输入电阻和传感器本身漏电阻漏掉，所以压电传感器不能用于静态力的测量。

当 $\omega(C_a + C_c + C_i)R \gg 1$ 时，放大器输入电压 U_{im} 如式（5-19）所示，式中 C_c 为连接电缆电容，当电缆长度改变时，C_c 也将改变，因而 U_{im} 也随之变化。因此，压电传感器与前置放大器之间连接电缆不能随意更换，否则将引入测量误差。

2. 电荷放大器

为了改善压电式传感器的低频特性，常采用电荷放大器来对此进行改善，压电式传感器与电荷放大器连接等效电路如图 5-17 所示。

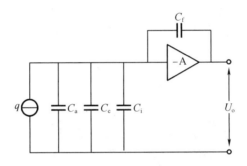

图 5-17　电荷放大器等效电路

电荷放大器常作为压电传感器的输入电路，由一个反馈电容 C_f 和高增益运算放大器构成。由于运算放大器输入阻抗极高，放大器输入端几乎没有分流，故可略去 R_a 和 R_i 并联电阻。则

$$U_o \approx U_{cf} = -\frac{q}{C_f} \qquad (5-21)$$

式中　U_o——放大器输出电压；

　　　　U_{cf}——反馈电容两端电压。

由运算放大器基本特性，可求出电荷放大器的输出电压，即

$$U_o = \frac{-Aq}{C_a + C_c + C_i + (1+A)C_f} \qquad (5-22)$$

通常 $A = 10^4 \sim 10^8$，因此，当满足 $(1+A)C_f \gg C_a + C_c + C_i$ 的条件时，上式可表示为：

$$U_o \approx -\frac{q}{C_f} \qquad (5-23)$$

由上式知，电荷放大器的输出电压 U_o 只取决于输入电荷与反馈电容 C_f，与电缆电容 C_c 无关，且与 q 成正比。因此，采用电荷放大器时，即使连接电缆长度在百米以上，其灵敏度也无明显变化，这是电荷放大器的最大特点。在实际电路中常将 C_f 的容量做成可选择式，范围一般为 $100 \sim 10^4$ pF。

压电式传感器在测量低压力时线性度不好，主要是传感器受力系统中力传递系数非线性所致。为此，在力传递系统中加入预加力，称其为预载。这除了消除低压力使用中的非线性外，还可以消除传感器内外接触表面的间隙，提高刚度。需要注意的是，它只有在加预

载后才能用压电传感器测量拉力和拉、压交变力及剪切力和扭矩。

5.4 压电式传感器的应用

压电式传感器即基于压电效应制作的传感器,是一种自发电式和机电转换式传感器。它的敏感元件由压电材料制成。压电材料受力后表面产生电荷,此电荷经电荷放大器和测量电路放大和变换阻抗后就成为正比于所受外力的电量输出。压电式传感器常用于测量力和能变换为力的非电物理量。它的优点是频带宽、灵敏度高、信噪比高、结构简单、工作可靠和质量轻;缺点是某些压电材料需要防潮措施,而且输出的直流响应差,需要采用高输入阻抗电路或电荷放大器来克服这一缺陷。

5.4.1 YDS-781 型压电式单向传感器

压电测力传感器的结构通常为荷重垫圈式。YDS-781 型压电式单向传感器结构如图5-18 所示,它由底座、传力上盖、片式电极、石英晶片、绝缘件及电极引出插座等组成。

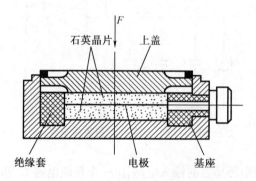

图 5-18 压力式单向测力传感器结构图

传感器上盖为传力元件,它的外缘壁厚为 0.1 ~ 0.5 mm,外力作用会使它产生弹性变形,将力传递到石英晶片上。石英晶片采用 xy 切型,利用其纵向压电效应,通过 d_{11} 来实现力 - 电转换。

5.4.2 用压电式传感器测表面粗糙度

压电式传感器表面粗糙度测试如图 5-19 所示。传感器由驱动箱拖动使其触针在工件表面以恒速滑行。工件表面的起伏不平使触针上下运动,通过针杆使压电晶体随之变形,这样,在压电晶体表面就产生电荷,可通过引线输出与触针位移成正比的电信号。

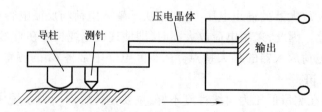

图 5-19 压电式传感器表面粗糙度测试示意图

5.4.3　煤气灶电子点火装置

煤气灶电子点火装置原理是利用高压跳火来点燃煤气,如图 5 - 20 所示,当使用者将开关往里压时,把气阀打开,旋转开关,使弹簧往左压;此时,弹簧有一很大的力撞击压电晶体,则产生高压放电,导致燃烧盘点火。

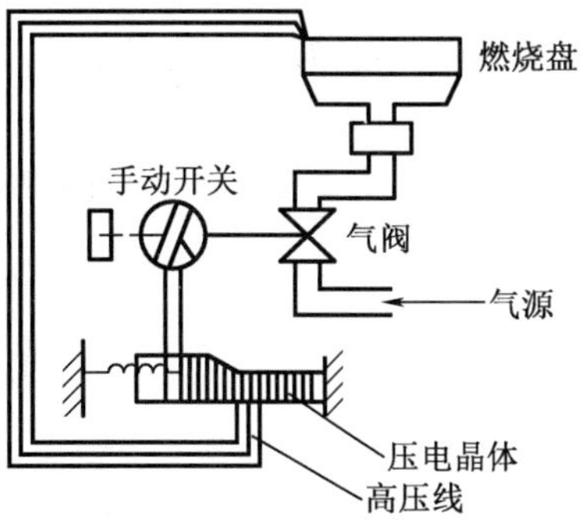

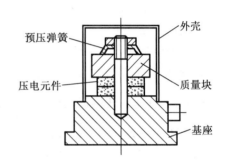

图 5 - 20　煤气灶电子点火装置

在工程和机械加工中,压电力传感器可用于测量各种机械设备及部件所受的冲击力。例如锻造工作中的锻锤、打夯机、打桩机、振动给料机的激振器、地质钻机钻探冲击器和船舶、车辆碰撞等机械设备冲击力的测量,均可采用压电力传感器。

5.4.4　压电式加速度传感器

图 5 - 21 是一种压电式加速度传感器的结构图。它主要由压电元件、质量块、预压弹簧、基座及外壳这几个部件组成。整个部件装在外壳内,并由螺栓加以固定。

当加速度传感器和被测物一起受到冲击振动时,压电元件受质量块惯性力的作用,根据牛顿第二定律,此惯性力是加速度的函数,即 $F = ma$,F 为质量块产生的惯性力;m 为质量块的质量;a 为加速度。

图 5 - 21　压电式加速度传感器结构图

此时惯性力 F 作用于压电元件上,因此产生电荷 q ,当传感器选定后,m 为常数,则传感器输出电荷为 $q = d_{33}F = d_{33}ma$,与加速度 a 成正比。因此,测得加速度传感器输出的电荷便可知加速度的大小。

5.4.5　压电式压力传感器

压电式压力传感器结构如图 5 - 22 所示。当膜片受到压力 F 作用后,在压电晶片表面上产生电荷。在一个压电片上所产生的电荷为 $q = d_{11}F = d_{11}SP$,即压电式压力传感器的输出电荷 q 与输入压强 P 和受压膜片面积 S 成正比。

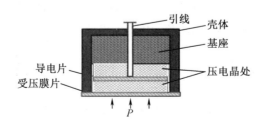

图 5 - 22　压电式测压传感器

5.4.6 压电式声传感器

压电式声传感器的结构如图 5 – 23 所示,当交变信号加在压电陶瓷片两端面时,由于压电陶瓷的逆压电效应,陶瓷片会在电极方向产生周期性的伸长和缩短。

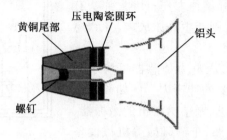

图 5 – 23 压电式声传感器结构图

当一定频率的声频信号加在换能器上时,换能器上的压电陶瓷片会因受到外力作用而产生压缩变形。由于压电陶瓷的正压电效应,压电陶瓷上将出现充、放电现象,即其将声频信号转换成了交变电信号。这时的声传感器就是声频信号接收器。

如果换能器中压电陶瓷的振荡频率在超声波范围内,则其发射或接收的声频信号为超声波,这样的换能器被称为压电超声换能器。

5.4.7 压电声传感器在超声速测量实验中的应用

压电声传感器在超声速测量实验中的应用如图 5 – 24 所示,当信号发生器产生的正弦交流信号加在压电陶瓷片两端面时,压电陶瓷片将产生机械振动,在空气中激发出声波。所以,换能器 S_1 就是声频信号发生器。

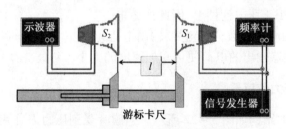

图 5 – 24 超声速测量实验装置

当 S_1 发出的声波信号经过空气传播到达换能器 S_2 时,空气振动产生的压力作用在 S_2 的压电陶瓷片上,使其出现充、放电现象,因此在示波器上能检测出该交变信号。所以,换能器 S_2 是声频信号接收器。

5.4.8 压电式流量计

压电式流量计结构如图 5 – 25 所示,其中压电超声换能器每隔一段时间(如1/100 s)发射和接收互换一次。在顺流和逆流的情况下,发射和接收的相位差与流速均成正比。

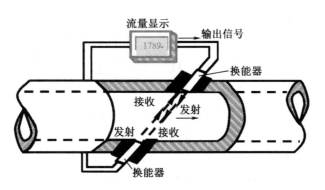

图 5 – 25　压电式流量计

5.4.9　压电式传感器在测漏中的应用

压电式传感器在测漏中的应用示意图如图 5 – 26 所示。如果地面下一均匀的自来水直管道某处 O 发生漏水,水漏引起的振动从 O 点向管道两端传播,在管道上 A,B 两点放置两只压电传感器,通过从两个传感器接收到的由 O 点传来的 t_0 时刻发出的振动信号所用时间差可计算出 L_A 或 L_B。

两者时间差为 $\Delta t = t_A - t_B = (L_A - L_B)/v$, 又 $L = (L_A + L_B)$, 所以

$$L_A = \frac{L + \Delta t \cdot v}{2}, L_B = \frac{L - \Delta t \cdot v}{2}。$$

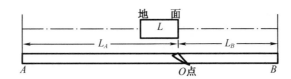

图 5 – 26　压电式传感器在测漏中的应用示意图

第6章 光电式传感器

光电式传感器是以光电效应为基础,将光信号转换成电信号的传感器。光电式传感器因其反应速度快,能实现非接触测量,而且精度高、分辨力高、可靠性好,加之半导体光敏器件具有体积小、质量轻、功耗低、便于集成等优点,所以被广泛应用于军事、宇航、通信、检测与工业自动控制等各个领域中。光电传感器由光源、光学通路和光电元件组成。

先把被测量的变化转换成光信号的变化,然后通过光电器件变换成电信号。被测量通过对辐射源或者光学通路的影响将待测信息调制到光波上,通过改变光波的强度、相位、空间分布和频谱分布等,由光电器件将光信号转化为电信号。电信号再经后续电路解调分离出被测量信息,实现对物理量的测量。

6.1 光源(发光器件)

要使光电式传感器能很好地工作,除了合理选用光电转换元件外,还必须配备合适的光源。

6.1.1 白炽光源

最为普通的白炽光源是用钨丝通电加热作为光辐射源。一般白炽灯的辐射光谱是连续的,发光范围在 320 ~ 2 500 nm。白炽灯是根据热致发光原理制成的,钨丝密封在玻璃泡内,泡内充以惰性气体或者保持真空,依靠电能将灯丝加热至白炽而发光。白炽灯发光光谱是连续的,覆盖从紫外区域到红外区域。它的峰值波长在近红外区,约 1 ~ 1.5 μm,所以任何光敏元件都能和它配合接收到光信号。也就是说,这种光源虽然寿命不够长而且发热大、效率低、动态特性差,但对接收用的光敏元件的光谱特性要求不高,是它的可取之处。

卤钨灯是一种特殊的白炽灯,灯泡用石英玻璃或硬质玻璃制作,能够耐 3 500 K 的高温,灯泡内充以卤族元素,通常是碘,卤族元素能够与沉积在灯泡内壁上的钨丝发生化学反应,形成卤化钨,卤化钨扩散到钨丝附近,由于温度高而分散,钨原子重新沉积到钨丝上,这样弥补了灯丝的蒸发,大大延长了灯泡的寿命,同时也解决了灯泡因钨的沉积而发黑的问题,让光通量在整个寿命期中始终能够保持相对稳定。

6.1.2 气体放电光源

电流通过置于气体中的两个电极时,两电极之间会放电发光,利用这种原理制成的光源被称为气体放电光源。它的光谱是不连续的,光谱与气体的种类及放电条件有关。改变气体的成分、压力、阴极材料和放电电流大小,可得到主要在某一光谱范围的辐射。汞灯、氢灯、钠灯、镉灯、氦灯是光谱仪器中常用的光源,统称为光谱灯。例如低压汞灯的辐射波长为 254 nm,钠灯的辐射波长为 589 nm,故可被用作单色光源。如果在光谱灯上涂以荧光剂,由于光线与涂层材料的作用,荧光剂可以将气体放电谱线转化为更长的波长。通过对荧光剂的选择可以使气体放电发出某一范围的波长,如照明日光灯。气体放电灯消耗的能量为白炽灯的 1/3 ~ 1/2。

6.1.3 发光二极管

发光二极管由半导体 PN 结构成。它工作电压低、响应速度快、寿命长、体积小、质量轻,因此获得了广泛的应用。

发光二极管与普通二极管一样,也是由一个 PN 结组成的,也具有单向导电性。

当给发光二极管的 PN 结加上正向电压后,由 N 区注入 P 区的电子在 PN 结附近数微米内与 P 区的空穴复合,能产生自发辐射的可见光。不同的半导体材料中电子和空穴所处的能量状态不同。光的颜色决定于电子和空穴复合时释放出的能量多少,释放出的能量越多,则发出的光的波长越短,常用的是发红光(砷化镓二极管)、绿光(磷化镓二极管)或黄光(碳化硅二极管)的发光二极管。

6.1.4 激光器

激光是 20 世纪 60 年代出现的最重大科技成就之一,其具有高方向性、高单色性、高亮度和高的相干性四个重要特性。激光波长覆盖从 0.15 μm 到远红外整个光频波段范围。其原理是某些物质的分子、原子、离子吸收外界特定能量,从低能级跃迁到高能级上,如果处于高能级的粒子数大于低能级上的粒子数,就形成了粒子数反转,在特定频率的光子激发下,高能粒子集中地跃迁到低能级上,发射出与激发光子频率相同的光子。因此上述现象称为光的受激辐射放大。具有这种功能的器件称为激光器。

激光器种类繁多,按工作物质分为固体激光器(如红宝石激光器)、气体激光器(如氦 - 氖气体激光器、二氧化碳激光器)、液体激光器(染料激光器)、半导体激光器(如砷化镓激光器)。

1. 固体激光器

固体激光器的工作物质是固体,这类激光器结构大致相同,小而坚固,脉冲功率高。典型实例是红宝石激光器,是 1960 年人类发明的第一台激光器。固体激光器一般由激光工作物质、激励源、聚光腔、谐振腔反射镜和电源等部分构成。

2. 气体激光器

以气体状态的原子、离子和分子作为工作物质,靠气体放电进行激励的激光器。其工作物质是气体。常用的有氦氖激光器、氩离子激光器、氪离子激光器,以及二氧化碳激光器、准分子激光器等,其形状与普通的放电管一样,能连续工作,单色性好。其波长覆盖了从紫外到远红外的频谱区域,并与固体、液体比较,气体的光学均匀性好。因此,气体激光器的输出光束具有较好的方向性、单色性和较高的频率稳定性。而因气体的密度小,不易得到高的激发粒子浓度,所以气体激光器输出的能量密度一般比固体激光器小。它是目前种类最多、波长分步区域最宽、应用最广的一类激光器,有近万条激光谱线,波长覆盖从紫外到红外的整个光谱区,目前更已扩展到 X 射线和毫米波波段。气体激光器的输出光束质量非常高,其单色性和发散性均优于固体和半导体激光器,也是目前连续输出功率最大的激光器,具有转换效率高、结构简单、造价低廉等优点,得以广泛应用。常见的有氦氖激光器、CO_2 激光器等,是紫外区的主要光源。

3. 液体激光器

液体激光器也称染料激光器,因为这类激光器的激活物质是某些有机染料溶解在乙醇、甲醇或水等液体中形成的溶液。为了激发它们发射出激光,一般采用高速闪光灯作激光源,或者由其他激光器发出很短的光脉冲。其分为螯合物激光器、无机液体激光器和有机染料激光器等,其中较为重要的是有机染料激光器。它最大的特点是发出的激光波长可在一段范围内调节,而且效率也不会降低,因此它能起着其他激光器不能起的作用。液体激光器发出的激光对于光谱分析、激光化学和其他科学研究具有重要的意义。

4. 半导体激光器

半导体激光器是用半导体材料作为工作物质的一类激光器,其体积小、效率高、寿命长、结构简单、容易集成。半导体激光器的工作原理是:通过一定的激励方式,在半导体物质的能带(导带与价带)之间,或者半导体物质的能带与杂质(受主或施主)能级之间,实现非平衡载流子的粒子数反转。当处于粒子数反转状态的大量电子与空穴复合时,便产生受激发射,发出激光。与前几种相比,半导体激光器出现较晚,其成熟产品是砷化镓激光器。其效率高、体积小、质量轻、结构简单,适宜在飞机、军舰、坦克上应用以及步兵随身携带;其缺点是输出功率较小。目前半导体激光器可选择的波长主要局限在红光和红外区域。

6.2 光 电 效 应

根据爱因斯坦的光子假说:光是一粒一粒运动着的粒子流,这些光粒子称为光子。每一个光子具有一定的能量,其大小等于普朗克常数 h 乘以光的频率 ν。所以不同频率的光子具有不同的能量。光的频率越高,其光子能量就越大。当具有一定能量的光子作用到某些物体上转化为该物体中一些电子的能量而产生电效应,这种现象称为光电效应。光电效应一般分为外光电效应、光电导效应和光生伏特效应三类,后两类又称为内光电效应。根据这些效应可制成不同的光电转换器件(或称光敏元件)。

6.2.1 外光电效应

光照射在物体上可以看成一连串具有一定能量的光子轰击这些物体。根据爱因斯坦假设可得出:一个光子的能量只能传递给一个一个电子,因此单个光子把全部能量传给物体中的一个自由电子,使自由电子的能量增加 $h\nu$。这些能量一部分用作电子逸出物体表面的逸出功 A,另一部分变电子的初动能。即

$$\frac{1}{2}mv_0^2 = h\nu - A_0 \tag{6-1}$$

① 当光子能量大于逸出功时,才会有光电子发射出来,并产生外光电效应;当光子能量小于逸出功时,不能产生外光电效应;当光子的能量恰好等于逸出功时,光电子的初速度 $\nu = 0$,且可以产生此光电子的单色光频率为 ν_0,则式(6-1)中 ν_0 为该物质产生光电效应的最低频率,称其为红限频率。显然,如果入射光的频率低于红限频率,不论入射光的强度有多大,也不会使物质发射光电子。而对于高于红限频率的入射光,即使是光线很弱也会产生光电子。

② 当入射光的频谱成分不变时,光电流与入射光的强度成正比。

③ 由于电子逸出时具有一定的初动能可以形成光电流,为使光电流为零需加反向电压才能使其截止。

在光照作用下,物体内电子逸出物体表面,在回路中形成光电流。当光照射到金属或

金属氧化物的光电材料上时,光子的能量传给光电材料表面的电子,如果入射到表面的光能使电子获得足够的能量,电子会克服正离子对它的吸引力,脱离材料表面而进入外界空间,这种现象称为外光电效应。根据外光电效应做出的光电器件有光电管和光电倍增管。

6.2.2 内光电效应

物体在受光照射后,其内部的原子释放出电子并不逸出物体表面,而仍留在内部,使物体的电阻率发生变化或产生光电动势的现象称为内光电效应。电阻率变化称为光电导效应,产生电动势称为光生伏特效应。半导体材料在光线作用被下电导率增加的现象就是光电导效应。

1. 光电导效应

在光线作用下,电子吸收光子能量从键合状态过渡到自由状态,从而引起材料电导率的变化。

当光照射到光电导体上时,若此光电导体为本征半导体材料,且光辐射能量又足够强,光电材料价带上的电子将被激发到导带上去,使光导体的电导率变大。基于这种效应的光电器件内部常使用光敏电阻。

2. 光生伏特效应

光生伏特效应即在光作用下能使物体产生一定方向电动势的现象。基于该效应的器件有光电池和光敏二极管、三极管。

(1)势垒效应(结光电效应)

光照射 PN 结时,若 $h\nu \geqslant E_g$,则价带中的电子跃迁到导带,而产生电子空穴对,在阻挡层内电场的作用下,电子偏向 N 区外侧,空穴偏向 P 区外侧,使 P 区带正电,N 区带负电,形成光生电动势。

(2)侧向光电效应

当半导体光电器件受光照不均匀时,光照部分将产生电子空穴对。因其载流子浓度会比未受光照部分的大而出现载流子浓度梯度,引起载流子扩散。如果电子比空穴扩散得快,会导致光照部分带正电,未照射部分带负电,从而产生电动势,即为侧向光电效应。

6.3 光电探测器的原理与特性

6.3.1 光电管

1. 光电管结构及工作原理

根据外光电效应制成的光电管类型很多,其中最典型的是真空光电管。此外还有充气光电管,但因其线性不好在传感器中用得较少。真空光电管的结构如图 6-1(a)所示,它由一个阴极 K 和一个阳极 A 构成,共同封装在一个真空玻璃泡内,阴极和电源负极相连,阳极则通过负载电阻同电源正极相接,使管内形成电场。光电管的电路图 6-1(b)所示,当光照射阴极时,电子便从阴极逸出,在电场作用下被阳极收集,形成电流 I。该电流及负载 R_L 上的电压将随光照强弱而变化,从而实现了光信号转换为电信号的目的。

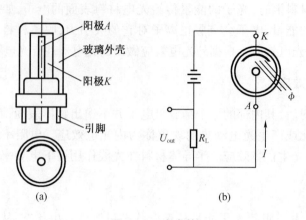

图 6 - 1　光电管

(a)结构示意图;(b)电路

2. 主要性能

（1）光电管的伏安特性

在一定的光照射下,对光电器件的阴极所加的电压与阳极所产生的电流之间的关系被称为光电管的伏安特性,如图 6 - 2 所示。

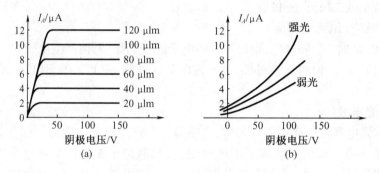

图 6 - 2　光电管伏安特性

(a)真空光电管特性曲线;(b)气光电管特性曲线

（2）光电管的光照特性

当光电管的阴极和阳极之间所加的电压一定时,光通量与光电流之间的关系。光照特性曲线的斜率称为光电管的灵敏度,其特性曲线如图 6 - 3 所示。

（3）光电管的光谱特性

一般光电阴极材料不同的光电管会分别有不同的红限频率,因此它们可用于不同的光谱范围。另外,同一光电管对于不同频率的光的灵敏度也有不同。以 GD - 4 型光电管为例,阴极是用锑铯材料制成,其红限 $\lambda_c = 700$ nm,对可见光范围的入射光灵敏度比较高。因此其适用于白光光源,被应用于各种光电式自动检测仪表之中。

对红外光源,常用银氧铯阴极来构成红外探测器。对紫外光源,则常用锑铯阴极和镁镉阴极进行探测。

3. 光电管的应用

光电管在电影放映机上的应用如图 6 - 4 所示。

6.3.2　光电倍增管

1. 光电倍增管结构及工作原理

光电倍增管由阴极、次阴极（倍增电极）、阳极组成，如图 6-5 所示。阴极由半导体光电材料锑铯做成，次阴极则是在镍或铜—铍的衬底上涂上锑铯材料制成。次阴极可达 30 级，通常为 12~14 级。使用时在各个倍增电极上均加上电压，其中阴极电位最低，之后依次升高至阳极。因相邻两个倍增电极之间有电位差，所以存在加速电场。

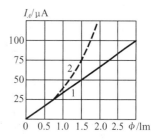

图 6-3　光电管的光照特性
1—氧铯阴极；2—锑铯阴极

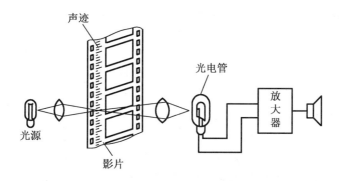

图 6-4　影片声音重放示意图

录制：声音→机械振动→通过光束宽度变换→记录在电影胶片上→宽度不同的影像声迹

重放：光→声迹→光电管声迹宽度起伏变化→光线强弱变化→光电流变化

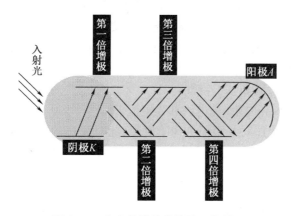

图 6-5　光电倍增管结构及工作原理

2. 主要参数

(1) 倍增系数 M

M 等于各个倍增电极的 2 次发射电子数 δ_i 的乘积。如果 n 个倍增电极二次发射电子的数目相同，则 $M = \delta_i^n$。因此阳极电流为 $I = i \times \delta_i^n$，光电倍增管的电流放大倍数为 $\beta = I/i = \delta_i^n$，M 与所加的电压有关。一般阳极和阴极之间的电压为 1 000~2 500 V，两个相邻的倍增电极的电位差为 50~100 V。

（2）光电阴极灵敏度和光电管的总灵敏度

一个光子在阴极能够打出的平均电子数叫作光电阴极的灵敏度，一个光子在阳极上产生的平均电子数叫光电倍增管的总灵敏度，其特性曲线如图6-6所示。

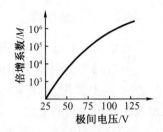

（3）暗电流和本底脉冲

由于环境温度、热辐射和其他因素的影响，即使没有光信号输入，在加上电压后阳极仍有电流，这种电流称为暗电流。在其受到人眼看不到的宇宙射线的照射后，光电倍增管会有电流信号输出一个本底脉冲。

图6-6　光电倍增管的特性曲线

6.3.3　光敏电阻

1. 光敏电阻的结构和工作原理

光敏电阻的原理结构如图6-7所示。它是涂于玻璃底板上的一薄层半导体物质，在半导体的两端装有金属电极，金属电极与引出线端相连接，光敏电阻就通过引出线端接入电路。为了防止周围介质的影响，在半导体光敏层上覆盖了一层漆膜，漆膜的成分使光敏电阻的光敏层在其最敏感的波长范围内透射率最大。

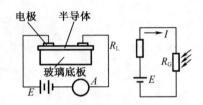

图6-7　光敏电阻的结构与电路连接

如果将光敏电阻连接到外电路中，在外加电压的作用下，用光照射就能改变电路中电流的大小。当光照射到光电导体上时，若光电导体为本征半导体材料，且光辐射能量足够强，光导材料价带上的电子将被激发到导带上，从而使导带的电子和价带的空穴增加，使光导体的电导率变大。

光敏电阻具有很高的灵敏度、很好的光谱特性、很长的使用寿命、高度的稳定性能、体积小且工艺简单，故应用广泛。

2. 光敏电阻的主要参数和基本特性

（1）暗电阻、暗电流、亮电阻、亮电流和光电流

光敏电阻在未受到光照时的阻值称为暗电阻，此时流过的电流为暗电流。在受到光照时的电阻称为亮电阻，此时的电流称为亮电流。亮电流与暗电流之差为光电流。

（2）光照特性

光照特性用于描述光电流与光照强度之间的关系，多数是非线性的。如图6-8所示，由于光敏电阻的光照特性呈非线性，因此不宜作为测量元件。光敏电阻一般在自动控制系统中常用作开关式光电信号传感元件。

（3）光谱特性

对于不同波长的光，光敏电阻的灵敏度是不同的，如图6-9所示。在选用光电器件时必须充分考虑到这种特性。如硫化镉的峰值在可见光区域，而硫化铅的峰值在红外区域，故选用时应把元件和光源结合起来考虑。

（4）伏安特性

伏安特性为在一定照度下，光敏电阻两端所加的电压与光电流之间的关系。如图6-10所示，在给定的偏压情况下，光照度越大，光电流也就越大；在一定光照度下，加的电压越大，光

电流越大,没有饱和现象。光敏电阻的最高工作电压是由耗散功率决定的,耗散功率又和面积以及散热条件等因素有关。

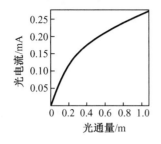

图 6 - 8 光敏电阻的光照特性

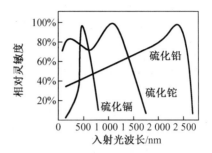

图 6 - 9 光敏电阻的光谱特性

(5)响应时间和频率特性

光电器件的响应时间反映它的动态特性。响应时间越短,表示动态特性越好。对于采用调制光的光电器件,调制频率的上限受响应时间的限制,如图 6 - 11 所示。光敏电阻的响应时间一般为 $10^{-1} \sim 10^{-3}$ s,光敏二极管的响应时间约 2×10^{-5} s。

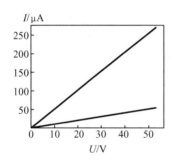

图 6 - 10 光敏电阻的伏安特性

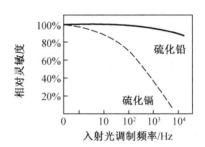

图 6 - 11 光敏电阻的频率特性

(6)温度特性

光敏电阻的相对灵敏度峰值随温度上升向波长短的方向移动,如图 6 - 12 所示。光敏电阻受温度的影响较大,当温度升高时,它的暗电阻和灵敏度都随之下降,温度的变化也会影响光谱特性曲线。硫化铅光敏电阻等光电器件随着温度的升高光谱响应的峰值将向短波方向移动,所以红外探测器往往需配合采取制冷措施。

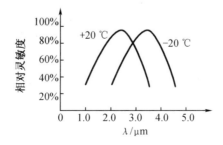

图 6 - 12 光敏电阻的光谱温度特性

(7)稳定性

初制成的光敏电阻性能不稳定,但在人工加温、光照及加负载情况下,性能可达稳定。光敏电阻在最初的老化过程中会有阻值变化,但最后达到稳定值后阻值就不再变化,这是光敏电阻的主要优点。光敏电阻的使用寿命在密封良好、使用合理的情况下几乎是无限长的。

3. 光敏电阻的应用

(1)自动照明灯

自动照明灯电路原理图如图6-13所示,D_1为触发二极管,触发电压约30 V。在天亮时,光敏电阻的阻值低,其分压低于30 V(A点),触发二极管截止,双向可控硅无触发电流,T_1、T_2之间呈断开状态;天暗后,光敏电阻阻值增加,A点电压大于30 V,触发二极管导通,双向可控硅呈导通状态,电灯亮起。R_1,C_1为保护双向可控硅的吸收电路。

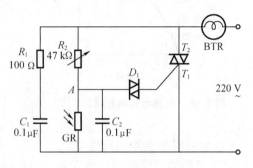

图6-13 自动照明灯电路

(2)火焰探测报警器

采用硫化铅光敏电阻为探测元件的火焰探测器电路图如图6-14所示。硫化铅光敏电阻的暗电阻为1 MΩ,亮电阻为0.2 MΩ,峰值响应波长为2.2 μm。硫化铅光敏电阻处于V_1管组成的恒压偏置电路,其偏置电压约为6 V,电流约为6 μA。V_2管集电极电阻两端并联68 μF的电容,可以抑制100 Hz以上的高频,使其成为只有几十赫兹的窄带放大器。V_2、V_3构成二级负反馈互补放大器,火焰的闪动信号经二级放大后送给中心控制站进行报警处理。采用恒压偏置电路是为了在更换光敏电阻或长时间使用后,阻值的变化不至于影响输出信号的幅度,保证火焰报警器能长期稳定地工作。

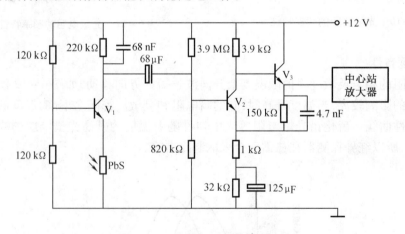

图6-14 火焰探测报警器电路图

(3)光电脉搏测定

由光敏电阻和一个光源组成了光电脉搏传感器。如图6-15所示,光敏电阻与适当的普通电阻串联后由电源供电,光源在加电时发光,光经人的手指传播到光敏电阻的受光面,当人手指的微血管的血流随微血管的脉压变化时,对光的反射系数也发生变化,使光敏电阻接收到的光强也随之改变。把光敏电阻被微血管反射的光信号转换成指脉电信号,就可做成脉搏传感器。

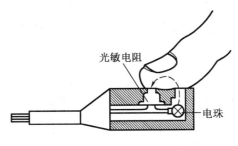

6－15 光电脉搏测定示意图

6.3.4 光敏二极管和光敏三极管

1. 光敏二极管

半导体光敏二极管与普通二极管相比,有许多共同之处,它们都有一个 PN 结,均属单向导电性的非线性元件。光敏二极管结构如图 6－16(a)所示,光敏二极管一般在负偏压情况下使用。因它的光照特性是线性的,所以适合检测等方面的应用。

光敏二极管基本电路如图 6－16(b)所示。光敏二极管在没有光照射时,反向电阻很大,反向电流(暗电流)很小(处于截止状态);受光照射时,结区产生电子－空穴对,在结电场的作用下,电子向 N 区运动、空穴向 P 区运动而形成光电流,光敏二极管的光电流 I 与照度之间呈线性关系。

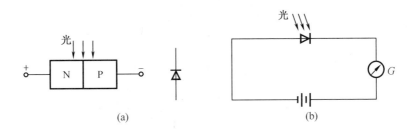

图 6－16 光敏二极管

(a)光敏二极管结构简图和符号;(b)光敏二极管基本电路

2. 光敏三极管

(1)光敏三极管的结构与原理

光敏三极管结构如图 6－17(a)所示光敏三极管是一种相当于在基极和集电极之间接有光电二极管的普通三极管。在正常工作情况下,此二极管应反向偏置。因此,不管是 PNP还是 NPN 型光敏三极管,一般用基极－集电极结作为受光结。当集电极加上相对于发射极为正电压且基极开路时,基极－集电极结处于反向偏压下,它的工作机理完全与反偏压的光敏二极管相同。这里,入射光子在基区及收集区被吸收而产生电子－空穴对,形成光生电压。由此产生的光生电流由基极进入发射极,从而在集电极回路中得到一个放大了的信号电流。因此,从这点可以更明确地说,光敏三极管是一种相当于将基极集电极光敏二极管的电流加以放大的普通晶体管放大器。

光敏三极管基本电路如图 6-17(b) 所示，当集电极加上正电压，基极开路时，集电结处于反向偏置状态。当光线照射在集电结的基区时，产生电子、空穴对，光生电子被拉到集电极，基区留下空穴，使基极与发射极间的电压升高，相当于给发射结加了正向偏压，使电子大量流向集电极，形成输出电流，且集电极电流为光电流的 β 倍。

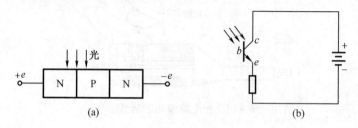

图 6-17 光敏三极管

(a) 光敏三极管结构简图和符号；(b) 光敏三极管基本电路

（2）光敏晶体管的主要特性

①光敏三极管的光谱特性

光敏三极（晶体）管的光谱特性如图 6-18 所示，与光敏电阻类似，光敏三极管也存在最佳灵敏度的峰值波长。硅管的峰值波长约为 900 nm，锗管的峰值波长约为 1 500 nm。由于锗管的暗电流比硅管大，所以锗管的性能较差。故在可见光或探测炽热状态物体时，一般都选用硅管；但对红外线进行探测时，则采用锗管较合适。

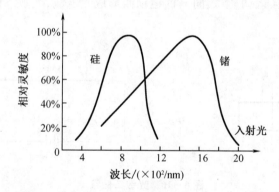

图 6-18 硅和锗光敏二极（晶体）管的光谱特性

②光敏三极管的伏安特性

光敏三极管在不同的照度下的伏安特性与一般晶体管在不同的基极电流时的输出特性类似。因此，只要将入射的强度看作三极管的基极电流 I_b，就可将光敏三极管看成一般的晶体管。光敏三极管不仅能把光信号变成电信号，而且输出的电信号较大。硅光敏管的伏安特性如图 6-19 所示。

③光敏三极管的光照特性

光敏三极管的光照特性如图 6-20 所示。它给出了光敏三极管的输出电流 I 和照度之间的关系。它们之间呈近似线性关系。当光照足够大（约有几千勒克斯）时，会出现饱和现象。因而在大照度时，光敏三极管不能作线性转换元件，但可以作开关元件使用。

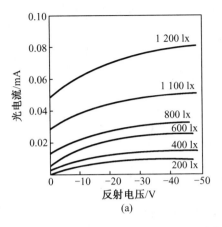

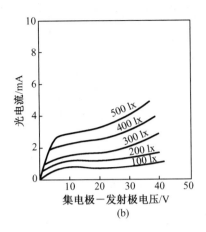

(a)　　　　　　　　　　　　　　(b)

图 6 – 19　硅光敏管的伏安特性

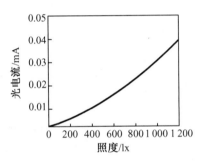

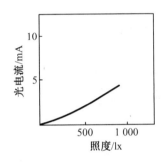

图 6 – 20　硅光敏管的光照特性

④光敏三极管的温度特性

光敏管的伏安特性温度特性如图 6 – 21 所示。温度特性反映了光敏三极管的暗电流及光电流与温度的关系。从曲线看,温度变化对光电流和暗电流都有影响,对暗电流的影响更大。所以精密测量时,应在电子线路中采取温度补偿措施,否则将会导致输出误差。

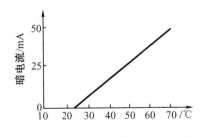

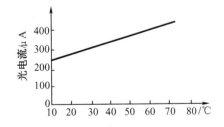

图 6 – 21　暗电流及光电流与温度的关系

⑤频率特性

光敏三极管的频率特性曲线如图 6 – 22 所示。光敏三极管的频率特性受负载电阻的影响,减小负载电阻可以提高频率响应。一般来说。光敏三极管的频率响应比光敏二极管差。对于锗管,入射光的调制频率要求在 5 000 Hz 以下,硅管的频率响应要比锗管好。实验证明,光敏三极管的截止频率和它的基区厚度成反比关系。如果要求截止频率高,那么基区就要薄;但基区变薄,光电灵敏度将降低,所以在制造时要适当兼顾两者。

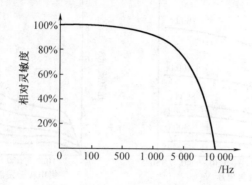

图 6-22 硅光敏晶体管的频率响应

3. 光敏二极管和光敏三极管的应用

(1)注油液位控制装置

注油液位控制装置如图 6-23 所示,当液位低于指定液位时,光敏二极管接收光照,VD1 导通,VT1,VT2 相继导通,继电器得电,K_1 吸合,电磁阀工作,往油箱中注油;当液位达到指定液位时,光敏二极管不接收光照,VD1 截止,VT1,VT2 截止,继电器掉电,K_1 断开,电磁阀不工作,停止往油箱中注油。

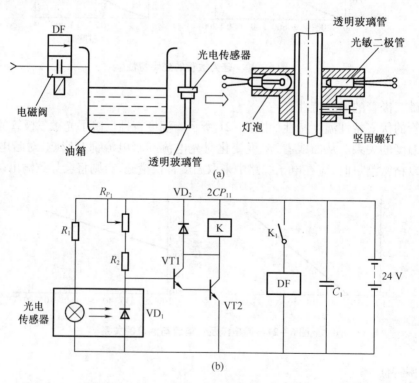

(a)

(b)

图 6-23 注油液位控制装置

(a)示意图;(b)电路图

（2）光电液位检测

光电液位检测示意图如图 6 - 24 所示,在液体未升到发光二极管及光电三极管平面时,红外发光二极管发出的红外线不会被光电三极管接收;当液位上升到发光二极管及光电三极管平面时,因液体的折射,光电三极管会接收到红外信号并由此获得液位信号。

（3）感烟传感器

感烟传感器（火灾报警器的一部分）由红外发光二极管及光电三极管组成,如图 6 - 25 所示,但二者不在同一平面上（有一定角度）。在无烟时,光电三极管接收不到红外线;当发生火灾时,产生大量烟雾,当烟雾粒子进入感烟传感器时,由于红外线受烟雾粒子折射作用,光电三极管将接收到红外线,给出烟雾报警信号。

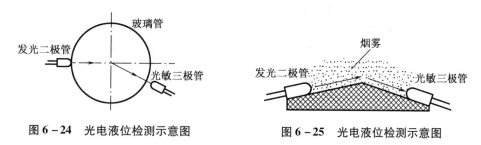

图 6 - 24 光电液位检测示意图   图 6 - 25 光电液位检测示意图

6.3.5 光电池

1. 光电池的结构及工作原理

光电池是利用光生伏特效应把光直接转变成电能的光电器件。由于它可将太阳能直接转变为电能,因此又被称为太阳能电池。它有较大面积的 PN 结,当光照射在 PN 结上时,在结的两端出现电动势,故光电池是有源元件。

光电池有硒光电池、砷化镓光电池、硅光电池、硫化铊光电池、硫化镉光电池等种类。目前,应用最广、最有发展前途的是硅光电池和硒光电池。硅光电池的价格便宜,转换效率高,寿命长,适于接受红外光,与其他半导体光电池相比,不仅性能稳定,还是目前转换效率最高（达到17%）,即几乎接近理论极限的一种光电池。硒光电池则因其光谱特性与人眼视觉很相近,频谱较宽,而多用于曝光表、照度计等分析和测量仪器。硒光电池的光电转换效率低、寿命短,适于接收可见光。砷化镓光电池转换效率比硅光电池稍高,光谱响应特性与太阳光谱最吻合,且工作温度最高,更耐受宇宙射线的辐射,适于宇宙飞船、卫星、太空探测器等方面应用。此外,还有薄膜光电池、紫光电池、异质结光电池等。其中,薄膜光电池是把硫化镉等材料制成薄膜结构,以减轻质量、简化阵列结构,提高抗辐射能力和降低成本。紫光电池是把硅光电池的 PN 结减薄至结深为 0.2 ~0.3 μm,光谱响应峰值移到 600 nm 左右,来提高短波响应,以适应外层空间使用。

异质结光电池则利用不同禁带宽度的半导体材料做成异质 PN 结,入射光几乎全透过宽禁带材料一侧,而在结区窄禁带材料中被吸收,产生电子 - 空穴对。利用这种"窗口"效应提高入射光的收集效率,来获得高于同质结硅光电池的转换效率,理论上最大可达30%,但目前因工艺尚未成熟,转换效率仍低于硅光电池。

光电池核心部分是一个 PN 结,一般做成面积较大的薄片状,来接收更多的入射光。硒光电池的结构示意图如图 6 - 26(a) 所示。其制造工艺是:先在铝片上覆盖一层 P 型硒,然后蒸发一层镉,加热后生成 N 型氧化镉,与原来 P 型硒形成一个大面积 PN 结,最后涂上半透明保护层,焊上电极,令铝片为正极,氧化镉为负极。

硅光电池它是在一块 N 型硅片上用扩散的办法掺入一些 P 型杂质(如硼)形成 PN 结。硒光电池的等效电路如图 6-26(b)所示。当光照到 PN 结区时,如果光子能量足够大,将在结区附近激发出电子 - 空穴对,在 N 区聚积负电荷,P 区聚积正电荷,这样 N 区和 P 区之间出现电位差。若将 PN 结两端用导线连起来,电路中有电流流过,电流的方向由 P 区流经外电路至 N 区。若将外电路断开,就可测出光生电动势。

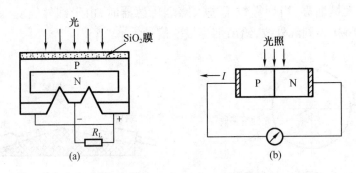

图 6-26　硅光电池原理图
(a)硅光电池结构示意图;(b)硅光电池等效电路

硅光电池是用单晶硅组成的(目前也有非晶硅的产品)。在一块 N 型硅片上扩散 P 型杂质(如硼),形成一个扩散 PN(P^+N 结构)结;或在 P 型硅片扩散 N 型杂质(如磷),形成 N^+P 结构的 PN 结,然后焊上两个电极。P 端为光电池正极,N 端为负极,一般在地面上应用作光电探测器的多为 P^+N 型。如国产 2CR 型光电池。N^+P 型硅光电池具有较强的抗辐射能力,适合空间应用,可作为航天的太阳能电池,如国产 2DR 型光电池。

2. 光电池的主要特性

(1)光电池的光谱特性

硒光电池和硅光电池的光谱特性曲线如图 6-27所示。从曲线上可以看出,不同的光电池,其光谱峰值的位置不同。例如硅光电池在 800 nm 附近,硒光电池在 540 nm 附近。硅光电池的光谱范围广,在 450 ~ 1 100 nm 之间,硒光电池的光谱范围在 340 ~750 nm 之间。因此硒光电池适用于可见光,常用于照度计测定光的强度。

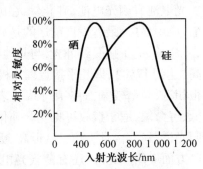

图 6-27　光电池的光谱特性

(2)光电池的光照特性

光电池在不同的光强照射下可产生不同的光电流和光生电动势。其光照特性曲线如图 6-28 所示,从曲线可以看出,短路电流在很大范围内与光强呈线性关系。开路电压随光强变化是非线性的,并且当照度在 2 000 lx 时就趋于饱和。因此将光电池作为测量元件时,应把它当做电流源的形式来使用而不宜用作电压源,且负载电阻越小越好。

(3)光电池的频率特性

光电池在作为测量、计数、接收元件时,常用交变光对其照射。光电池的频率特性就是反映光的交变频率和光电池输出电流的关系,特性曲线如图 6-29 所示。硅光电池有很高

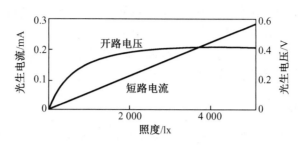

图 6 - 28　光电池的光照特性

的频率响应,可用在高速计数、有声电影等方面。这也是硅光电池在所有光电元件中最为突出的优点。

(4)光电池的温度特性

光电池的温度特性主要描述光电池的开路电压和短路电流随温度变化的情况。其特性曲线如图6-30所示。由于它关系到应用光电池设备的温度漂移,并因此影响到测量精度或控制精度等主要指标,所以是光电池的重要特性之一。光电池的开路电压随温度升高而下降,而短路电流随温度升高而增加。因此当光电池作测量元件时,在设计中应该考虑到温度的漂移,并采取相应的措施来进行补偿。

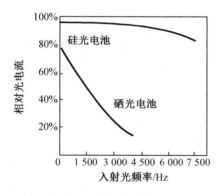

图 6 - 29　光电池的频率特性

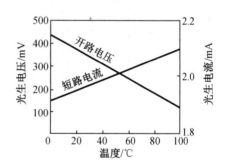

图 6 - 30　光电池的温度特性

6.4　光电耦合器件

光电耦合器是以光为媒介传输电信号的一种"电 - 光 - 电"转换器件。它由发光源和受光器两部分组成。将发光源和受光器组装在同一密闭的壳体内,彼此间用透明绝缘体隔离。发光源的引脚为输入端,受光器的引脚为输出端,光耦合器件中的发光元件多半是发光二极管,光耦合器件中的光敏元件多为光敏二极管和光敏晶体管,少数采用光敏达林顿管或光控晶闸管。

6.4.1　光电耦合器的特点

光电耦合器件实现了以光为媒介的传输,并因此保证了输入端和输出端之间的隔离,这使输入端和输出端之间的绝缘电阻很高,一般都大于 1 010 Ω,耐压也很高,具有良好的隔离性,具有信号的单向传输和不可逆性,信号只能从发光源单向传输到受光器件,而不会可逆传输,传输信号不会影响输入端。

发光源使用砷化镓发光二极管,它具有低电阻的特点,可以抑制干扰,消除噪声;响应速度快,可用于高频电路;结构简单,无触点,体积小,寿命长。

6.4.2　光电开关

光电开关是一种利用感光元件对变化的入射光接收,并进行光电转换,同时加以某种形式的放大和控制,获得最终的控制输出"开""关"信号的器件。

光电开关结构如图6-31所示,分为直射型和反射型两类。图6-31(a)是一种直射型的光电开关,它的发光元件和接收元件在同一光轴上。当不透明的物体遮挡时,会阻断管路,使接收元件接收不到光,实现检测可用于片状遮挡物体的位置检测,或码盘、转速测量。图6-31(b)是一种反射型的光电开关,它的发光元件和接收元件不在同一光轴上以一定的角度相交,交点一般为被测物所在处,当物体经过时,接收元件接收从物体反射回来的光,实现检测。反射式可用于反光体的位置检测,对被测物不限制厚度。

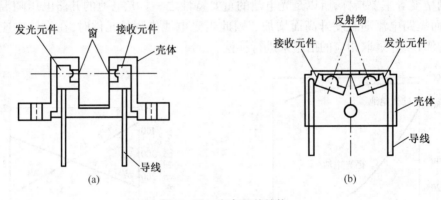

图6-31　光电开关结构

(a)直射型光电开关;(b)反射型光电开关

光电开关的特点是无机械磨损、无电火花(寿命长、安全)。光电开关在制造业自动化包装线(产品计数,纺织,料位检测)、安全报警装置、计算机设备(打印机)中作光控制和光探测装置。

6.4.3　光电开关的应用

1. 瓶盖及商标检测

图6-32为检测生产流水线上瓶盖及商标的实例,除记数外,还可进行位置检测(如装配体有没有到位)和质量检查(如瓶盖是否压上,标签是否漏贴等)。

2. 自动切断控制

图6-33为自动切断控制的实例。可以根据被测物的特定标记进行自动控制(如根据特定的标记检测后进行自动切断、封口等)。光电开关主要用于自动包装机、自动灌装机、自动封装机、自动或半自动装配流水线等自动化机械装置。

3. 防盗报警电路

将光电断路器安装于抽屉的背后,并设一电源开关于隐蔽的地方,当需要防盗时将开

图 6-32　瓶盖及商标检测示意图

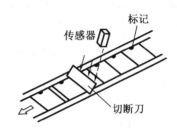

图 6-33　自动切断控制示意图

关合上。其结构如图 6-34 所示,平时由于挡板插入槽口,光电三极管仅有暗电流,BG9013 不导通,继电器 J 不吸合。当小偷撬开抽屉时,一拉开抽屉则挡板离开槽口,光电三极管的光电流使 R_2 上产生接近电源的电压,BG9013 导通,继电器吸合,发出报警信号。

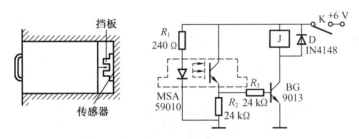

图 6-34　防盗报警电路

4. 光电脉搏测定

光电脉搏测定常用透射型指套式光电传感器,其由发光二极管和光敏三极管组成,结构如图 6-35 所示。其工作原理是:发光二极管发出的光透射过手指,被手指组织的血液吸收和衰减,然后由光敏三极管接收。由于手指动脉血在血液循环过程中呈周期性的脉动变化,所以它对光的吸收和衰减也是周期性脉动的,于是光敏三极管输出信号的变化也就反映了动脉血的脉动变化。

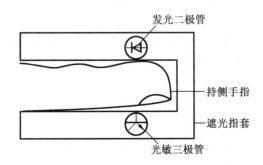

图 6-35　透射型指套式光电传感器示意图

5. 燃气热水器中脉冲点火控制器

图 6-36 为燃气热水器中的高压打火确认电路原理图。在高压打火时,火花电压可达

一万多伏,这个脉冲高电压对电路工作影响极大。当高压打火针对打火确认针放电时,光电耦合器 VB 中的发光二极管发光,耦合器中的光敏三极管导通,经 V_1、V_2、V_3 放大,驱动强吸电磁阀,将气路打开,燃气碰到火花即燃烧。若高压打火针与打火确认针之间不放电,则光电耦合器不工作,V_1 不导通,燃气阀门关闭。

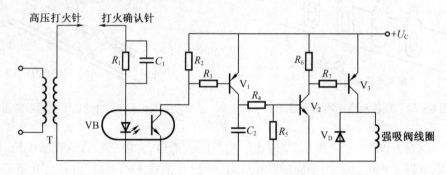

图 6 – 36　燃气热水器打火电路图

6. 条形码扫描笔

扫描笔的前方为光电读入头,它由一个发光二极管和一个光敏晶体管组成,如图 6 – 37 所示。

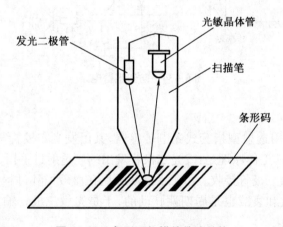

图 6 – 37　条形码扫描笔笔头结构

当扫描笔头在条形码上移动时,黑色线条吸收光线,白色间隔反射光线。光敏晶体管将条形码黑色线条和白色间隔变成了一个个电脉冲信号,脉冲列经计算机处理后,完成对条形码信息的识别。

7. 插卡式电源开关

其电路原理图如图 6 – 38 所示,主要用于宾馆和集体宿舍,可以起到安全和节约用电的作用。当住宿人员回到房间时,将住宿卡插入该电源开关,房间总电源接通,然后才能打开房间内的所有电气设备开关。住宿人员外出,取走住宿卡,房间总电源切断,房间内的所有电气设备都打不开。

光耦合器由发光二极管和光敏晶体管组成。住宿卡插入光断路器的凹槽后,正好挡住光线,光敏晶体管截止,光断路器输出高电平,使 VT1 和 VT2 导通,继电器 K 开始工作,接通

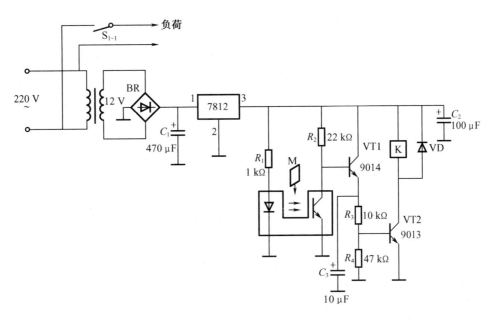

图 6 - 38　插卡式电源开关电路

房间内的总电源。住宿人员外出,取走住宿卡,光线无阻挡,光敏晶体管导通,光断路器输出低电平,使 VT1 截止。C_3 在电路中起到延时作用,在 C_3 充的电放完后,VT2 截止,继电器 K 断开,切断房间总电源。

6.5　红外热释电传感器

红外传感器(也称红外探测器)是能将红外辐射能转换成电能的光敏器件。它是红外探测系统的关键部件,其性能好坏将直接影响系统性能的优劣。因此,选择合适的、性能良好的红外传感器,对于红外探测系统十分重要。

红外辐射俗称红外线,它是一种人眼看不见的光线。但实际上它和可见光一样,也是一种客观存在的物质。任何物体,只要它的温度高于绝对零度,就有红外线向周围空间辐射。

电磁波谱图如图 6 - 39 所示。红外线是位于可见光中红光以外的光线,故称为红外线。它的波长范围大致在 0.76 μm 到 1 000 μm 的频谱范围之内,相对应的频率大致在 $4 \times 10^{14} \sim 3 \times 10^{11}$ Hz。红外线与可见光、紫外线、X 射线、γ 射线和微波、无线电波一起构成了整个无限连续的电磁波谱。

在红外技术中,一般将红外辐射分为四个区域:近红外区为 770 nm ~ 1.5 μm;中红外区为 1.5 ~ 6 μm;远红外区为 6 ~ 40 μm;极远红外区为 40 ~ 1 000 μm。这里所说的远近是指红外辐射在电磁波谱中与可见光的距离。

红外辐射本质上是一种热辐射。任何物体,只要它的温度高于绝对零度(- 273 ℃),就会向外部空间以红外线的方式辐射能量,一个物体向外辐射的能量大部分是通过红外线辐射这种形式来实现的。物体的温度越高,辐射出来的红外线越多,辐射的能量就越强。另一方面,红外线被物体吸收后也可以转化成热能。

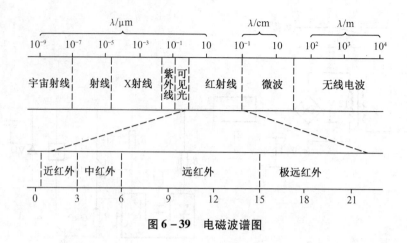

图 6 - 39　电磁波谱图

红外线作为电磁波的一种形式,红外辐射和所有的电磁波一样,是以波的形式在空间直线传播的,并具有电磁波的一般特性,如反射、折射、散射、干涉和吸收等。红外线在真空中传播的速度等于波的频率与波长的乘积。

6.5.1　红外辐射

红外辐射的物理本质是热辐射。物体的温度越高,辐射出来的红外线越多,红外辐射的能量就越强。研究发现,太阳光谱各种单色光的热效应从紫色光到红色光是逐渐增大的,而且最大的热效应出现在红外辐射的频率范围内,因此人们又将红外辐射称为热辐射或热射线。

波长在 $0.1 \sim 1\ 000\ \mu m$ 的电磁波被物体吸收时,可以显著地转变为热能。可见,载能电磁波是热辐射传播的主要媒介物。

当物体温度高于绝对零度时,都有红外线向周围空间辐射出来。根据辐射源几何尺寸的大小和距离探测器的远近,又分为点源和面源。没有充满红外光学系统瞬时视场的大面源叫作点源。一般情况下,把充满红外光学系统瞬时视场的大面辐射源叫作面源。人体的温度为 $36 \sim 37\ ℃$,所放射的红外线波长为 $9 \sim 10\ \mu m$(属于远红外线区)。加热到 $400 \sim 700\ ℃$ 的物体,其放射出的红外线波长为 $3 \sim 5\ \mu m$(属于中红外线区)。红外线传感器可以检测到这些物体发射出的红外线,用于测量、成像或控制。用红外线作为检测媒介,来测量某些非电量,比可见光作为媒介的检测方法要好。其优越性表现在:

①可在昼夜进行测量;

②不必设光源;

③大气对某些特定波长范围的红外线吸收甚少($2 \sim 2.6\ \mu m$,$3 \sim 5\ \mu m$,$8 \sim 14\ \mu m$ 三个波段称为"大气窗口"),故适用于遥感技术。

红外线传感器按其工作原理可分为两类:量子型及热型。热型红外线光敏元件的特点是灵敏度较低、响应速度较慢、响应的红外线波长范围较宽、价格比较便宜、能在室温下工作。量子型红外线光敏元件的特性则与热型正好相反,一般必须在冷却($77\ K$)条件下使用。

6.5.2 热释电型红外传感器

若使某些强介电质物质的表面温度发生变化,随着温度的上升或下降,在这些物质表面上也随之产生电荷的变化,这种现象就是热释电效应,是热电效应的一种。在钛酸钡之类的强介电质物质材料上表现得特别显著。热释电效应产生的电荷不是永存的,它们很快便将被空气中的各种离子所结合。

热释电型传感器用具有热释电效应的材料制作的敏感元件。热释电材料是一种具有自发极化特性的晶体材料。自发极化是指由于物质本身的结构在某个方向上正负电荷中心不重合而固有的极化。在一般情况下,晶体自发极化所产生的表面束缚电荷会被吸附在晶体表面上的自由电荷所屏蔽;当温度变化时,自发极化发生改变,从而释放出表面吸附的部分电荷。

当红外辐射照射到已经极化的铁电体薄片表面上时,将引起薄片温度升高,使其极化强度降低、表面电荷减少,这相当于释放了一部分电荷,所以叫热释电型传感器。

将负载电阻与铁电体薄片相连,则负载电阻上便产生一个电信号输出。输出信号的大小,取决于薄片温度变化的快慢,从而反映出了入射的红外辐射的强弱。由此可见,热释电型红外传感器的电压响应率正比于入射辐射变化的速率。

当恒定的红外辐射照射在热释电传感器上时,传感器没有电信号输出;只有铁电体温度处于变化过程中,才有电信号输出。

必须对红外辐射进行调制(或称斩光),使恒定的辐射变成交变辐射,不断引起传感器的温度变化,才能使热释电产生,并输出交变的信号。

热释电型与其他热敏型红外探测器的根本区别在于后者利用响应元的温度升高值来测量红外辐射,响应时间取决于新的平衡温度的建立过程,时间比较长,不能测量快速变化的辐射信号;而热释电型探测器所利用的是温度变化率,因此能探测快速变化的辐射信号。

热释电红外线光敏元件的材料较多,其中以陶瓷氧化物及压电晶体用得最多。热释电红外传感器基本结构如图 6 - 40 所示。传感器的敏感元件是 PZT(钛锆酸铅),在上下两面做上电极,并在表面上加一层黑色氧化膜以提高其转换效率。

等效电路如图 6 - 41 所示,电路结构是一个在负载电阻上并联一个电容的电流发生器,其输出阻抗极高,输出电压信号又极其微弱。管内有场效应管 FET 放大器及厚膜电阻,以达到阻抗变换的目的。

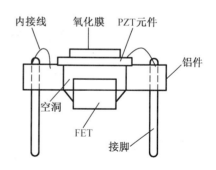

图 6 - 40 热释电红外传感器基本结构

PVF2 热释电红外传感器,PVF2 是聚偏二氟乙烯的缩写,是一种经过特殊加工的塑料薄膜。它具有压电效应,同时也具有热释电效应,是一种新型传感器材料。热释电系数比钽酸锂、硫酸三甘肽等低。它具有不吸湿、化学性质稳定、柔软、易加工及成本低的特点,是制造红外线监测报警装置的好材料。

菲涅耳透镜则是由塑料制成的特殊设计的光学透镜,如图 6 - 42 所示。配合热释电红外线传感器使用。透镜由很多"盲区"和"高灵敏区"组成,物体或人体发射的红外线通过菲涅耳透镜会产生一系列的光脉冲进入传感器,从而提高了接收灵敏度。物体或人体移动的速度越快,灵敏度就越高。一般配上透镜可检测 10 m 上下,新设计的双重反射检测距离可达 20 m 以上。

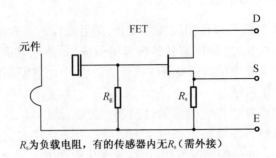

图 6 – 41　热释电红外传感器等效电路

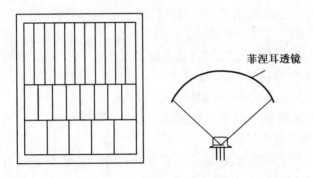

图 6 – 42　菲涅耳透镜的应用

　　热释电红外探测模块由菲涅尔透镜、热释电红外传感器、放大器、基准电压源、比较器、驱动放大电路、继电器或晶闸管组成,结构如图 6 – 43 所示。

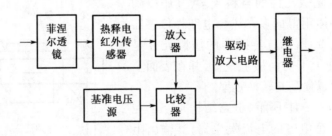

图 6 – 43　热释电红外探测模块结构

　　热释电红外传感器产生的微弱电信号,经放大器放大,然后与基准电压比较。若其大于基准电压,则输出高电平,经驱动放大后,控制继电器动作。通常将热释电红外传感器和全部电路安装在一个小印制电路板上,然后将其装入一个带有菲涅尔透镜的 ABS 工程塑料外壳内,做成一个组件。

6.5.3　红外传感器应用

1. 红外测温

红外测温的特点红外测温是远距离和非接触测温。红外测温反应速度快,不需要与物体达到热平衡的过程,只要接收到目标的红外辐射即可定温,反映时间一般都在毫秒级甚至微秒级。同时,红外测温灵敏度高。因为物体的辐射能量与温度的四次方成正比,所以物体温度微小的变化,就会引起辐射能量成倍的变化。红外测温准确度较高,由于是非接触测量,不会破坏物体原来温度分布状况,因此测出的温度比较真实。其测量准确度可达0.1 ℃以内。红外测温范围广泛,可测摄氏零下几十度到零上几千度的温度范围。

红外辐射测温仪由光学系统、调制器、红外传感器、放大器和指示器等部分组成。如图6－44 所示。光学系统可以是透射式的,也可以是反射式的。透射式光学系统的部件是用红外光学材料制成的。

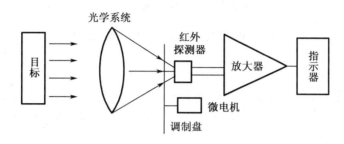

图6－44　红外辐射测温仪示意图

红外辐射温度计既可用于高温测量,又可用于冰点以下的温度测量,所以是辐射温度计的发展趋势。市售的红外辐射温度计的温度范围范围为 － 30 ~ 3 000 ℃,中间分成若干个不同的规格,可根据需要选择适合的型号。

2. 被动式人体移动检测仪

在被动红外探测器中有两个关键性的元件:

(1)热释电红外传感器。它能将波长为 8 ~ 12 μm 的红外信号转变为电信号,并对自然界中的白光信号具有抑制作用。

(2)菲涅尔透镜。菲涅尔透镜有以下两个作用:

①聚焦作用,即将热释的红外信号透射或反射在热释电红外传感器上;

②将警戒区内分为若干个明区和暗区,使进入警戒区的移动物体能以温度变化的形式在热释电红外传感器上产生变化的热释电红外信号,这样传感器就能产生变化的电信号。

实验证明,传感器若不加菲涅尔透镜,其检测距离将小于 2 m,而加上该光学透镜后,其检测距离可大于 7 m。

被动式人体移动检测仪示意图如图6－45 所示,当有人进入传感器监测范围时,传感器监测范围内温度有 ΔT 的变化,热释电效应导致在两个电极上产生电荷 ΔQ,即在两电极之间产生一微弱的电压 ΔV。由于它的输出阻抗极高,在传感器中需有一个场效应管进行阻抗变换。由于热释电效应所产生的电荷 ΔQ 会被空气中的离子所结合而消失,当环境温度稳定不变时,$\Delta T = 0$,则传感器无输出。当人体进入检测区,通过菲涅尔透镜,热释电红外传感器就能感应到人体温度与背景温度的差异信号 ΔT,则有相应的输出;若人体进入检测区后不动,则温度没有变化,传感器也就没有输出。因此,被动式人体移动检测仪的红外探测的基本概念就是感应移动物体与背景物体的温度的差异。

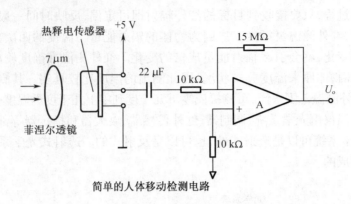

简单的人体移动检测电路

图 6－45　被动式人体移动检测仪示意图

3. 红外无损检测

红外无损检测是通过测量热流或热量来鉴定金属或非金属材料质量、探测内部缺陷的检测方式。对于某些采用 X 射线、超声波等无法探测的局部缺陷，用红外无损检可取得较好的效果。

红外无损检测分主动式和被动式两类：主动式是人为地在被测物体上注入（或移出）固定热量，探测物体表面热量或热流变化规律，并以此分析判断物体的质量；被动式则是用物体自身的热辐射作为辐射源，探测其辐射的强弱或分布情况，判断物体内部有无缺陷。

（1）金属材料焊接缺陷的无损检测

金属材料焊接缺陷的无损检测方法如图 6－46 所示。焊口表面起伏不平，采用 X 射线、超声波、涡流等方法难以发现缺陷。而红外无损检测则不受表面形状限制，能方便快速地发现焊接区域的各种缺陷。

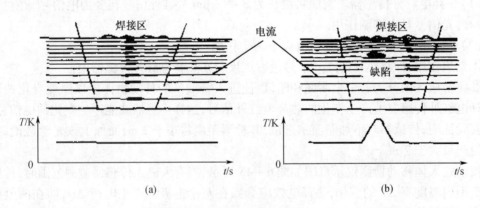

图 6－46　焊接缺陷的无损检测

（a）无焊接缺陷；（b）有焊接缺陷

若将一交流电压加在焊接区的两端，在焊口上会有交流电流通过。由于电流的集肤效应，靠近表面的电流密度将比下层大。由于电流的作用，焊口将产生一定的热量，热量的大小正比于材料的电阻率和电流密度的平方。

在没有缺陷的焊接区内，电流分布是均匀的，各处产生的热量大致相等，所以焊接区的表面温度分布是均匀的。而在存在缺陷的焊接区，由于其缺陷处（气孔）的电阻很大，使这一区域损耗增加,温度升高。应用红外测温设备即可清楚地测量出热点,由此可断定热点下面存在着焊接缺陷。

采用交流电加热的好处是可通过改变电源频率来控制电流的透入深度。低频电流透入较深,对发现内部深处缺陷有利;高频电流集肤效应强,表面温度特性比较明显。但表面电流密度增加后,材料可能达到饱和状态,可因此变更电流沿深度方分布,使近表面产生的电流密度趋向均匀,给探测造成不利。

(2)金属铸件内部缺陷探测

当用红外无损探测时,只需在铸件内部通以液态氟利昂冷却,使冷却通道内有良好的冷却效果,然后利用红外热像仪快速扫描铸件整个表面,如果通道内有残余型芯或者壁厚不匀,在热图中即可明显地看出。冷却通道畅通,冷却效果良好,热图上显示出一系列均匀的白色条纹;冷却通道阻塞,冷却液体受阻,则在阻塞处显示出黑色条纹。

(3)疲劳裂纹探测

采用一个点辐射源在蒙皮表面一个小面积上注入能量,然后,用红外辐射温度计测量表面温度。如图6-47所示,如果在蒙皮表面或表面附近存在疲劳裂纹,则热传导受到影响,在裂纹附近热量不能很快传输出去,使裂纹附近表面温度很快升高。即当辐射源分别移到裂纹两边时,由于裂纹不让热流通过,因而两边温度都很高。当热源移到裂纹上时,表面温度下降到正常温度。然而在实际测量中,由于受辐射源尺寸的限制,辐射源和红外探测器位置的影响,以及高速扫描速度的影响,从而使温度曲线呈现出实线的形状。

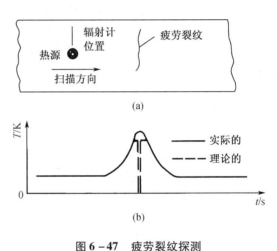

图6-47 疲劳裂纹探测
(a)样品表面扫描示意图;(b)表面温度分布曲线

4. 红外探测技术在军事上的应用

红外辐射人眼看不见,可以避开敌方目视观察;白天黑夜均可使用,特别适于夜战的场合;采用被动接收系统,比用无线电雷达或可见光装置安全、隐蔽、不易受干扰、保密性强;可利用目标和背景辐射特性的差异,能较好地识别各种军事目标,特别是可以发现伪装的军事目标;分辨率比微波好,比可见光更能适应天气条件。红外探测的缺点是工作时受云雾的影响很大,有的红外设备在气候恶劣时几乎不能正常工作。

红外夜视仪是一种利用红外成像技术达到侦察目的的设备。在夜晚,由于各种物体温度及辐射红外线的强度不同,在夜视仪中就会有不同的图像。红外夜视仪可以清楚地显示黑暗中发生的行为,可用于在夜间追捕罪犯。

红外夜视仪分为主动式和被动式两种:前者用红外探照灯照射目标,接收反射的红外辐射形成图像;后者不发射红外线,依靠目标自身的红外辐射形成"热图像",故又称为"热像仪"。主动式红外夜视仪具有成像清晰的特点,但它的致命弱点是红外探照灯的红外光会被敌人的红外探测装置发现。20世纪60年代,美国首先研制出被动式的热像仪,它不发射红外光,不易被对方发现,并具有透过雾、雨等进行观察的能力。

6.6　电荷耦合器件

电荷耦合器件(CCD)是20世纪70年代发展起来的一种新型器件。它将MOS光敏元阵列和读出移位寄存器集成为一体,构成具有自扫描功能的图像传感器。由于它具有光电转换、信息存储、延时和将电信号按顺序传送等功能,以及集成度高、功耗低的优点,所以在摄像机、广播电视、可视电话、传真、自动检测、控制、军事、医学、天文、遥感、车身检测、钢管检测、芯片检测、指纹检测、虹膜检测、显微镜改造、工件尺寸及缺陷检测、对刀仪和复杂形貌测量等方面被广泛地应用。

6.6.1　CCD的结构和基本原理

CCD是一种半导体器件,由若干个电荷耦合单元组成。CCD的最小单元是在P型(或N型)硅衬底上生长一层厚约120 nm的SiO_2,再在SiO_2层上依次沉积金属或掺杂多晶硅电极以构成金属－氧化物－半导体的电容式转移器。其中,"金属"为SiO_2层上沉积的金属或掺杂多晶硅电极,称为"栅极";半导体硅作为底电极,俗称"衬底";"氧化物"为两电极之间夹的绝缘体SiO_2。

1. MOS光敏元阵列

CCD是由若干个电荷耦合单元组成的,其基本单元是MOS(金属－氧化物－半导体)电容器。一个MOS电容器是一个光敏元件,可以感应一个像素点。如果测量中需要有$1\,024\times256$个像素点,就需要同样多的光敏元件。它以P型(或N型)半导体为衬底,上面覆盖一层SiO_2,再在SiO_2表面依次沉积一层金属电极而构成MOS电容转移器。这样一个MOS结构称为一个光敏元件或一个像素。将MOS阵列加上输入、输出结构就构成了CCD器件,如图6－48(a)(b)所示。

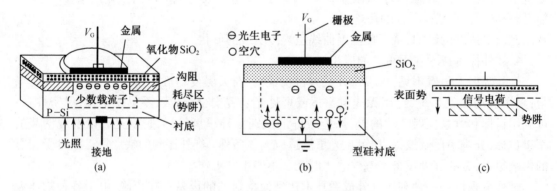

图6－48　MOS光敏元阵列结构
(a)剖面图;(b)结构;(c)势阱图

构成CCD的基本单元是MOS电容器。与其他电容器一样,MOS电容器能够存储电荷。如果MOS电容器中的半导体是P型硅,当在金属电极上施加一个正电压V_G时,P型硅中的多数载流子(空穴)受到排斥,半导体内的少数载流子(电子)吸引到P－Si界面处来,从而在界面附近形成一个带负电荷的耗尽区,也称表面势阱。如图6－48(c)所示。对带负电的电子来说,耗尽区是个势能很低的区域。在一定的条件下,所加正电压 V_g 越大,耗尽层就越深,势阱所能容纳的少数载流子电荷的量就越大。如果有光照射在硅片上,在光子作用下,半导体硅将产生电子 – 空穴对,光生电子被附近的势阱所吸收,而空穴被排斥出耗尽区。势阱内所吸收的光生电子数量与入射到该势阱附近的光强成正比。

2. 电荷转移

CCD 的基本功能是存储与转移信息电荷,为实现信号电荷的转换必须使 MOS 电容阵列的排列足够紧密,以使相邻 MOS 电容的势阱相互沟通,即相互耦合。可通过控制相邻 MOC 电容栅极电压高低来调节势阱深浅,使信号电荷由势阱浅的地方流向势阱深处。在 CCD 中电荷的转移必须按照确定的方向。在 CCD 的 MOS 阵列上划分成以几个相邻 MOS 电荷为一单元的无限循环结构,每一单元称为一位,将每一位中对应位置上的电容栅极分别连到各自共同电极上,此共同电极称为相线。

一位 CCD 中含的电容个数即为 CCD 的相数。每相电极连接的电容个数一般来说即为 CCD 的位数。通常 CCD 有二相、三相、四相等几种结构,它们所施加的时钟脉冲也分别为二相、三相、四相。当这种时序脉冲加到 CCD 的无限循环结构上时,将实现信号电荷的定向转移。电荷转移的控制方法,非常类似于步进电极的步进控制方式。图 6 – 49 以三相控制方式为例说明控制电荷定向转移的过程。

三相控制是在线阵列的每一个像素上有三个金属电极 P_1, P_2, P_3,依次在其上施加三个相位不同的控制脉冲 $\varphi_1, \varphi_2, \varphi_3$,见图 6 – 49(b)。CCD 电荷的注入通常有光注入、电注入和热注入等方式。图 6 – 49(b)采用电注入方式。当 P_1 极施加高电压时,在 P_1 下方产生电荷包($t = t_0$);当 P_2 极加上同样的电压时,由于两电势下面势阱间的耦合,原来在 P_1 下的电荷将在 P_1 和 P_2 两电极下分布($t = t_1$);当 P_1 回到低电位时,电荷包全部流入 P_2 下的势阱中($t = t_2$)。然后,P_3 的电位升高,P_2 回到低电位,电荷包从 P_2 下转到 P_3 下的势阱($t = t_3$),以此控制,使 P_1 下的电荷转移到 P_3 下。随着控制脉冲的分配,少数载流子便从 CCD 的一端转移到最终端。终端的输出二极管搜集了少数载流子,送入放大器处理,便实现了电荷移动。

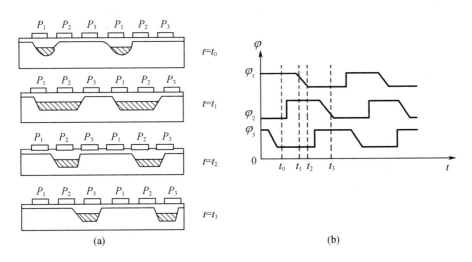

图 6 – 49 三相 CCD 信息电荷传输原理图

(a)电荷转移过程;(b)三相时钟脉冲波形

3. 电荷注入方法

在电荷注入 CCD 中,有电压信号注入和光信号注入两种方法。CCD 在用作信号处理或存储器件时,电荷输入采用电注入。CCD 通过输入结构对信号电压或电流进行采样,将信号电压或电流转换为信号电荷。电注入的方法很多,通常采用电流注入和电压注入。CCD 通过输入结构,将信号电压或电流转换为信号电荷,注入势阱中,注入的电荷量。CCD 在用作图像传感时,信号电荷由光生载流子得到,即光注入,如图 6-50 所示。光注入的方式常见的有正面照射和背面照射方式。当光信号照射到 CCD 硅片表面时,在栅极附近的半导体体内产生电子 – 空穴对,其多数载流子(空穴)被排斥进入衬底,而少数载流子(电子)则被收集在势阱中,形成信号电荷,并存储起来。电极下收集的电荷大小取决于照射光的强度和照射时间。

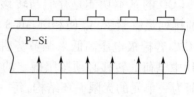

图 6-50 电荷注入光注入

4. 电荷的输出

在 CCD 中,有效地收集和检测电荷是一个重要问题。CCD 的重要特性之一是信号电荷在转移过程中与时钟脉冲没有任何电容耦合,而在输出端则不可避免。因此,选择适当的输出电路可以减小容性负载对时钟的影响。如图 6-51 所示,OG 为输出栅,它是 CCD 末端衬底上制作的一个输出二极管,当其加上方向偏压时,移动到终端的电荷将在时钟脉冲作用下移向输出二极管,被二极管的 PN 结所收集,在负载 R_L 上形成脉冲电流 I_o。输出电流的大小与信号电荷的大小成正比并通过负载 R_L 转换为信号电压 U_o 输出。

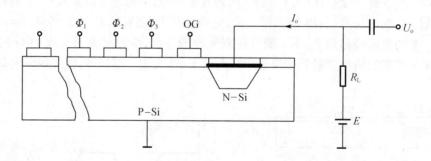

图 6-51 CCD 输出端结构

6.6.2 CCD 图像传感器的分类

1. 线型 CCD 图像传感器

线型 CCD 图像传感器可以直接接收一维光信息,它通常是由 512,1 024,2 048,4 096 个像敏元呈一维排列。光敏阵列与转移区 – 移位寄存器是分开的,移位寄存器被遮挡。线型 CCD 可分为单行传输与双行传输两种结构,如图 6-52(a)为单行传输,6-52(b)双行传输。

线型 CCD 图像传感器由一列光敏元件与一列 CCD 并行且对应地构成一个主体,在它们之间设有一个转移控制栅。在每一个光敏元件上都有一个梳状公共电极,由一个 P 型沟阻使其在电气上被隔开。当入射光照射在光敏元件阵列上,梳状电极施加高电压时,光敏元件聚集光电荷,进行光积分,光电荷与光照强度和光积分时间成正比;在光积分时间结束时,转移栅上的电压提高(平时低电压),与 CCD 对应的电极也同时处于高电压状态。然后,降低梳状电极电压,各光敏元件中所积累的光电电荷将并行地转移到移位寄存器中。当转移完毕后,转移栅电压降低,梳状电极电压回复原来的高电压状态,准备下一次光积分周期。同时,在电荷耦合移位寄存器上加上时钟脉冲,将存储的电荷从 CCD 中转移,(由输出端输出)。重复地进行这个过程就得到相继的行输出,从而读出电荷图形。

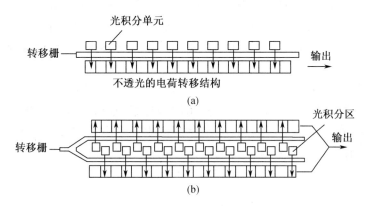

图 6 – 52　线型 CCD 图像传感器
(a)单行结构;(b)双行结构

实用的线型 CCD 图像传感器为双行结构,如图 6 – 52(b)所示。单、双数光敏元件中的信号电荷分别转移到上、下方的移位寄存器中,在控制脉冲的作用下,自左向右移动,在输出端交替合并输出,就形成了原来光敏信号电荷的顺序。

2. 面型 CCD 图像传感器

面型 CCD 图像传感器由感光区、信号存储区和输出转移部分组成。面型 CCD 图像器件的感光单元呈二维矩阵排列,它能检测二维平面图像。按传输和读出方式的不同,其可分为行传输、帧传输和行间传输三种,如图 6 – 53 所示。

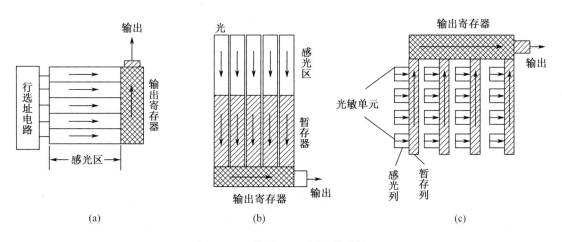

图 6 – 53　线型 CCD 图像传感器
(a)行传输;(b)帧传输;(c)行间传输

图 6-53(a)所示结构由行扫描电路、垂直输出寄存器、感光区和输出二极管组成。行扫描电路将光敏元件内的信息转移到水平(行)方向上,由垂直方向的寄存器将信息转移到输出二极管,输出信号由信号处理电路转换为视频图像信号。但这种结构易引起图像模糊。

图 6-53(b)增加了具有公共水平方向电极的不透光的信息存储区。在正常垂直回扫周期内,具有公共水平方向电极的感光区所积累的电荷同样迅速下移到信息存储区。在垂直回扫结束后,感光区回复到积光状态。在水平消隐周期内,存储区的整个电荷图像向下移动,每次都将存储区最底部一行的电荷信号移到水平读出器,该行电荷在读出移位寄存器中向右移动以视频信号输出。当整帧视频信号自存储移出后,且开始下一帧信号的形成。

图 6-53(c)是将图 6-53(b)中感光元件与存储元件相隔排列,即一列感光单元,一列不透光的存储单元交替排列。在感光区光敏元件积分结束时,转移控制栅打开,电荷信号进入存储区。随后,在每个水平回扫周期内,存储区中整个电荷图像将一次一行地向上移到水平读出移位寄存器中。接着这一行电荷信号在读出移位寄存器中向右移位到输出器件,形成视频信号输出。这种结构的器件操作简单,但单元设计复杂,感光单元面积减小,图像清晰。

面阵型 CCD 的优点是可以获取二维图像信息,测量图像直观,应用面较广,如面积、形状、尺寸、位置,甚至温度等的测量。缺点是像素总数多,而每行的像素数一般较线阵少,使帧幅率受到限制。目前,面型 CCD 图像传感器使用得越来越多,所能生产的产品的单元数也越来越多,最多已达 1 024 × 1 024 像素。我国也能生产 512 × 320 像素的面型 CCD 图像传感器。

6.6.3 CCD 的特性参数

1. 转移效率和转移损失率

电荷转移效率是表征 CCD 性能好坏的重要参数。定义为一次转移后,到达下一个势阱中电荷与原来势阱中的电荷之比,即

$$\eta = \frac{Q(0) - Q(t)}{Q(0)} = 1 - \frac{Q(t)}{Q(0)}$$

式中　$Q(0)$——原始注入电荷;

　　　$Q(t)$——转移到下一个势阱中的电荷。

2. 分辨率

分辨率是指 CCD 对物像中明暗细节的分辨能力它是图像传感器最重要的特性,主要取决于感光单元之间的距离。

3. 工作频率

由于 CCD 器件是工作在 MOS 的非平衡状态,所以驱动脉冲频率的选择就显得十分重要。驱动脉冲频率太低,热激发的少数载流子过多地填入势阱,从而降低了输出信号的信噪比。信号频率太高,又会降低总转移率,减少了信号幅值,也同样降低了信噪比。

4. 动态范围

饱和曝光量和等效曝光量的比值称为 CCD 的动态范围,CCD 器件的动态范围一般在 $10^3 \sim 10^4$ 数量级。

5. 暗电流

暗电流起因于热激发产生的电子－空穴对,是缺陷产生的主要原因。光信号电荷的积累时间越长,其影响就越大。暗电流的产生不均匀,会在 CCD 中出现固定图形。暗电流限制了器件的灵敏度和动态范围,暗电流大的地方,多数会出现暗电流尖峰。暗电流与温度密切有关,温度每降低 10 ℃,暗电流约减小至原温度时的 1/2。对于每个器件,产生暗电流尖峰的缺陷总是出现在相同位置的单元上,利用信号处理,把出现暗电流尖峰的单元位置存贮在 PROM(可编程只读存储器)中,单独读取相应单元的信号值,就能消除暗电流尖峰的影响。

6. 噪声

CCD 是低噪声器件,但由于其他因素产生的噪声会叠加到信号电荷上,使信号电荷的转移受到干扰。噪声的来源有转移噪声、散粒噪声、电注入噪声、信号输入噪声等。

6.6.4　CCD 图像传感器的应用

CCD 图像传感器具有高分辨力和高灵敏度,具有较宽的动态范围,这些特点决定了它可以广泛地被用于自动控制和自动测量,尤其适用于图像识别技术,取代了摄像装置中的光学扫描系统或电子束扫描系统。

CCD 图像传感器在检测物体的位置、工件尺寸的精确测量及工件缺陷的检测方面有独到之处。

1. 工件尺寸检测

图 6－54 为应用线型 CCD 图像传感器测量物体尺寸系统。物体成像聚焦在图像传感器的光敏面上,图像尺寸与被测尺寸成正比,并对输出的视频信号进行存储和数据处理,视频处理器对线阵 CCD 输出的视频信号进行存储和数据处理,整个过程由微机控制自动调焦,微机可对多次测量求平均值(被测工件不平时),精确得到被测物体的尺寸,并最后显示输出结果。

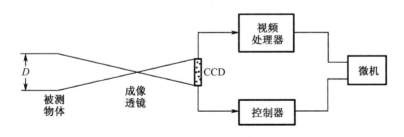

图 6－54　测量物体尺寸示意图

根据几何光学原理,可以推导被测物体尺寸计算公式,即

$$D = \frac{np}{M}$$

式中　n——覆盖的光敏像素数;

　　　p——像素间距;

　　　M——倍率。

任何能够用光学成像的零件都可以用这种方法来实现非接触的在线自动检测。

2. 物体缺陷检测

对缺陷钞票检查系统输出的两列视频信号进行误差比较,如果有一张钞票有缺陷,则两列视频信号具有显著不同的特征,从而发现有缺陷的钞票,如图 6－55 所示。

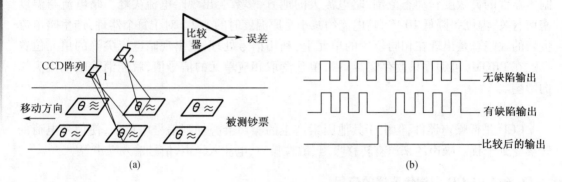

图 6－55　钞票检查系统原理图

3. CCD 数码照相机

数码相机采用 CCD 作为光电转换器件,将被摄物体的图像以数字形式记录在存储器中。数码相机从外观看,也有光学镜头、取景器、对焦系统、光圈和内置电子闪光灯等,但比传统相机多了液晶显示器(LCD),其内部更有本质上的区别,快门结构也大不相同。

6.7　光纤传感器

光导纤维传感器(简称光纤传感器)是 20 世纪 70 年代迅速发展起来的一种新型传感器。光纤最早用于通信,随着光纤技术的发展,光纤传感器得到了进一步发展。它与激光器、半导体探测器一起构成了新的光学技术,创造了光电子学的新领域。光纤的出现产生了光纤通信技术,特别是光纤在有线通信中的优势越来越突出,它为人类 21 世纪的通信基础——信息高速公路奠定了基础,为多媒体(符号、数字、语音、图形和动态图像)通信提供了实现的必需条件。由于光纤具有许多新的特性,所以不仅在通信方面,而且在其他方面也提出了许多新的应用方法。例如,将待测量与光纤内的导光联系起来就形成光纤传感器。

光纤传感技术是伴随着光通信技术的发展而逐步形成的。在光通信系统中,光纤被用作远距离传输光波信号的媒质。显然,在这类应用中,光纤传输的光信号受外界干扰越小越好。但是在实际的光传输过程中,光纤易受外界环境因素影响,如温度、压力、电磁场等外界条件的变化将引起光纤光波参数如光强、相位、频率、偏振态、波长(颜色)等的变化。因此,人们发现如果能测出光波参数的变化,就可以知道导致光波参数变化的各种物理量的大小,于是产生了光纤传感技术。

光纤传感器与传统的各类传感器相比有一系列优点,如不受电磁干扰、体积小、质量轻、可挠曲、灵敏度高、耐腐蚀、电绝缘、防爆性好、易与微机连接、便于遥测等。经过二十余年的研究,光纤传感器取得了十分重要的进展,目前进入了研究和实用并存的阶段。它能用于温度、压力、应变、位移、速度、加速度、磁、电、声和 PH 值等各种物理量的测量,在生产过程自动控制、在线检测、故障诊断、安全报警等方面有广泛的应用前景。它对军事、航天航空技术和生命科学等的发展起着十分重要的作用。随着新兴学科的交叉渗透,它将会出现更广阔的应用前景。

6.7.1 光纤的组成及工作原理

由于外界因素(如温度、压力、电场、磁场、振动等)对光纤的作用,会引起光波特征参量(如振幅、相位、频率、偏振态等)发生变化,只要能测出这些参量随外界因素的变化关系,就可以用它作为传感元件来检测对应物理量的变化。

1. 光纤的结构

光纤结构十分简单,如图6-56所示。它是一种多层介质结构的圆柱体,圆柱体由纤芯、包层和护层组成。纤芯材料的主体是二氧化硅或塑料,制成很细的圆柱体,其直径在 $5 \sim 75 \ \mu m$ 内。有时会在主体材料中掺入极微量的其他材料如二氧化锗或五氧化二磷等,以便提高折射率。围绕纤芯的是一层圆柱形套层(包层),包层可以是单层,也可以是多层结构,层数取决于光纤的应用场所,但总直径控制在 $100 \sim 200 \ \mu m$ 范围内。包层材料一般为 SiO_2,也有可能会掺入极微量的三氧化二硼或四氧化硅。与纤芯掺杂其他材料的目的不同,包层掺杂的目的是为了降低其对光的折射率。包层外面还要涂一些涂料,其作用是保护光纤不受外来的损害,并增加光纤的机械强度。光纤最外层是一层塑料保护管,其颜色用以区分光缆中各种不同的光纤。光缆由内部的多根光纤组成,并在光纤间填入阻水油膏来保证光缆传光性能。

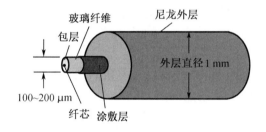

图6-56 光线结构示意图

2. 光纤的传输原理

光是沿着直线传播的。当光纤的直径比光的波长大很多时,可以用几何光学的方法来说明光在光纤内的传播。当满足一定条件时,光在光纤中的传输被限制在光纤中,并随光纤能传送到很远的距离。光能够在光纤中传输的条件是:光在光纤中发生全内反射,即只有反射没有折射。

根据几何光学理论,如图6-57(a),当光线以某一较小的入射角 θ_1,由折射率为 n_1 的光密物质射向折射率为 n_2 的光疏物质(即 $n_1 > n_2$)时,则一部分入射光以折射角 φ_2,折射入光疏物质。其余部分以 θ_1 角度反射回光密物质,根据折射定律(斯奈尔定律),光折射和反射之间的关系为

$$n_1 \sin\theta_1 = n_2 \sin\varphi_2$$

当光线的入射角 θ_1 增大到某一角度 θ_c 时,透射入光疏物质的折射光则沿界面传播,即 $\varphi_2 = 90°$,称此时的入射角 θ_c 为临界角。由斯涅尔定律得

$$\sin\theta_c = \frac{n_1}{n_2}$$

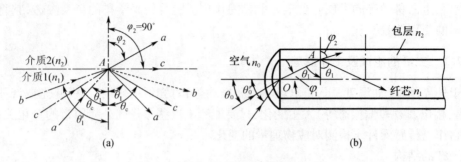

图 6 – 57　光纤的传光原理

（a）光在介质表面的反射和折射；（b）光在端面耦合与光纤中传播

由此可知，临界角仅与介质的折射率的比值有关。

当入射角 $\theta_1 > \theta_c$ 时，光线不会透过其界面，而全部反射到光密物质内部，也就是说光被全反射。根据这个原理，如图 6 – 57（b）所示，只要使光线射入光纤端面的光与光轴的夹角 θ_0 小于一定值，则入射到光纤纤芯和包层界面的 θ_1 角就满足小于临界角 θ_c 的条件，光线就射不出光纤的纤芯。光线在纤芯和包层的界面上不断地产生全反射而向前传播，光就能从光纤的一端以光速传播到另一端，这就是光纤传光的基本原理。由斯涅尔定律可得

$$n_0 \sin\theta_0 = n_1 \sin\varphi_1 = n_1 \cos\theta_1$$

若满足 $\sin\theta_1 \geqslant \dfrac{n_2}{n_1}$，即

$$\sin\theta_0 \leqslant \frac{1}{n_0}\sqrt{n_1^2 - n_2^2}$$

此时光纤就能产生全反射。可见，光纤临界入射角的大小是由光纤本身的性质（n_1, n_2）决定的，与光纤的几何尺寸无关，入射角的最大值为

$$\sin\theta_c = \frac{1}{n_0}\sqrt{n_1^2 - n_2^2}$$

将 $\sin\theta_c$ 定义为光导纤维的数值孔径，用 NA 表示，则

$$NA = \sin\theta_c = \frac{1}{n_0}\sqrt{n_1^2 - n_2^2}$$

3. 光纤的特性参数

（1）数值孔径 NA

说明光纤集光本领的术语称为数值孔径 NA，即数值孔径反映纤芯接收光量的多少。其意义是：无论光源发射功率有多大，只有入射光处于 $2\theta_c$ 张角之内的入射光才能被光纤接收并传播。若入射角超出这一范围，光线会进入包层漏光。一般使用时希望有大的数值孔径，这有利于耦合效率的提高，但数值孔径过大，会造成光信号畸变，所以要适当选择数值孔径的数值。

（2）光纤模式

光波在光纤中的传播途径和方式称为光纤模式。不同入射角的光线在界面反射的次数和传递的光波间的干涉都是不同的，这就是传播模式不同。一般使用时总希望光纤信号的模式数量要少，以减小信号畸变的可能。单模光纤直径较小，只能传输一种模式。其优点是信号畸变小、信息容量大、线性好、灵敏度高；缺点是纤芯较小，制造、连接、耦合较困

难。多模光纤直径较大,传输模式不止一种,其优点是纤芯面积较大,制造、连接、耦合容易;缺点是性能较差。

（3）传播损耗

光信号在光纤中的传播不可避免地存在着损耗。光纤传输损耗主要有材料吸收损耗（因材料密度及浓度不均匀引起）和散射损耗（因光纤拉制时粗细不均匀引起）、光波导弯曲损耗（因光纤在使用中可能发生弯曲引起）。

4. 光纤的分类

（1）按光纤的折射率分类

根据光纤的折射率分布函数,普通光纤可分为阶跃型和梯度型两类,如图6-58所示。

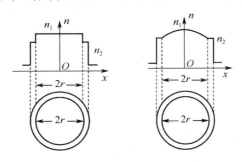

图6-58 光纤的折射率断面图
（a）阶跃型；（b）梯度型

阶跃光纤的纤芯与包层间的折射率是阶跃变化的,即纤芯内的折射率分布大体上是均匀的,包层内的折射率分布也大体均匀,均可视为常数。但是纤芯和包层的折射率不同,因而会在界面上发生突变,如图6-58（a）所示,此时光线的传播依靠光在纤芯和包层界面上发生的内全反射现象。

梯度光纤纤芯内的折射率不是常量,而是从中心轴线开始沿径向大致按抛物线形状递减,中心轴折射率最大,如图6-58（b）所示。因此,光纤在纤芯中传播时会自动地从折射率小的界面向中心会聚,轨迹类似正弦波形,所以梯度光纤又称为自聚焦光纤。

（2）按传输模数分类

单模光纤纤芯直径仅有几微米,接近光的波长。单模光纤通常是指跃变光纤,它内芯尺寸很小,光纤传输模数很少,原则上只能传送一种模数的光纤,常用于光纤传感器。这类光纤传输性能好、频带很宽,具有较好的线性度；但因内芯尺寸小,难以制造和耦合。

多模光纤纤芯直径约为50 μm,纤芯直径远大于光的波长,通常是指跃变光纤中,内芯尺寸较大,传输模数很多的光纤。由于每一个"模"光进入光纤的角度不同,它们在光纤中走的路径不同,因此它们到达另一端点的时间也不同,这种特征被称为模分散。特别是阶跃折射率多模光纤,模分散最严重,这限制了多模光纤的带宽和传输距离。这类光纤性能较差,带宽较窄；但由于其内芯的截面积大、容易制造、连接耦合比较方便,也得到了广泛应用。

（3）按材料分类

高纯度石英（SiO_2）玻璃纤维的光损耗比较小,在波长 $\lambda = 1.2$ μm 时最低损耗约为 0.47 dB/km。

多组分玻璃光纤由常规玻璃制成,损耗也很低。如硼硅酸钠玻璃光纤,它在波长 $\lambda =$

0.84 μm时,最低损耗为3.4 dB/km。

塑料光纤由人工合成导光塑料制成,其损耗较大。当 $\lambda = 0.63$ μm 时,损耗高达 100 ~ 200 dB/km;但塑料光纤质量轻,成本低,柔软性好,适用于短距离导光。

(4)按用途分类

通信光纤用于光通信系统,实际使用中大多使用光缆(多根光纤组成的线缆),是光通信的主要传光介质。

非通信光纤这类光纤有低双折射光纤、高双折射光纤、涂层光纤、液芯光纤和多模梯度光纤等几类。

6.7.2 光纤传感器组成及分类

1. 光纤传感器的组成

光纤传感器是一种把被测量的状态转变为可测的光信号的装置,由光发送器(光源)、敏感元件(光纤或非光纤的)、光接收器、信号处理系统以及光纤构成。

(1)光发送器(光源)

一般在使用时要求光源的体积尽量小,以利于它与光纤耦合。光源发出的光波长应合适,以便减少光在光纤中传输的损失。光源要有足够亮度,以便提高传感器的输出信号。另外还要求光源稳定性好、噪声小、安装方便和寿命长。光纤传感器使用的光源种类很多,按照光的相干性可分为相干光和非相干光。非相干光源有白炽光、发光二极管;相干光源包括各种激光器,如氦氖激光器、半导体激光二极管等。

(2)光探测器

光探测器的作用是把传送到接收端的光信号转换成电信号,以便作进一步的处理。它和光源的作用相反,常用的光探测器有光敏二极管、光敏三极管、光电倍增管等。

由光发送器发出的光经源光纤引导至敏感元件。这时,光的某一性质受到被测量的调制,已调光经接收光纤耦合到光接收器,使光信号变为电信号,最后经信号处理得到所期待的被测量。光是一种电磁波:

$$E = A\sin(\omega t + \varphi)$$

式中　A——电场 E 的振幅矢量;

　　　ω——光波的振动频率;

　　　φ——光相位;

　　　t——光的传播时间。

可见,只要使光的强度、偏振态(矢量 A 的方向)、频率和相位等参量之一随被测量状态的变化而变化,或受被测量调制,那么通过对光的强度调制、偏振调制、频率调制或相位调制等调制状态进行解调,即可获得所需要的被测量的信息。

2. 光纤传感器的分类

(1)按光纤在传感器中的功能分类

按光纤在传感器中的功能分类功能型(传感型)光纤传感器和非功能型(传光型)光纤传感器。

功能型(传感型)光纤传感器利用对外界信息具有敏感能力和检测能力的光纤(或特殊光纤)作传感元件,将"传"和"感"合为一体的传感器。如图 6 – 59(a)所示。光纤不仅起传光作用,而且还利用光纤在外界因素(弯曲、相变)的作用下,其光学特性(光强、相位、偏振态等)的变化来实现"传"和"感"的功能。因此,传感器中光纤是连续的。由于光纤连续,所以增加其长度,可提高灵敏度。它是利用光纤本身的特性将光纤作为敏感元件,被测量对光纤内传输的光进行调制,使传输的光的强度、相位、频率或偏振等特性发生变化,再通过对被调制过的信号进行解调,从而得出被测信号。

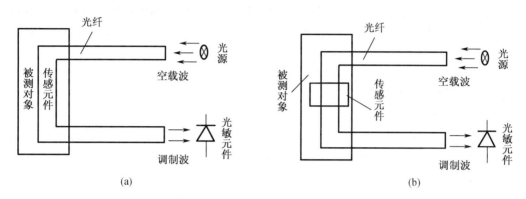

图 6 - 59 光纤传感器结构功能示意图
(a)功能型;(b)非功能型

非功能型(传光型)光纤传感器是利用其他敏感元件感受被测量的变化,与其他敏感元件组合而成的传感器,如图 6 - 59(b)所示。光纤只作为光的传输介质。光纤仅起导光作用,只"传"不"感",对外界信息的"感觉"功能依靠其他物理性质的功能元件完成,光纤不连续。此类光纤传感器无需特殊光纤及其他特殊技术,比较容易实现,成本低。但其灵敏度也较低,常用于对灵敏度要求不太高的场合。

(2)按光纤传感器调制的光波参数分类

按光纤传感器调制的光波参数分类分为强度调制光纤传感器、相位调制光纤传感器、偏振调制光纤传感器和波长(频率)调制光纤传感器。

强度调制光纤传感器是一种利用被测对象的变化引起敏感元件的折射率、吸收或反射等参数的变化,而导致光强度变化来实现敏感测量的传感器。利用光纤的微弯损耗,各物质的吸收特性,振动膜或液晶的反射光强度的变化,物质因各种粒子射线或化学、机械的激励而发光的现象,以及物质的荧光辐射或光路的遮断等来构成压力、振动、温度、位移、气体等各种强度调制型光纤传感器。

强度调制型的优点是结构简单、容易实现,成本低;缺点是受光源强度波动和连接器损耗变化等影响较大。

相位调制光纤传感器的基本原理是利用被测对象对敏感元件的作用,使敏感元件的折射率或传播常数发生变化,从而使光的相位变化,令两束单色光所产生的干涉条纹发生变化,再通过检测干涉条纹的变化量来确定光的相位变化量,从而得到被测对象的信息。通常有利用光弹效应的声、压力或振动传感器,利用磁致伸缩效应的电流、磁场传感器,利用电致伸缩的电场、电压传感器以及利用光纤赛格纳克(Sagnac)效应的旋转角速度传感器(光纤陀螺)等。这类传感器的灵敏度很高,但由于须用特殊光纤及高精度检测系统配合,因此成本高。

偏振调制光纤传感器是一种利用光偏振态变化来传递被测对象信息的传感器。利用光在磁场中媒质内传播的法拉第效应做成的电流、磁场传感器,利用光在电场中的压电晶体内传播的泡尔效应做成的电场、电压传感器,利用物质的光弹效应构成的压力、振动或声传感器,以及利用光纤的双折射性构成温度、压力、振动等传感器等分类。这类传感器可以避免光源强度变化的影响,因此灵敏度高。

波长(频率)调制光纤传感器是一种利用单色光射到被测物体上反射回来的光的频率发生变化来进行监测的传感器。利用运动物体反射光和散射光的多普勒效应的光纤速度、流速、振动、压力、加速度传感器,利用物质受强光照射时的拉曼散射构成的测量气体浓度或监测大气污染的气体传感器,以及利用光致发光的温度传感器等。

6.7.3 光纤传感器的应用

1. 遮光式光纤温度计

热双金属式光纤温度开关如图 6－60 所示。当温度升高时,双金属片的变形量增大,带动遮光板在垂直方向产生位移从而使输出光强发生变化。

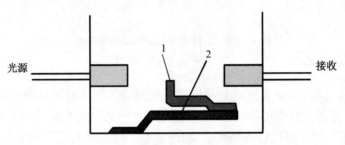

图 6－60　热双金属式光纤温度开关
1—遮光板;2—双金属片

2. 膜片反射式光纤压力传感器

Y 形光纤束的膜片反射型光纤压力传感器如图 6－61 所示。在 Y 形光纤束前端放置一感压膜片,当膜片受压变形时,使光纤束与膜片间的距离发生变化,从而使输出光强受到调制。

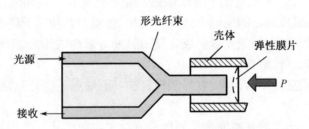

图 6－61　膜片反射式光纤压力传感器示意图

3. 微弯光纤压力传感器

微弯光纤压力传感器如图 6－62 所示,光纤被夹在一对锯齿板中间,当光纤不受力时,光线从光纤中穿过,没有能量损失。当锯齿板受外力作用而产生位移时,光纤则发生许多微弯,这时在纤芯中传输的光在微弯处有部分散射到包层中。

原本光束以大于临界角 θ_c 的角度 θ_1 在纤芯内传输为全反射,如图 6－63 所示,但在微弯处因 $\theta_2 < \theta_1$,一部分光将逸出,散射入包层中。当受力增加时,光纤微弯的程度也增大,泄

漏到包层的散射光随之增加,纤芯输出的光强度相应减小。因此,通过检测纤芯或包层的光功率,就能测得引起微弯的压力、声压,或检测由压力引起的位移等物理量。

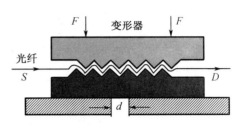

图 6-62　微弯光纤压力传感器

4. 球面光纤液位传感器

球面光纤液位传感器如图 6-64 所示,将光纤用高温火焰烧软后对折,并将端部烧结成球形。光由光纤的一端导入,在球状对折端部一部分光透射出去,另一部分光反射回来,由光纤的另一端导向探测器。反射光强的大小取决于被测介质的折射率。被测介质的折射率与光纤折射率越接近,反射光强度越小。显然,传感器处于空气中时比处于液体中时的反射光强要大。

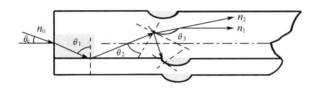

图 6-63　微弯光纤传输

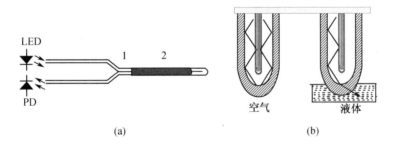

(a)　　　　　　　　　　　　　　(b)

图 6-64　球面光纤液位传感器

(a)探头结构;(b)检测原理

5. 单光纤液位传感器

单光纤液位传感器如图 6-65 所示,当光纤处于空气中时,入射光的大部分能在端部满足全反射条件而返回光纤。当传感器接触液体时,由于液体的折射率比空气大,使一部分光不能满足全反射条件而折射入液体中,返回光纤的光强就减小。利用 X 形耦合器即可构成具有两个探头的液位报警传感器。若在不同的高度安装多个探头,还能连续监视液位的变化。

为了防止当探头离开液体时,因有液滴附着在探头上,而令传感器不能立即响应,可相应地作一些改变。将光纤端部的尖顶略微磨平,并镀上反射膜。这样,即使有液体附着在顶部,也不影响输出跳变。另外可在顶部镀的反射膜外粘上一突出物,将附着的液体导引向突出物的下端。这样也可保证探头在离开液位时也能快速地响应。

6. 光纤涡街流量计

光纤涡街流量计结构如图 6-65 所示,当流体受到一个垂直于流动方向的非流线体阻

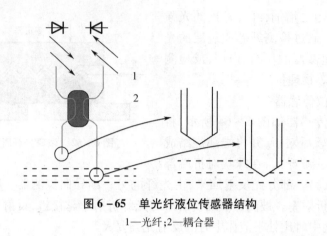

图 6 − 65　单光纤液位传感器结构

1—光纤;2—耦合器

碍时,在某些条件下会在流体的下游两侧产生有规则的旋涡。这种旋涡将会在该非流线体的两边交替地离开。当每个旋涡产生并泻下时,会在物体壁上产生一个侧向力。周期产生的旋涡将使物体受到一个周期的压力。若物体具有弹性便会产生振动,振动频率近似地与流速成正比,且 $f \approx \dfrac{Sv}{d}$。

因此,通过检测物体的振动频率便可测出流体的流速,由上式可知,流体的流速与涡流频率呈线性关系。光纤涡街流量计便是根据这个原理制成的,在横贯流体管道的中间装有一根绷紧的多模光纤,当液体或气体流经与其垂直的光纤时,光纤受到流体涡流的作用而振动,其振动频率近似与流速成正比。

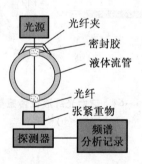

图 6 − 66　光纤涡街流量计

第7章 热电式传感器

7.1 温度传感器概述

温度是反映物体冷热状态的物理参数。热电传感器是实现温度检测和控制的重要器件。热电式传感器将热能直接转化成电量输出,具有构造简单,使用方便,准确度、稳定性及复现性较高,温度测量范围宽等优点,在温度测量中占有重要的地位。在种类繁多的传感器中,热电传感器是应用最广泛、发展最快的传感器之一。工业生产自动化流程,温度测量点要占全部测量点的一半左右,而热电传感器是实现温度检测和控制的重要器件。

7.1.1 温度的基本感念及温标

温度反映了物体冷热的程度,与自然界中的各种物理和化学过程相联系。温度概念的建立及测量以热平衡为基础,同时它最本质的性质是当两个冷热程度不同的物体接触后就会产生导热换热,换热结束后若两物体处于热平衡状态,即它们具有相同的温度。温标是表示温度大小的尺度是温度的标尺。

1. 热力学温标

1848 年威廉·汤姆首先提出以热力学第二定律为基础,建立温度仅与热量有关,而与物质无关的热力学温标。因是开尔文总结出来的,故又称开尔文温标,用符号 K 表示。它是国际基本单位之一。

2. 国际实用温标

1968 年国际实用温标规定热力学温度是基本温度,用 t 表示,其单位是开尔文,符号为 K。1 K 定义为水三相点热力学温度的 1/273.16,水的三相点是指纯水在固态、液态及气态三项平衡时的温度,热力学温标规定三相点温度为 273.16 K,这是建立温标的唯一基准点。

3. 摄氏温标

摄氏度是工程上最通用的温度标尺。摄氏温标是在标准大气压(即 101 325 Pa)下将水的冰点与沸点中间划分一百个等份,每一等份称为摄氏一度(摄氏度,℃),一般用小写字母 t 表示。与热力学温标单位开尔文并用。

摄氏温标与国际实用温标温度之间的关系如下,即

$$t = T - 273.15$$
$$T = t + 273.15$$

4. 华氏温标

华氏度目前已用得较少,它规定在标准大气压下冰的熔点为 32 华氏度,水的沸点为 212 华氏度,中间等分为 180 份,每一等份称为华氏一度,符号用 ℉,它和摄氏温度的关系如下,即

$$m = 1.8n + 32 \ ℉$$
$$n = \frac{5}{9}(m - 32) \ ℃$$

7.1.2 温度传感器的特点和分类

1600 年,伽利略研制出了气体温度计。1700 年左右,酒精温度计和水银温度计研制成功。随着现代工业技术发展的需要,人们相继研制出金属丝电阻、温差电动式元件、双金属式温度传感器。1950 年以后,又相继研制成半导体热敏电阻器等种类。近些年,随着原材料、加工技术的飞速发展、又陆续研制出各种类型的温度传感器。测量方法可以分为接触式测温和非接触式测温两种。

接触式测温是令温度敏感元件与被测对象接触,经过换热后两者温度相等。常用的接触式测温仪表:膨胀式温度计、热电阻温度计、热电偶温度计等。接触式测温温度直观、可靠,测量仪表也比较简单。但传感器直接与被测物体接触进行温度测量,在得到的接触过程中就有可能破坏被测对象的温度场分布,由于被测物体的热量传递给传感器,降低了被测物体温度,特别是被测物体热容量较小时,测量精度较低,会造成测量误差,因此采用这种方式要测得物体的真实温度的前提条件是被测物体的热容量要足够大。有的测温元件不能和被测对象充分接触,不能达到充分的热平衡,使测温元件和被测对象温度不一致,也会带来误差。在接触过程中,介质腐蚀性,高温时对测温元件的影响,也会影响测温元件的可靠性和工作寿命。

对于非接触测温温度敏感元件不与被测对象接触,而是利用被测物体热辐射而发出红外线,通过辐射能量进行热交换,由辐射能的大小来推算被测物体的温度。常用的非接触式测温仪表有:基于普朗克定理的辐射式温度计、光电高温计、辐射传感器、比色温度计、光纤式温度计、光纤辐射温度计等。它们不与被测物体接触,不从被测物体上吸收热量;不会干扰被测对象的温度场;连续测量不会产生消耗;反应快、可进行遥测等。在被测物体为运动物体时尤为适用,但其制造成本较高,精度一般不高。

温度传感器的特点及分类见表 7 – 1。

表 7 – 1 温度传感器的特点及分类

测量方法	传感器机理和类型		测温范围/℃	特点
接触式	体积热膨胀	玻璃水银温度计	– 50 ~ 350	不需要电源,耐用;但感温部件体积较大
		双金属片温计	– 50 ~ 300	
		气体温度计	– 250 ~ 1 000	
		液体压力温度计	– 200 ~ 350	
	接触热电势	钨铼热电偶	1 000 ~ 2 100	自发电型,标准化程度高,品种多,可根据需要选择;须进行冷端温度补偿
		铂铑热电偶	50 ~ 1 800	
		其他热电偶	– 200 ~ 1 200	
	电阻变化	铂热电阻	– 200 ~ 850	标准化程度高;但需要接入桥路才能得到电压输出
		铜热电阻	– 50 ~ 150	
		热敏电阻	– 50 ~ 450	
	PN 结结电压	半导体集成温度传感器	– 50 ~ 150	体积小,线性好, – 2 mV/℃;但测温范围小

表 7 –1（续）

	温度 – 颜色	示温涂料 液晶	– 50 ~ 1 300 0 ~ 100	面积大,可得到温度图像;但易衰老,准确度低
非接触式	光辐射 热辐射	红外辐射温度计 光学离温温度计 热释电温度计 光子探测器	– 80 ~ 1 500 500 ~ 3 000 0 ~ 1 000 0 ~ 3 500	响应快;但易受环境及被测体表面状态影响,标定困难

此外,还有微波测温温度传感器、噪声测温温度传感器、温度图测温温度传感器、热流计、射流测温计、核磁共振测温计、穆斯保尔效应测温计、约瑟夫逊效应测温计、低温超导转换测温计、光纤温度传感器等种类。这些温度传感器有的已获得应用,有的尚在研制中。

7.2　热电偶温度传感器

热电偶传感器是将被测温度转换为毫伏级热电动势信号输出,它是一种有源传感器。它通过连接导线与显示仪表相连组成测温系统,实现远距离温度自动测量,主要在高温测量中应用。热电偶在温度的测量中应用十分广泛。它构造简单,使用方便,测温范围宽,并且有较高的精确度和稳定性。热电偶的主要特点有:

（1）测温范围宽,它可以测量自 – 270 ~ 2 800 ℃范围内的温度,甚至更广的范围;

（2）性能稳定、准确可靠、测量精度高;

（3）制造方便、热惯性小、准确度高、输出信号便于远传。

7.2.1　热电效应

热电偶测温是基于热电效应原理,热电效应的基本原理是:两种不同材料的导体（或半导体）紧密结合,组成一个闭合回路,当两接点温度 T 和 T_0 不同时,则在该回路中就会产生电动势的现象。其电动势由接触电势（珀尔帖电势）和温差电势（汤姆逊电势）两部分组成。如图 7 –1 所示的回路中,导体 A 或 B 称为热电偶的热电极或热偶丝。热电偶有两个接点,置于温度 T 的接点称为热端（测量端或工作端）,而温度为 T_0 的另一接点称为冷端（参考端或自由端）。

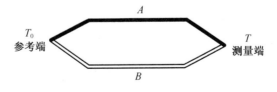

图 7 –1　热电效应

1. 接触电动势

当两种金属接触在一起时,由于不同导体的自由电子密度不同,在结点处会发生电子迁移扩散。失去自由电子的金属呈正电位,得到自由电子的金属呈负电位。当扩散达到平衡时,在两种金属的接触处形成电势,称为接触电动势。接触电动势的数值取决于两种不同导体的材料特性和接触点的温度。接触电动势的大小与两种金属的材料、接点的温度有关,与导体的直径、长度及几何形状无关。在温度为 T 时,两接点的接触电动势可表示为

$$e_{AB}(T) = \frac{kT}{e}\ln\frac{N_A}{N_B}$$

式中　k——玻耳兹曼常数;

　　　e——电子电荷量;

　　　T——接触处的温度;

　　　N_A,N_B——分别为导体 A 和 B 的自由电子密度。

上式说明接触电动势的大小与接点温度的高低及导体中的电子密度有关。

2. 温差电动势

对于任何一种金属,当其两端温度不同时而产生的电动势都称为温差电动势。金属两端的自由电子浓度也不同,温度高的一端浓度大,具有较大的动能;温度低的一端浓度小,动能也小。由于温度梯度的存在改变了电子的能量分布,高温 T 端电子将向低温端 T_0 扩散,致使高温端因失去电子带正电,低温端因获电子而带负电。因而在同一导体两端也产生电位差,并阻止电子从高温端向低温端扩散,于是电子扩散形成动平衡,此时所建立的电位差称为温差电势即汤姆逊电势。温差电动势的大小取决于导体的材料及两端的温度。导体 A 两端的温差电动势可用下式表示,即

$$e_A(T, T_0) = \int_{T_0}^{T} \sigma_A \mathrm{d}T$$

式中　$e_A(T, T_0)$——导体 A 两端温度分别为 T、T_0 时形成的温差电动势;

　　　T, T_0——高、低温端的绝对温度;

　　　σ_A——汤姆逊系数,表示导体 A 两端的温度差为 1 ℃时所产生的温差电动势。

同样,导体 B 两端的温差电动势如下式所示,即

$$e_B(T, T_0) = \int_{T_0}^{T} \sigma_B \mathrm{d}T$$

3. 热电偶回路中总电势

由图 7-2 可知,导体 A 和 B 组成的热电偶闭合电路在两个接点处有两个接触电势 $e_{AB}(T)$ 与 $e_{AB}(T_0)$,又因为 $T > T_0$,在导体 A 和 B 中还各有一个温差电势。所以闭合回路总热电动势 $E_{AB}(T, T_0)$ 应为接触电动势和温差电势的代数和,即

$$E_{AB}(T, T_0) = [e_{AB}(T) - e_{AB}(T_0)] + [e_B(T, T_0) - e_A(T, T_0)]$$

$$= \frac{kT}{e}\ln\frac{N_{AT}}{N_{BT}} - \frac{kT_0}{e}\ln\frac{N_{AT0}}{N_{BT0}} + \int_{T_0}^{T}(\sigma_B - \sigma_A)\mathrm{d}T$$

由于在金属中自由电子数目很多,温度对自由电子密度的影响很小,故温差电动势可以忽略不计,在热电偶回路中起主要作用的是接触电动势。N_{AT} 和 N_{AT0} 可记做 N_A,N_{BT} 和 N_{BT0} 可记做 N_B,则有

$$E_{AB}(T, T_0)e_{AB}(T) - e_{AB}(T_0) = \frac{k}{e}(T, T_0)\ln\frac{N_A}{N_B}$$

由此得到有关热电偶回路的几点结论:

①如果热电偶回路中的两个热电极材料相同,则无论两端的温度如何,热电偶回路的总热电动势为零,所以热电偶必须采用两种不同的材料作为热电极。因为当 A、B 两种导体

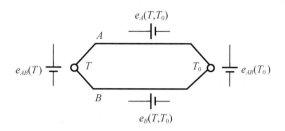

图 7 - 2 热电偶回路中总电势

是同一种材料时,$\ln \dfrac{N_A}{N_B} = 0$,所以 $E_{AB}(T, T_0) = 0$。

②如果热电偶两结点温度相等,则尽管导体 A、B 的材料不同,热电偶回路内的总电动势为零。只有当热电偶两端温度不同时,不同材料组成的热电偶才能有热电动势产生;当热电偶两端温度相同时,不同材料组成的热电偶也不会产生热电动势,即 $E_{AB}(T, T_0) = 0$。

③热电偶 AB 回路的热电动势只与组成热电偶的材料 A、B 及两端接点的温度有关,与热电偶的长度、粗细、形状无关。

④导体材料确定后,热电动势的大小只与热电偶两端的温度有关。当参考端温度 T_0 恒定时 $e_{AB}(T_0)$ 为常数,则回路热电动势 $E_{AB}(T, T_0)$ 就只与温度 T 有关,而且是 T 的单值函数,这就是利用热电偶测温的基本原理。对于已选定的热电偶,则总的热电动势就只与温度 T 成单值函数关系,即:

$$E_{AB}(T, T_0) = e_{AB}(T) - e_{AB}(T_0) = f(T) - C$$

⑤对于有几种不同材料串联组成的闭合回路,若各接点温度分别为 $T_1, T_2, \cdots, T_N$,闭合回路总的热电动势为:

$$E_{AB\cdots N} = e_{AB}(T_1) + e_{BC}(T_2) + \cdots + e_{NA}(T_N)$$

7.2.2 热电偶的基本定律

原理性的热电偶是由两种材料组成的闭合回路,但在实际应用中需要引入测量电动势的仪表,并将仪表引到较远的位置,这就需要通过以下几个定律实现实际的应用。又由于测量的温度值是测量端和自由端的温度差,所以在计算测量端温度时,需要考虑自由端相应的热电势值。

1. 均质导体定律

如果热电偶回路中的两个热电极材料相同,无论两接点的温度如何,热电动势均为零;反之,有热电动势产生,两个热电极的材料则一定是不同的。这也就是热电偶必须采用两种不用材料的导体组成的原因。热电偶的热电势仅与两接点的温度有关,而与沿热电极的温度分布无关。如果热电偶的热电极是非匀质导体,在不均匀温度场中测温时将造成测量误差。所以热电极材料的均匀性是衡量热电偶质量的重要技术指标之一。根据这一定律,可以检验两个热电极材料的成分是否相同(称为同名极检验法),也可以检查热电极材料的均匀性。

2. 中间导体定律

在热电偶回路中接入第三种导体 C,只要第三种导体的两接点温度相同,则回路中总的

热电动势不变。如按图 7-3 中左图所示,回路中的总电动势为

$$E_{ABC}(T,T_0) = e_{AB}(T) + e_{BC}(T_0) + e_{CA}(T_0)$$

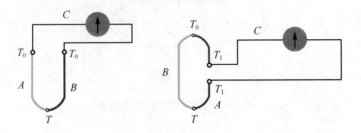

图 7-3　热电偶中间导体定律示意图

如果回路中三个接点的温度都相同,即 $T = T_0$,则回路总电动势必为零,即

$$e_{AB}(T_0) + e_{BC}(T_0) + e_{CA}(T_0) = 0$$

即

$$e_{BC}(T_0) + e_{CA}(T_0) = -e_{AB}(T_0)$$

则

$$E_{ABC}(T,T_0) = e_{AB}(T) - e_{AB}(T_0) = E_{AB}(T,T_0)$$

如果如按图 7-3 右图所示接入第三种导体 C,则回路中的总电动势为

$$E_{ABC}(T,T_0) = e_{AB}(T) + e_{BA}(T_0) + e_{AC}(T_1) + e_{CA}(T_1)$$

而

$$e_{AC}(T_1) = -e_{CA}(T_1)$$

所以

$$E_{ABC}(T,T_0) = e_{AB}(T) + e_{BA}(T_0) = e_{AB}(T) - e_{AB}(T_0) = E_{AB}(T,T_0)$$

可以将第三根导线换成测试仪表或连接导线,只要保持两结点温度相同,就可以对热电势进行测量而不影响原热电动势的数值。同理,在加入第四、第五种导体时,只要加入的导体两端温度相等,同样不影响回路中的总热电势。

3. 中间温度定律

热电偶在两接点温度分别为 T, T_0 时的热电动势等于该热电偶在接点温度分别为 T, T_n 和接点温度分别为 T_n, T_0 时的相应热电动势的代数和,如图 7-4 所示。

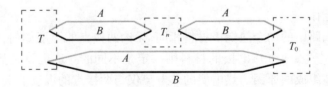

图 7-4　热电偶中间温度定律示意图

证明:

$$\begin{aligned}
E &= e_{AB}(T) - e_{AB}(T_0) \\
&= e_{AB}(T) + e_{BA}(T_0) \\
&= E_{AB}(T,T_n) + E_{AB}(T_n,T_0)
\end{aligned}$$

$$= [e_{AB}(T) - e_{AB}(T_0)] + [e_{AB}(T_0) - e_{AB}(T_0)]$$
$$= e_{AB}(T) - e_{AB}(T_0)$$
$$= E_{AB}(T, T_0)$$

即
$$E_{AB}(T, T_0) = E_{AB}(T, T_0) + E_{AB}(T, T_n)$$

这对于冷端温度不是零度时,热电偶如何分度表的问题提供了依据。当 $T_n = 0 ℃$ 时,则
$$E_{AB}(T, T_0) = E_{AB}(T_0, 0) + E_{AB}(0, T_0)$$
$$= E_{AB}(T, 0) - E_{AB}(T_0, 0)$$

上式说明只要 A、B 组成的热电偶在冷端温度为零时的"热电动势－温度"关系已知,则它在冷端温度不为零时的热电动势即可知。

【例 7 – 1】 用镍铬－镍硅热电偶测炉温时,其冷端温度为 30 ℃,在直流电位计上测得的热电势为 30.839 mV,求炉温。

解

查镍铬－镍硅热电偶分度表
$$E_{AB}(30 ℃, 0 ℃) = 1.203 \text{ mV}$$
$$E_{AB}(T, 0) = E_{AB}(T, 30) + E_{AB}(30, 0)$$
$$= 30.839 + 1.203 = 32.042 \text{ mV}$$

再查分度表得 $T = 770 ℃$。

中间温度定律表明,当在原来热电偶回路中分别引入与导体材料 A, B 相同热电特性的材料 C, D 即引入所谓补偿导线时,只要它们之间连接的两点温度相同,总回路的热电动势就与两连接点温度无关,只与热电偶两端的温度有关。这为热电偶补偿导线提供了理论依据,接线如图 7 – 5。

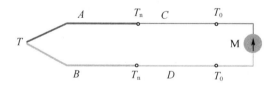

图 7 – 5　热电偶补偿导线接线图

由于 A 与 C、B 与 D 的热电特性相同,由热电偶的基本性质可知:
$$e_{AC}(T_n) = e_{BD}(T_n) = 0$$

则回路总电动势为
$$E = e_{AB}(T) + e_{BD}(T_0) + e_{DC}(T_0) + e_{CA}(T_0)$$
$$= e_{AB}(T) + e_{DC}(T_0)$$
$$= e_{AB}(T) + e_{BA}(T_0)$$
$$= E_{AB}(T, T_0)$$

4. 标准电极定律

已知热电极 A、B 与参考电极 C 组成的热电偶在结点温度为 (T, T_0) 时的热电动势分别为 $E_{AC}(T, T_0)$、$E_{BC}(T, T_0)$,则相同温度下由 A, B 两种热电极配对后的热电动势 $E_{AB}(T, T_0)$ 可按下面公式计算,即
$$E_{AB}(T, T_0) = E_{AC}(T, T_0) - E_{BC}(T, T_0)$$

如果两种导体分别与第三种导体组成的热电偶所产生的热电动势已知,则由这两种导体组成的热电偶所产生的热电动势也就可知。定律示意图如图7－6所示。

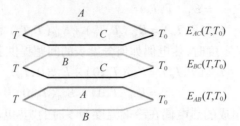

图7－6　热电偶标准电极定律示意图

证明:

$$E_{AC}(T,T_0) = e_{AC}(T) - e_{AC}(T_0), E_{BC}(T,T_0) = e_{BC}(T) - e_{BC}(T_0)$$

两式相减得

$$E_{AC}(T,T_0) - E_{BC}(T,T_0)$$
$$= e_{AC}(T) - e_{AC}(T_0) - e_{BC}(T) + e_{BC}(T_0)$$
$$= [e_{AC}(T) - e_{BC}(T)] - [e_{AC}(T_0) - e_{BC}(T_0)]$$

若一个热电偶由 A,B,C 三种导体组成,且回路中三个接点的温度都相同,则回路总电动势必为零,即

$$e_{AC}(T) + e_{CB}(T) + e_{BA}(T) = 0$$
$$e_{AC}(T_0) + e_{CB}(T_0) + e_{BA}(T_0) = 0$$

或

$$e_{AC}(T) - e_{BC}(T) = e_{AB}(T)$$
$$e_{AC}(T_0) - e_{BC}(T_0) = e_{AB}(T_0)$$
$$E_{AC}(T,T_0) - E_{BC}(T,T_0) = [e_{AC}(T) - e_{BC}(T)] - [e_{AC}(T_0) - e_{BC}(T_0)]$$
$$= e_{AB}(T) - e_{AB}(T_0)$$
$$= E_{AB}(T,T_0)$$

即导体 A 与 B 组成的热电偶的热电动势也可知。

【例7－2】　已知铬合金－铂热电偶的 $E(100\ ℃,0\ ℃) = +3.13\ mV$,铝合金－铂热电偶的 $E(100,0) = -1.02\ mV$,求铬合金－铝合金组成热电偶材料的热电动势 $E(100\ ℃,0\ ℃)$。

解设铬合金为 A,铝合金为 B,铂为 C,即

$$E_{AC}(100,0) = +3.13\ mV$$
$$E_{BC}(100,0) = -1.02\ mV$$

则

$$E_{AB}(100,0) = E_{AC}(100,0) - E_{BC}(100,0) = 4.15\ mV$$

7.2.3　热电偶类型、材料及分度表

在理论上,任何两种不同材料的导体都可以组成热电偶,但为了准确可靠地测量温度,对组成热电偶的材料必须经过严格的选择。工程上用于热电偶的材料应满足以下条件:热电势变化尽量大,热电势与温度关系尽量接近线性关系,物理、化学性能稳定,易加工,复现

性好,便于成批生产,有良好的互换性。

1. 对热电极材料的要求

①在测温范围内,热电性能稳定,不随时间变化。温度测量范围广,要求在规定的温度测量范围内有较高的测量精确度,有较大的热电动势;

②在测温范围内,热电极材料要有足够的物理、化学稳定性,不易氧化或腐蚀;

③电阻温度系数小,导电率要高;

④产生的热电势要大,因温度与热电动势的关系是单值函数,所以电势随温度变化应为线性或近似为线性;

⑤性能稳定,要求在规定的温度测量范围内使用时热电性能稳定,均匀性和复现性好,制造工艺简单,价格便宜;

⑥容易制成细丝过薄片,易焊接。

满足上述条件的热电偶材料并不很多。我国将性能符合专业标准或国家标准并具有统一分度表的热电偶材料称为定型热电偶材料。为了准确可靠地进行温度测量,必须对热电偶组成材料严格选择。

2. 标准热电偶

目前工业上常用的四种标准化热电偶材料为:铂铑$_{30}$ - 铂铑$_6$、铂铑$_{10}$ - 铂、镍铬 - 镍硅、镍铬 - 铜镍(我国通常称为镍铬 - 康铜)。组成热电偶的两种材料写在前面的为正极,后面的为负极。

标准化热电偶工艺上比较成熟,能批量生产、性能稳定、应用广泛,具有统一分度表并已列入国际和国家标准文件中的热电偶。标准化热电偶可以互相交换,精度有一定的保证。从1988年1月1日起,我国热电偶和热电阻的生产全部按国际电工委员会(IEC)的标准,并指定S,B,E,K,R,J,T七种标准化热电偶为我国统一设计型热电偶。但其中的 R 型(铂铑$_{13}$ - 铂)热电偶,因其温度范围与S型(铂铑$_{10}$ - 铂)重合,我国没有生产和使用。

八种国际通用热电偶:B:铂铑$_{30}$ - 铂铑$_6$、R:铂铑$_{13}$ - 铂 、S:铂铑$_{10}$ - 铂、K:镍铬 - 镍硅 、E:镍铬 - 铜镍、J:铁 - 铜镍、T:铜 - 铜镍。

(1)铂铑$_{30}$ - 铂铑$_9$ 热电偶(分度号 B)

它的正极是铂铑丝(铂70%,铑30%),负极也是铂铑丝(铂94%,铑6%),俗称双铂铑。测量温度最高长期可达1 600 ℃,短期可达1 800 ℃。优点是材料性能稳定,测量精度高,测温上限高。缺点是在还原性气体中易被侵蚀,成本高。

铂——Pt$_{78}$,性软,易受机械处理,溶点1 772 ℃,化学性质稳定,但溶于王水(硝酸和盐酸1:3 混合)。铂族元素有:钌、锇、铑、铱、钯、铂,溶点都在1 500 ℃以上,性质稳定,在自然界中多以游离态存在。

金——Au$_{79}$,延展性强,比重19. 32,熔点1 064 ℃,在空气中极稳定,不溶于酸或碱,溶于王水及氯化钾、氯化钠溶液中。

(2)铂铑$_{10}$ - 铂热电偶(分度号 S)

正极是铂铑丝(铂90%,铑10%),负极是纯铂丝。测量温度最高长期可达1 300 ℃,短期可达1 600 ℃,一般用来测量1 000 ℃以上的高温。

其优点是材料性能稳定;测量准确度较高,可做成标准热电偶或基准热电偶;抗氧化性强,宜在氧化性、惰性气体中工作。其缺点是在高温还原性气体中(如气体中含 CO、H$_2$ 等)易被侵蚀,需要用保护套管;另外其热电极材料属贵金属,成本较高,热电势也较弱。国际温标中规定它为 630.74 ~ 1 064.43 ℃ 温度范围内复现温标的标准仪器。

（3）镍铬－镍硅热电偶（分度号 K）

其正极是镍铬合金（88.4% ~ 89.7% 镍、9% ~ 10% 铬、0.6% 硅、0.3% 锰、0.4% ~ 0.7% 钴），负极为镍硅（镍 95.7% ~ 97% 镍、2% ~ 3% 硅、0.4% ~ 0.7% 钴）。测温范围为 −200 ~ +1 300 ℃。

其优点是测温范围很宽、热电动势与温度关系近似线性、热电动势大、高温下抗氧化能力强、价格低，所以在工业上应用广泛；缺点是热电动势的稳定性和精度较 B 型或 S 型热电偶差，在还原性气体和含有 SO₂、H₂S 等气体中易被侵蚀。测量温度长期可达 1 000 ℃，短期可达 1 300 ℃。

（4）镍铬－铜镍热电偶（分度号 E）

正极是镍铬合金，负极是铜镍合金（铜 55%，镍 45%）。测温范围为 −200 ~ +1 000 ℃。优点是热电动势较其他常用热电偶大。适宜在氧化性或惰性气体中工作。

（5）铁－铜镍热电偶（分度号 J）

正极是铁，负极是铜镍合金。测温范围为 −200 ℃ ~ +1 300 ℃。

其特点是价格低、热电动势较大（仅次于 E 型热电偶）、灵敏度高（约为 53 μV/℃）、线性度好、价格便宜，可在 800 ℃ 以下的还原介质中使用。主要缺点是铁极易氧化。

（6）铜－铜镍热电偶（分度号 T）

正极是铜，负极是铜镍合金，测温范围为 −200 ℃ ~ +400 ℃，热电势略高于镍铬—镍硅热电偶，约为 43 μV/℃。其优点是精度高、复现性好、稳定性好、价格便宜；缺点是铜极易氧化，故在氧化性气体中使用时，一般不能超过 300 ℃。

在 0 ℃ ~ −100 ℃ 范围内，铜—铜镍热电偶已被定为三级标准热电偶，用以检测低温仪表的精度，误差不超过±0.1 ℃。

除了标准型热电偶，还有非标准型热电偶也在使用。

3. 非标准型热电偶

（1）铱和铱合金热电偶

如铱₅₀铑－铱₁₀钌、铱铑₄₀－铱、铱铑₆₀－铱热电偶。它能在氧化环境中测量高达 2 100 ℃ 的高温，且热电动势与温度关系线性好。

（2）钨铼热电偶

这是 20 世纪 60 年代发展起来的一种热电组，是目前一种较好的高温热电偶，可使用在真空惰性气体介质或氢气介质中，但高温抗氧能力差。

国产钨铼₃－钨铼₂₅、钨铼－钨铼₂₀ 热电偶使用温度范围在 300 ~ 2 000 ℃，分度精度为 1%。主要用于钢水连续测温、反应堆测温等场合。

（3）金铁－镍铬热电偶：主要用在低温测量，可在 2 ~ 273 K 范围内使用，灵敏度约为 10 μV/℃。

（4）钯－铂铱₁₅热电偶：

是一种高输出性能的热电偶，在 1 398 ℃ 时的热电势为 47.255 mV，比铂铑₁₀－铂热电偶在同样温度下的热电势高出三倍，因而可配用灵敏度较低的指示仪表，常应用于航空工业。

热电偶的热电动势与温度之关系表，称之为分度表。表 7－2、表 7－3 分别给出了铂铑₁₀－铂热电偶（分度号 S）和镍铬－镍硅热电偶（分度号 K）型热电偶的分度表。从表中可以看出,不同的热电偶在相同温度下有不同的新电动势。

表7-2 铂铑$_{10}$-铂热电偶(分度号S)型热电偶的分度表

测量端温度/℃	0	10	20	30	40	50	60	70	80	90
	热电动势/mV									
0	0.000	0.055	0.113	0.173	0.235	0.299	0.365	0.432	0.502	0.573
100	0.645	0.719	0.795	0.872	0.950	1.029	1.109	1.190	1.273	1.356
200	1.440	1.525	1.611	1.698	1.785	1.873	1.962	2.051	2.141	2.232
300	2.323	2.414	2.506	2.599	2.692	2.786	2.880	2.974	3.069	3.164
400	3.260	3.356	3.452	3.549	3.645	3.743	3.840	3.938	4.036	4.135
500	4.234	4.333	4.432	4.532	4.532	4.732	4.832	4.933	5.034	5.136
600	5.237	5.339	5.442	5.544	5.648	5.751	5.855	5.950	6.064	5.169
700	6.274	6.380	6.486	6.592	6.699	6.805	6.913	7.020	7.128	7.235
800	7.345	7.454	7.563	7.672	7.782	7.892	8.003	8.114	8.225	8.335
900	8.448	8.560	8.673	8.756	8.899	9.012	9.126	9.240	9.355	9.470
1 000	9.585	9.700	9.816	9.932	10.048	10.165	10.282	10.400	10.517	10.635
1 100	10.754	10.872	10.991	11.110	11.229	11.348	11.457	11.587	11.707	11.827
1 200	11.947	12.067	12.188	12.308	12.429	12.550	12.671	12.792	12.913	13.034
1 300	13.155	13.276	13.397	13.519	13.640	13.761	13.883	14.004	14.125	14.247
1 400	14.368	14.489	14.610	14.731	14.852	14.973	15.094	15.215	15.336	15.456
1 500	15.576	15.697	15.817	15.937	16.057	16.176	16.296	16.115	16.534	16.653
1 600	16.771	16.890	17.008	17.125	17.245	17.360	17.477	17.594	17.711	17.826

表7-3 镍铬-镍硅热电偶(分度号K)型热电偶分度表

测量端温度/℃	0	10	20	30	40	50	60	70	80	90
	热电动势/mV									
-0	-0.000	-0.392	-0.777	-1.156	1.527	-1.889	-2.243	-2.586	-2.920	-3.242
+0	0.000	0.397	0.798	1.203	1.611	2.022	2.436	2.850	3.266	3.581
100	4.095	4.508	4.919	5.327	5.733	6.137	6.539	6.939	7.338	7.737
200	8.137	8.537	8.938	9.341	9.745	10.151	10.560	10.969	11.381	11.793
300	12.207	12.623	13.039	13.456	13.874	14.292	14.712	15.132	15.552	15.974
400	16.395	16.818	17.241	17.664	18.088	18.513	18.938	19.363	19.788	20.214
500	20.640	21.065	21.493	21.919	22.346	22.772	23.198	23.624	24.050	24.476
600	24.902	25.327	25.751	26.176	26.599	27.022	27.445	27.867	28.288	28.709
700	29.128	29.547	29.965	30.383	30.799	31.214	31.629	32.042	32.455	32.866

表 7 – 3 （续）

测量端温度/℃	0	10	20	30	40	50	60	70	80	90
	热电动势/mV									
800	33.277	33.686	34.095	34.502	34.909	35.314	35.718	36.121	36.524	36.925
900	37.325	37.724	38.122	38.519	38.915	39.310	39.703	40.096	40.488	40.897
1 000	41.269	41.657	42.045	42.432	42.817	43.202	43.585	43.968	44.349	44.729
1 100	45.108	45.486	45.863	46.238	46.612	46.985	47.356	47.726	48.095	48.452
1 200	48.828	49.192	49.555	49.916	50276	50.633	50.990	51.344	51.697	52.049
1 300	52.398									

7.2.4 热电偶的结构

为保证热电偶的正常工作,热电偶的两极之间以及与保护套管之间都需要良好的电绝缘,而且耐高温、耐腐蚀和冲击的外保护套管也是必不可少的。

1. 普通工业用装配式热电偶

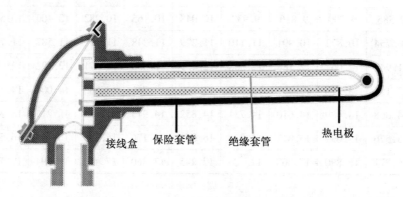

图 7 – 7　工业用装配式热电偶结构示意图

普通热电偶可用于测量气体、液体等介质的温度,已形成标准,应用范围广。

法兰式热电偶适用于固定深度测量;活动螺纹固定式适用于具有压力对象测量,一般压力在 10^7 Pa 以下。锥型热电偶适用于较高压力的测量对象,在 3×10^7 Pa 以下。

2. 铠装(或套管式)热电偶的结构

铠装(或套管式)热电偶由热电偶丝、绝缘材料,金属套管三者拉细组合而成一体,如图 7 – 8 所示。又由于它的热端形状不同,可分为两种形式如图 7 – 9 所示。

铠装热电偶是将热电极,绝缘材料和保护管三者合成一体的特殊结构热电偶,可以做得很长,根据测量需要,任意弯曲,一般分为单芯和双芯。铠装热电偶的制造工艺把热电极材料与高温绝缘材料预置在金属保护管中、运用同比例压缩延伸工艺、将这三者合为一体,制成各种直径、规格的铠装偶体,再截取适当长度,将工作端焊接密封、配置接线盒即成为柔软、细长的铠装热电偶。其直径在 1 ~ 3 mm 内,套管外壁厚为 0.12 ~ 0.60 mm 之间,内部热电极直径 0.2 ~ 0.8 mm,单芯的外壳作为热电偶一极。这种热电偶耐高压、反应时间短、

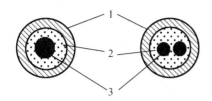

图 7 - 8 铠装热电偶断面结构示意图

1—金属套管;2—绝缘材料;3—热电极

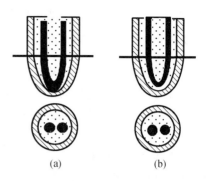

图 7 - 9 热电偶断面结构示意图

(a)接壳式;(b)绝缘式

坚固耐用。内部的热电偶丝与外界空气隔绝,有着良好的抗高温氧化、抗低温水蒸气冷凝、抗机械外力冲击的特性。动态响应快,时间常数 10 ms,热容量小,对被测对象影响小,柔性好,可以任意弯曲,强度高,长度可达 100 m,直接上显示仪表,不必另加补偿导线。铠装热电偶可以制作得很细,能解决微小、狭窄场合的测温问题,且具有抗震、可弯曲、超长等优点。

3. 快速反应薄膜热电偶

常用真空蒸镀等方法使两种热电极材料蒸镀到绝缘板上来制作薄膜装热电偶。其热接点极薄(0.01 ~ 0.1 μm)。特别适用于对壁面温度的快速测量。反应时间仅为几毫秒。

薄膜热电偶是由两种薄膜连接在一起的特殊结构的热电偶。制作方法可通过真空镀、化学涂层等来实现,厚度一般为 0.01 ~ 0.1 m,动态响应快,时间常数可达 S 级。分为片状热电偶和针状热电偶。片状热电偶用于低温测量 - 200 ~ 300 ℃,一般用云母做绝缘。针状热电偶取一热电极材料做成针状,另一电极材料则用真空蒸镀的方法覆盖在针状电极表面,两电极之间用涂层绝缘。热电极材料直接蒸镀在被测表面上的薄膜热电偶,镀层极薄,反应速度快,不影响被测表面温度分布。

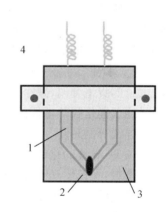

图 7 - 10 快速反应薄膜热电偶

1—热电极;2—热接点;
3—绝缘基板;4—引出线

4. 表面热电偶

表面热电偶主要用于现场流动的测量,广泛用于纺织、印染、造纸、塑料及橡胶工业;探头有各种形状(弓形、薄片形等),以适应于不同物体表面测温用。在其把手上装有动圈式仪表,读数方便。测量温度范围有 0 ~ 250 ℃ 和 0 ~ 600 ℃ 两种。

5. 防爆热电偶

在石油、化工、制药工业中,生产现场有各种易燃、易爆等化学气体,这时需要采用防爆热电偶。它采用防爆型接线盒,有足够的内部空间、壁厚及机械强度,其橡胶密封圈的热稳定性符合国家的防爆标准。因此,即使接线盒内部爆炸性混合气体发生爆炸,其压力也不会破坏接线盒,是其产生的热能不能向外扩散传爆,可达到可靠的防爆效果。

7.2.5 热电偶的冷端温度补偿

热电偶的热电势大小不仅与热端的温度有关,也与冷端温度有关,只有当冷端温度恒定时,才可通过测量热电势的大小得到热端的温度。当热电偶冷端处在温度波动较大的地方时,必须首先使用补偿导线将冷端延长到一个温度稳定的地方,再考虑将冷端处理为 $0 \ ℃$。

在实际应用中,热电偶的参比端往往不是 $0 \ ℃$,而是环境温度,这时测量出的回路热电势要相对较小,因此必须加上环境温度与冰点之间温差所产生的热电势后才能符合热电偶分度表的要求。

当热端温度为 T 时,分度表所对应的热电势 $E_{AB}(T,0)$ 与热电偶实际产生的热电势 $E_{AB}(T,T_0)$ 之间的关系由中间温度定律得 $E_{AB}(T_0) = E_{AB}(T,T_0) + E_{AB}(T,T_0)$。由此可见 $E_{AB}(T,0)$ 是冷端温度的电动势,因此需要对热电偶冷端温度进行处理。

1. 补偿导线

补偿导线是指在一定的温度范围内($0 \sim 150 \ ℃$),其热电性能与相应热电偶的热电性能相同的廉价导线。采用补偿导线,可将热电偶的自由端延伸到远离高温区的地方,从而使自由端的温度相对稳定。

工业现场测温时,由于热电偶的长度有限,一般为 $350 \sim 2\ 000$ mm,所以冷端温度直接受到被测介质和周围环境的影响,不仅很难保持在 $0 \ ℃$,而且经常波动,需要采用冷端延长线(或称冷端补偿导线)进行补偿。此时需要把热电偶输出的电势信号传输到远离现场数十米远的控制室里的显示仪表或控制仪表,这样冷端温度才能比较稳定。在 $0 \sim 100 \ ℃$ 温度范围内,应要求补偿导线和所配热电偶具有相同的热电特性。由此可见,使用补偿导线可以节约大量的贵重金属,减小热电偶回路的电阻,而且柔软易弯便于敷设安装,但同时,使用补偿导线仅能延长热电偶的自由端,对测量电路不起任何温度补偿作用。

补偿导线分两种:

①延长型:导线的化学成分与被补偿的热电偶相同;

②补偿型:补偿型导线的化学成分与被测热电偶不同。

补偿导线的作用:用廉价的补偿导线作为贵金属热电偶的延长导热电偶的参比端迁移至离被侧对象较远且环境温度较恒定的地方,有利于参比端温度的修正和导线的节省,以节约贵金属热电偶;

减少测量误差:用粗直径和导电系数大的补偿导线作为热电偶的延长线,可减小热电偶回路电阻,以利于动圈式显示仪表的正常工作。

应注意的问题:各种延长线只能与相应型号的热电偶配用,而且必须在规定的温度范围内使用;注意极性的正与负,不能接反,否则会造成更大的误差;延长线与热电偶连接的两个接点温度必须相同。常用补偿导线如表 7 - 4 所示。

表7-4 常用补偿导线

热电偶类型	补偿导线类型	补偿导线	
		正极	负极
铂铑₁₀-铂	铜-铜镍合金	铜	铜镍合金(镍的质量分数为0.6%)
镍铬-镍硅	I型:镍铬-镍硅	镍铬	镍硅
镍铬-镍硅	II型:铜-康铜	铜	康铜
镍铬-康铜	镍铬-康铜	镍铬	康铜
铁-康铜	铁-康铜	铁	康铜
铜-康铜	铜-康铜	铜	康铜

使用补偿导线时应注意的问题:

补偿导线只能用在规定的温度范围内(0~100 ℃),热电偶和补偿导线的两个接点处要保持温度相同,不同型号的热电偶配有不同的补偿导线,补偿导线的正、负极需分别与热电偶正、负极相连,补偿导线的作用是对热电偶冷端进行延长。

【例7-3】 采用镍铬-镍硅热电偶测量炉温,热端温度为800 ℃,冷端温度为50 ℃。

为了进行炉温的调节与显示,必须将热电偶产生的热电动势信号送到仪表室,仪表室的环境温度恒为20 ℃。

首先由镍铬-镍硅热电偶分度表查出它在冷端温度为0 ℃,热端温度分别为800 ℃,50 ℃,20 ℃时的热电动势:

$$E(800,0) = 323.77 \text{ mV}$$
$$E(50,0) = 2.022 \text{ mV}$$
$$E(20,0) = 0.798 \text{ mV}$$

如果热电偶与仪表之间直接用铜导线连接,根据中间温度定律,输入仪表的热电动势为:

$$E(800,50) = E(800,0) - E(50,0)$$
$$= (33.277 - 2.022) \text{mV}$$
$$= 31.255 \text{ mV}$$

如果在热电偶与仪表之间用补偿导线连接,相当于将热电极延伸到仪表室,输入仪表的热电动势为

$$E(800,20) = E(800,0) - E(20,0)$$
$$= (33.277 - 0.798) \text{mV}$$
$$= 32.479 \text{ mV}$$

通过查分度表可知,对应32.479 mV的温度是781 ℃,与炉内真实温度相差19 ℃。

2. 冷端恒温法

将热电偶的冷端置于冰点槽内(冰水混合物),使冷端温度处于0 ℃,如图7-11所示。为了避免冰水导电引起两个连接点短路,必须把连接点分别置于两个玻璃试管里,浸入同一冰点槽,使其相互绝缘。在实验室及精密测量中,通常把参考端放入装满冰水混合物的容器中,以使参考端温度保持0 ℃,这种方法又称冰浴法。这种装置通常用于实验室或精密的温度测量。

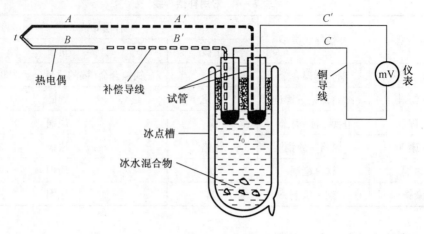

图 7-11 冰点槽法

还有使用其他恒温器将热电偶的冷端置于各种恒温器内,使之保持温度恒定,避免由于环境温度的波动而引入误差。这类恒温器可以是盛有变压器油的容器,利用变压器油的热惰性保持恒温;也可以是电加热的恒温器。这类恒温器的温度不是 0 ℃,所以最后还需对热电偶进行冷端温度修正。

3. 计算修正法

若冷端温度恒定,但并非 0 ℃,要使测出的热电动势只反映热端的实际温度,则必须对温度进行修正。修正公式如下:

$$E_{AB}(T,T_0) = E_{AB}(T,T_1) + E_{AB}(T_1,T_0)$$

【例 7-4】 用镍铬—镍硅热电偶测某一水池内水的温度,测出的热电动势为 2.436 mV。再用温度计测出环境温度为 30 ℃(且恒定),求池水的真实温度。

解 由镍铬—镍硅热电偶分度表查出 $E_{AB}(30,0) = 1.203$ mV,所以

$$E_{AB}(T,0) = E_{AB}(T,30) + E_{AB}(30,0)$$
$$= 2.436 \text{ mV} + 1.203 \text{ mV} = 3.639 \text{ mV}$$

查分度表知其对应的实际温度为 $T = 88$ ℃。即池水的真实温度是 88 ℃。

4. 电桥补偿(又称冷端补偿器)法

如图 7-12 所示,补偿电桥是一个直流不平衡电桥,它由 3 个温度系数较小的电阻 R_1,R_2,R_3,温度系数较大的电阻 R_{Cu} 和稳压电源组成。补偿电桥与热电偶参考端处于同一环境温度,设计时使电桥按 t_0 等于 20 ℃(或 0 ℃)处于平衡状态,此时 A,B 两端无输出电压。当环境温度变化时,热电偶冷端温度随之变化,使热电动势发生改变,此时 R_{Cu} 的阻值也随温度的变化而变化,电桥平衡被破坏,A、B 两端有不平衡电压输出,不平衡电压与热电偶的热电动势叠加在一起输入测量仪表。适当选取桥臂电阻和桥路电流,就可以使电桥产生的不平衡电压 U_{ab},正好补偿由于参考端温度变化引起的热电动势的变化量,从而达到补偿的目的。

5. 显示仪表零位调整法

当热电偶通过补偿导线连接显示仪表时,如果热电偶冷端温度不是 0 ℃,但十分稳定(如恒温车间或有空调的场所),可预先将有零位调整器的显示仪表的指针从刻度的初始值调至已知的冷端温度值上,这时显示仪表的示值即为被测量的实际温度值。

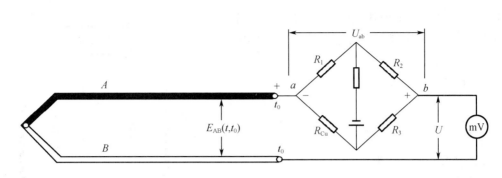

图 7-12 补偿电桥

6. 软件处理法

对于计算机系统,不必全靠硬件进行热电偶冷端处理。例如冷端温度恒定但不为 0 ℃ 的情况,只需在采样后加一个与冷端温度对应的常数即可。

对于 T_0 经常波动的情况,可利用热敏电阻或其他传感器把 T_0 信号输入计算机,按照运算公式设计一些程序,便能自动修正。

7.2.6 热电偶测温线路

1. 测量某点温度的基本电路

测量某点温度的基本电路,如图 7-13 所示,在实际使用时把补偿导线一直延伸到配用仪表的接线端子上。这时,从而冷端温度即仪表接线端子所处的环境温度。热电偶在测温时,也可以与温度补偿器连接,转换成标准电流输出信号。

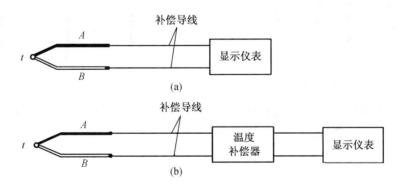

图 7-13 测量温度的基本电路

2. 测量两点之间的温度差

测量两点之间温度差的测温电路如图 7-14 所示,是用两个相同的热电偶,配以相同的补偿导线,这种连接方式应使各自产生的热电动势互相抵消,仪表可以测量 t_1 和 t_2 之间的温度差。显示仪表的显示值为

$$E_{AB}(t_1, t_2) = E_{AB}(t_1, t_0) - E_{AB}(t_2, t_0)$$

3. 测量平均温度的线路

测量平均温度的线路如图 7-15 所示,输入到仪表两端的毫伏值为三个热电偶输出热电动势的平均值。若三个热电偶均工作在特性曲线的线性部分时,则代表了测量点温度的

算术平均值,为此,每个热电偶需串联较大电阻。它的特点是仪表的分度仍和单独配用一个热电偶时一样。

$$E = \frac{E_1 + E_2 + E_3}{3}$$

$$= \frac{E_{AB}(t_1, t_0) + E_{AB}(t_2, t_0) + E_{AB}(t_3, t_0)}{3}$$

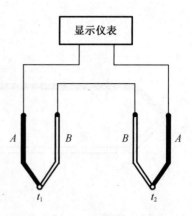

4. 测量几点温度之和的线路

如图7-16,通过输入到仪表两端的热电动势的总和,可直接从仪表读出各点温度之和。获得的热电动势较大,仪表的灵敏度大大增加,且避免了热电偶并联线路存在的缺点,可立即发现有断路。只要有一支热电偶断路,整个测温系统将停止工作。此外,应用此电路工作

图 7-14 测量温度差的线路

时,每个热电偶引出的补偿导线还必须回到仪表的冷端处理。显示仪表的显示值为

$$E = E_1 + E_2 + E_3$$
$$= E_{AB}(t_1, t_0) + E_{AB}(t_2, t_0) + E_{AB}(t_3, t_0)$$

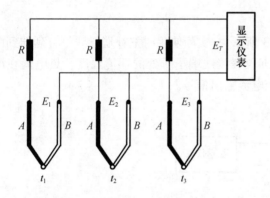

图 7-15 测量平均温度的线路

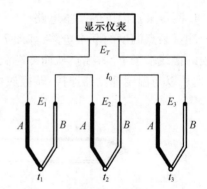

图 7-16 测量温度之和的线路

7.3 热电阻温度传感器

金属热电阻传感器一般被称作热电阻传感器,它利用金属导体的电阻值随温度的变化而变化的原理进行测温。热电阻是利用导体材料的电阻随温度变化而变化的特性来实现对温度的测量的。金属热电阻的主要材料是铂和铜。它是中低温区最常用的一种温度检测器。它的主要特点是测量精度高,性能稳定。铂热电阻的测量精确度是其中最高的,它不仅广泛应用于工业测温,而且被制成标准的基准仪。热电阻广泛用来测量 -220~+850 ℃范围内的温度,少数情况下,低温可测量至 1 K(-272 ℃),高温可测量至 1 000 ℃。

热电阻的材料要求:电阻温度系数要大;电阻率尽可能大,热容量要小,在测量范围内应具有稳定的物理和化学性能;电阻与温度的关系最好接近于线性;应有良好的可加工性,价格便宜。

7.3.1　常用热电阻

1. 铂电阻

铂电阻温度计由于精度高,广泛用于温度基准标准 铂电阻的特点是在较宽的温度范围内,物理、化学稳定性较好,特别是在抗氧化能力方面。复制性好,有良好的工艺性。电阻率较高。线性度好。所以在温度传感器中得到了广泛应用。铂电阻的应用范围为 $-200 \sim +850 \ ℃$。

在 $0 \sim 630.74 \ ℃$ 范围内,金属铂电阻阻值与温度变化之间的关系可以近似用下式表示:

$$R_t = R_0 [1 + At + Bt^2 + Ct^3]$$

在 $-200 \sim 0 \ ℃$ 范围内,金属铂的电阻值与温度的关系为

$$R_t = R_0 [1 + At + Bt^2 + C(t-100)^3]$$

式中　R_t——温度在 t 时的电阻值;

　　　R_0——温度在 0 时的电阻值;

　　　A, B, C——分度系数 $A = 3.968\ 47 \times 10^{-2}/℃$, $B = -5.847 \times 10^{-7}/℃$, $C = -4.22 \times 10^{-12}/℃$。可以看出,它们的高次项很小。

铂电阻在 $0 \sim 100 \ ℃$ 时的最大非线性偏差小于 $0.5 \ ℃$;R_0 不同,R_t 与 t 的关系也不同。国内统一设计的工业用标准铂电阻,R_0 分为 $50 \ \Omega$ 和 $100 \ \Omega$ 两种,分度号分别为 Pt_{50} 和 Pt_{100},其分度表给出阻值和温度的关系,如表 7-5 所示。

表 7-5　铂热电阻分度表

工作端温度/℃	Pt_{100}	工作端温度/℃	Pt_{100}	工作端温度/℃	Pt_{100}
-50	80.31	100	138.51	250	194.10
-50	80.31	100	138.51	250	194.10
-40	84.27	110	142.29	260.	197.71
-30	88.22	120	146.07	270	201.31
-20	92.16	130	149.83	2800	204.90
-10	96.09	140	153.58	290	208.48
0	100.00	150	157.33	300	212.05
10	103.90	160	161.05	310	215.61
20	107.79	170	164.77	320	219.15
30	111.67	180	168.48	330	222.68
40	115.54	190	172.17	340	226.21
50	119.40	200	175.86	350	229.72
60	123.24	210	179.53	360	233.21
70	127.08	220	183.19	370	236.70
80	130.90	230	186.84	380	240.18
90	134.71	240	190.47	390	243.64

铂容易提纯,其物理、化学性能在高温和氧化性介质中很稳定。铂电阻的输出－输入特性接近线性,且测量精度高,所以它能用作工业测温元件和作为温度标准。铂电阻的精度与铂的提纯程度有关。百度电阻比 $W(100) = \dfrac{R_{100}}{R_0}$, $W(100)$ 越高,表示铂丝纯度越高,国际实用温标规定,作为基准器的铂电阻, $W(100) \geqslant 1.3925$,目前技术水平已达到 $W(100) = 1.3930$,工业用铂电阻的纯度 $W(100)$ 为 $1.387 \sim 1.390$。

按国际温标 IPTS－68 规定,在 $-259.34 \sim 630.73$ ℃ 温域内,以铂电阻温度计作基准器。

2. 铜热电阻

在 $-50 \sim 150$ ℃ 范围内,铜电阻化学、物理性能稳定,输出—输入特性接近线性,价格低廉。温度范围内线性关系好,灵敏度比铂电阻高,容易提纯、加工,价格便宜,复制性能好。但因其易于氧化,一般只用于 150 ℃ 以下的低温测量和没有水分及无侵蚀性介质的温度测量。铜电阻阻值与温度变化之间的关系可近似表示为:

$$R_t = R_0(1 + \alpha t)$$

与铂相比,铜的电阻率低,所以铜电阻的体积较大,热惯性大,在 100 ℃ 以上时易氧化。工业上使用的标准化铜热电阻的 R_0,按国内统一设计取 50 Ω 和 100 Ω 两种,分度号分别为 Cu_{50} 和 Cu_{100},相应的分度表可查阅相关资料。

3. 其他热电阻

(1)铟电阻

铟电阻用 99.999% 高纯度的铟丝绕成电阻,适宜在 $-269 \sim -258$ ℃ 温度范围内使用。实验证明,在 $4.2 \sim 15$ K 范围内,铟电阻的灵敏度比铂电阻高 10 倍。

铟电阻的缺点是材料软,复制性差。

(2)锰电阻

锰电阻适宜在 $-271 \sim -210$ ℃ 温度范围内使用。其优点是在 $2 \sim 63$ K 温度范围内电阻随温度变化大,灵敏度高;缺点是材料脆,难拉成丝。

(3)碳电阻

碳电阻适宜在 $-273 \sim -268.5$ ℃ 温度范围内使用。其优点是热容量小,灵敏度高,价格低廉,操作简便。但是碳电阻的热稳定性较差。

7.3.2　热电阻的结构和测量电路

1. 热电阻的结构

热电阻的结构一般比较简单,将电阻丝绕在云母、石英、陶瓷、塑料等绝缘骨架上,经过固定,外边再加上保护套管,如图 7－17 所示。热电阻主要由电阻体、绝缘管和接线盒等部分组成。其中电阻体为主要组成部分,由电阻丝、引出线和骨架等部分组成。

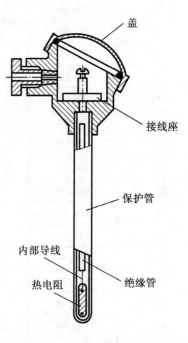

图 7－17　热电阻结构示意图

2. 热电阻测量线路

热电阻传感器的测量电路一般使用电桥电路。由于工业用热电阻安装在生产现场,离控制室较远,因此热电阻的引线对测量结果有较大影响。为此,工业上常三线式电桥连接法和四线式电阻测量电路。

三线制接法的电路原理图如图 7 – 18 所示。R_t 为热电阻, r_1, r_2, r_3 为引线电阻, R_1, R_2 为两桥臂电阻, $R_1 = R_2$, R_3 为调整电桥的精密电阻。M 表内阻很大,故电流近似为零。当 $U_A = U_B$ 时电桥平衡。若使 $r_1 = r_2$, 则 $R_3 = R_t$, 就可消除引线电阻的影响。

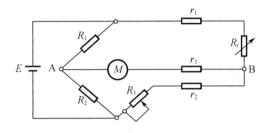

图 7 – 18　三线接法

四线式电阻测量电路如图 7 – 19 所示,因 $I_V \ll I_M$, $I_V \approx 0$, 又 $E_M = E + I_V(r_2 + r_3)$, 所以

$$R_t = \frac{E}{I}$$

$$= \frac{E_M - I_V(r_2 + r_3)}{I_M - I_V} \approx \frac{E_M}{I_M}$$

由上式知引线电阻 $r_1 \sim r_4$ 将不引起测量误差。电压表的值 E_M 可认为是热电阻 R_t 上的压降,据此可计算出微小温度变化。

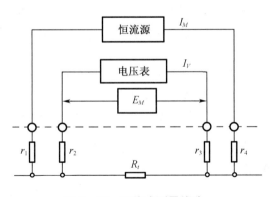

图 7 – 19　四线式测量线路

7.4　热敏电阻温度传感器

热敏电阻利用半导体的电阻值随温度的变化而显著变化的特性来实现测温。半导体热敏电阻有很高的电阻温度系数,其灵敏度比热电阻高得多。而且体积可以做得很小,故动态特性好,特别适于在 – 100 ~ 300 ℃ 之间测温。热敏电阻的缺点是互换性较差,另外其

热电特性是非线性的。

7.4.1 热敏电阻的工作原理

半导体热敏电阻简称热敏电阻,是一种新型的半导体测温元件。热敏电阻是利用某些金属氧化物或单晶锗、硅等材料,按特定工艺制成的感温元件。热敏电阻可分为三种类型,即正温度系数(PTC)热敏电阻、负温度系数(NTC)热敏电阻和在某一特定温度下电阻值会发生突变的临界温度电阻器(CTR)温度特性如图 7 - 20 所示。

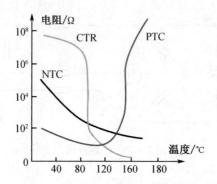

图 7 - 20 三类热敏电阻的温度特性

负温度系数热敏电阻(NTC)其电阻随温度升高而降低,具有负的温度系数,通常将NTC 称为热敏电阻。主要由 Mn,Co,Ni,Fe,Cu 等过渡金属氧化物混合烧结而成。它应用在点温、表面温度、温差、温场等测量自动控制及电子线路的热补偿线路上。

正温度系数的热敏电阻器(PTC)其电阻随温度增加而增加,常应用在彩电消磁,各种电器设备的过热保护,发热源的定温控制,限流元件等方面上。

临界温度系数热敏电阻(CTR)其特点是在某一温度时,电阻急剧降低,因此可作为温度开关。它是以三氧化二钒与钡、硅等氧化物,在磷、硅氧化物的弱还原气氛中混合烧结而成。

热敏电阻的温度系数值远大于金属热电阻,所以灵敏度很高。同温度情况下,热敏电阻阻值远大于金属热电阻。所以连接导线电阻的影响极小,适用于远距离测量。热敏电阻 R_t—t 曲线非线性十分严重,所以其测量温度范围远小于金属热电阻。使用时应进行非线性修正。

7.4.2 热敏电阻的结构

热敏电阻是由一些金属氧化物,如钴(Co)、锰(Mn)、镍(Ni)等的氧化物采用不同比例配方高温烧结而成。热敏电阻主要由热敏探头、引线、壳体构成。电阻一般做成二端器件,但也有构成三端或四端的。根据不同的要求,可以把热电阻做成不同的形状结构,如图 7 - 21 所示,其形状有珠状、片状、杆状、垫圈状等。

7.4.3 热敏电阻的主要特性

1. 热敏电阻温度特性

负温度系数(NTC)热敏电阻是一种氧化物的复合烧结体,其电阻值随温度的增加而减

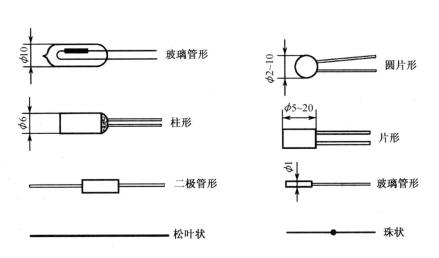

图 7 – 21 热敏电阻的结构类型

小。NTC 热敏电阻的阻值 – 温度关系曲线如图 7 – 22 所示。NTC 热敏电阻的阻值 – 温度关系为：

$$R_T = R_0 \ \text{exp} B_N \left(\frac{1}{T} - \frac{1}{T_0} \right)$$

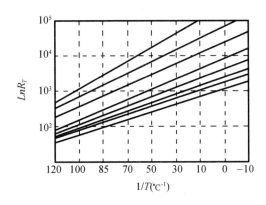

图 7 – 22 NTC 热敏电阻器的电阻 – 温度曲线

B_N 为热敏电阻的材料常数，一般 B_N 为 600 ~ 2 000 K，高温下 B_N 将增大。B_N 可表示为：

$$\ln R_T = B_N \left(\frac{1}{T} - \frac{1}{T_0} \right) + \ln R_0$$

图 7 – 22 中直线的斜率就是热敏电阻的材料常数 B_N。

为了使用方便，常取环境温度为 25 ℃作为参考温度（即 $T_0 = 25$ ℃），则 NTC 热敏电阻器的电阻—温度关系式可写成：

$$\frac{R_T}{R_{25}} = \text{exp} B_N \left(\frac{1}{T} - \frac{1}{298} \right)$$

PTC 的电阻—温度特性是利用正温度系数热敏材料在居里点附近结构发生相变引起导电率突变获得的，特性曲线如图 7 – 23 所示。由实验得到：在工作温度范围内，PTC 的电阻—温度特性可近似用下面的公式表示：

$$R_T = R_0 \exp B_P(T, T_0)$$

对上式取对数得：$\ln R_T = B_P(T, T_0) + \ln R_{T0}$，图 7 – 23 曲线的斜率即为 B_P：

$$B_P = \frac{\ln R_{T2} - \ln R_{T1}}{T_2 - T_1} = \tan\beta = \frac{m_R}{m_r}$$

2. 热敏电阻伏安特性

在稳态情况下，通过热敏电阻的电流 I 与其两端的电压 U 之间的关系如图 7 – 24 所示。

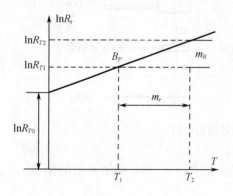

图 7 – 23 $\ln R_T$ – T 特性曲线

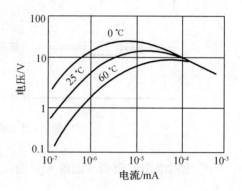

图 7 – 24 热敏电阻伏安特性

当流过热敏电阻的电流很小时，不足以使之加热。电阻值只决定于环境温度，伏安特性是直线，并遵循欧姆定律。其主要用来测温。当电流增大到一定值时，流过热敏电阻的电流使之加热，本身温度升高，出现负阻特性。因电阻减小，即使电流增大，端电压反而下降。它所能升高的温度与环境条件（周围介质温度及散热条件）有关。当电流和周围介质温度一定时，热敏电阻的电阻值取决于介质的流速、流量、密度等散热条件。可用它来测量流体速度和介质密度。

7.4.4 热敏电阻输出特性的线性化处理

对热敏电阻进行线性化处理的最简单方法是用温度系数很小的精密电阻与热敏电阻串或并联构成电阻网络（常称为线性化网络）代替单个热敏电阻，其等效电阻与温度呈一定的线性关系。

串联补偿电路原理如图 7 – 25 所示，图中热敏电阻 R_t 与补偿电阻 R_x 串联，串联后的等效电阻 $R = R_t + R_x$。只要 R_x 的阻值选择适当，可使温度在某一范围内与电阻的倒数成线性关系，所以电流 I 与温度 T 呈线性关系。

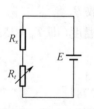
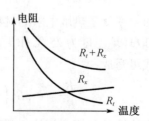

图 7 – 25 串联补偿电路

并联补偿电路如图 7 - 26 所示,图中热敏电阻 R_t 与补偿电阻 R_x 并联,其等效电阻 $R = R_t/R_x$。由图可知,R 与温度的关系曲线显得比较平坦。因此可以在某一温度范围内得到线性的输出特性。

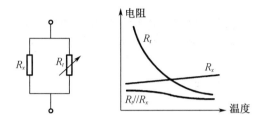

图 7 - 26 并联补偿电路

7.4.5 热敏电阻的基本参数

1. 标称电阻 R_H

标称电阻值是热敏电阻在 25 ± 0.2 ℃、零功率时的阻值,也叫冷电阻。称为额定电阻值或标称阻值,记作 R_{25},再将 85 ℃时的电阻值 R_{85} 作为 R_T。标称阻值常在热敏电阻上标出。R_{85} 也由厂家给出,其大小取决于热敏电阻的材料和几何尺寸。

2. B 值

将热敏电阻 25 ℃时的零功率电阻值 R_0 和 85 ℃时的零功率电阻值 R_T,以及 25 ℃ 和 85 ℃的绝对温度 $T_0 = 298$ K 和 $T_T = 358$ K 代入温度方程,可得:

$$B = 1\ 778\ \ln \frac{R_{25}}{R_{85}}$$

B 值称为热敏电阻常数,是表示负温度系数热敏电阻热灵敏度的量。B 值越大,负温度系数热敏电阻的热灵敏度越高。

3. 电阻温度系数 α

热敏电阻的温度每变化 1 ℃时电阻值的变化率叫做热敏电阻的电阻温度系数。单位为 J/℃,即

$$\sigma = \frac{1}{R_T}\frac{\mathrm{d}R_T}{\mathrm{d}T} = -\frac{B}{T^2}$$

由或可知:热敏电阻的温度系数为负值。温度减小,电阻温度系数 σ 增大。在低温时,负温度系数热敏电阻的温度系数比金属热电阻丝高得多,故常用于低温测量($-100 \sim 300$ ℃)。B 和 α 值是表征热敏电阻材料性能的两个重要参数,热敏电阻的电阻温度系数比金属丝的高很多,所以它的灵敏度很高。

4. 耗散系数 H

指热敏电阻的温度与周围介质的温度相差 1 ℃时热敏电阻所耗散的功率,单位为 mW /℃。

5. 时间常数 τ

负温度系数热敏电阻在零功率条件下放入环境温度中时,不可能立即变为与环境温度同温度。热敏电阻器在零功率测量状态下,当环境温度突变时电阻器的温度变化量从开始

到最终变量的 63.2% 所需的时间称为热敏电阻的时间常数。

6. 最高工作温度 T_{max}

热敏电阻器在规定的技术条件下长期连续工作所允许的最高温度。

7. 额定功率 P_E

在规定的技术条件下,热敏电阻长期连续使用所允许的耗散功率,单位为 W。在实际使用时,热敏电阻所消耗的功率不得超过额定功率。

7.5 集成温度传感器

集成温度传感器使传感器和集成电路融为一体,极大地提高了传感器的性能。它与传统的热敏电阻、热电阻、热电偶、双金属片等温度传感器相比,具有测温精度高、复现性好、线性优良、体积小、热容量小稳定性好、输出电信号大等优点。其最大优点是能直接给出正比于绝对温度的理想的线性输出,且,体积小、成本低廉。因此,它是现代半导体温度传感器的主要发展方向之一。目前,它已经被广泛应用于 $-50 \sim +150$ ℃温度范围内的温度监测、控制和补偿的许多场合。

电流型 IC 温度传感器是把线性集成电路和与之相容的薄膜工艺元件集成在一块芯片上,再通过激光修版微加工技术,制造出性能优良的测温传感器。这种传感器的输出电流正比于热力学温度,即 1 μA/K;且,因电流型输出恒流,所以传感器具有高输出阻抗,其值可达 10 MΩ。这为远距离传输深井测温提供了一种新型器件。且电流输出型温度传感器适合于遥测,电流输出型与电源负载串联,不受电源电压和导线电阻的影响,因此可以远距离传送。

电压型 IC 温度传感器是将温度传感器基准电压、缓冲放大器集成在同一芯片上,制成一个四端器件。因器件有放大器;故输出电压高、线性输出为 10 mV/℃;另外,由于其具有输出阻抗低的特性;抗干扰能力强,故不适合长线传输。这类 IC 温度传感器特别适合于工业现场测量。

7.5.1 集成温度传感器的测温原理

晶体管的 U_{be} 在 I_c 恒定条件下,被认为与温度呈线性关系;但实际上关系式中仍然存在非线性项,另外这种关系也不直接与任何温标(绝对、摄氏、华氏等)相对应。此外温敏晶体管 U_{be} 值在同一生产批量中,可能有 ±100 mV 的离散性。

因此集成温度传感器中均采用一对非常匹配的差分对管作为温度敏感元件,采用图 7 - 27 的电路形式,使其直接给出正比于绝对温度的严格的线性输出。

差分对管电路原理图如图 7 - 27 所示,电路中 VT1、VT2 是结构和性能完全相同的晶体管,它们分别在不同的集电极 I_{C1} 电流和 I_{C2} 下工作。由图 7 - 27 可见,R_1 的电压应为 VT1 和 VT2 的基极发射极电压差。

$$\Delta U_{be} = U_{be1} - U_{be2}$$

$$= U_{go} - \frac{kT}{q}\ln\frac{BT^{\gamma}}{I_{C1}} - U_{go} + \frac{kT}{q}\ln\frac{B'T^{\gamma}}{I_{C2}} = \frac{kT}{q}\ln\frac{I_{C1}}{I_{C2}}$$

由于两管集电极面积相等,因此,集电极电流比应等于集电极电流密度比,即:

$$\Delta U_{be} = \frac{kT}{q}\ln\frac{J_{C1}}{J_{C2}}$$

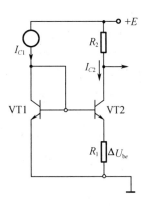

故只要保持两管的集电极电流密度之比不变，R_1 上的电压 ΔU_{be} 将正比于绝对温度 T。

若两管增益很高，则基极电流可以忽略不计，那么集电极电流等于发射极电流，则

$$I_{C2} \approx I_{e2} = \frac{\Delta U_{be}}{R_1} = \frac{kT}{qR_1}\ln\left(\frac{J_{C_1}}{J_{C_2}}\right)$$

即 I_{C2} 与 T 成正比。

因此 R_2 上的电压也正比于绝对温度 T。又因为 I_{C1}/I_{C2} 保持不变，则 I_{C1} 与 T 成正比，于是电路总电流 $I = (I_{C1} + I_{C2})$ 与 T 成正比。

图 7 – 27 差分对管电路

集成温度传感器按输出形式可分为电压型和电流型两种。电压型的温度系数为 10 mV/℃，电流型的温度系数为 1 μA/K。这就很容易从它们输出信号的大小换算成绝对温度，而且其输出电压或电流与绝对温度呈线性关系。此外，它们还具有绝对零度时输出电量为零的特性。

7.5.2 电流型集成温度传感器

1. 电流型集成温度传感器测量原理

图 7 – 28 所示电路常被称为电流镜 PTAT 核心电路。该电路是在差分对管电路的基础上，用两只 PNP 管分别与 VT1 和 VT2 串联组成所谓的电流镜，两 PNP 管具有完全相同的结构和性能，且发射极偏压相同，故流过 VT1 和 VT2 的集电极电流在任何温度下始终相等。

若 PTAT 核心电路中两管增益无穷大，则可忽略 I_c 随集电极电压 U_{be} 变化和基极电流的影响。为使 VT1 和 VT2 工作在不同的 J_c 下，两管必须采用不同的发射极面积。设 VT1 和 VT2 发射极面积之比 $\gamma = 8$，则两管的电流密度比为其面积的反比。只要在电路的两端施加高于 $2U_{be}$ 的电压，R_1 上得到的电压为

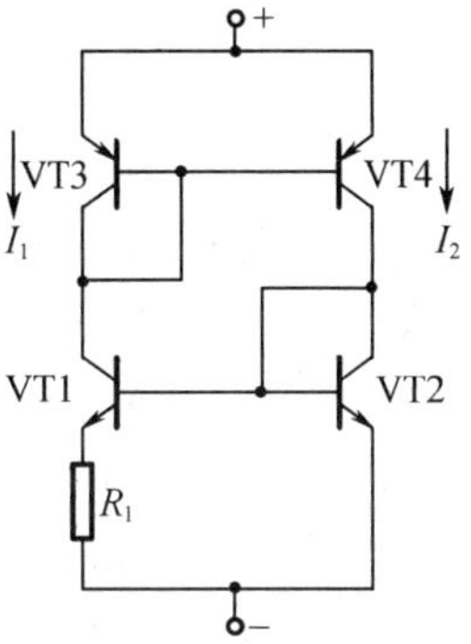

$$\Delta U_{be} = \frac{kT}{q}\ln\left(\frac{J_{C2}}{J_{C1}}\right) = \frac{kT}{q}\ln\gamma = \frac{kT}{q}\ln 8$$

图 7 – 28 电流输出型电路

故流过该电路的总电流为

$$I = 2I_1 = 2I_2 = \frac{2\Delta U_{be}}{R} = \frac{2kT}{qR_1}\ln 8$$

若电阻 R_1 的温度系数为零，则电路的总电流正比于绝对温度。若取 $R_1 = 358\ \Omega$，代入上式即可求得电路的输出灵敏度为 1 μA/K。

2. 集成温度传感器 AD590

美国 AD 公司生产的 AD590、我国产的 SG590 都是典型的电流输出型温度传感器。它们的基本电路与图 7 – 28 一样，只是还增加了一些附加电路以提高其性能。AD590 和 AD592 是电流输出，二端子 IC 温度传感器，测温范围为 −55 ~ +150 ℃，灵敏度为 1 μA/K，

V_{cc} 为 +4 V ~ +30 V。

AD590 是利用温度系数很小的电阻把 PTAT 电压变换成 PTAT 电流。利用晶体管的阻抗变换特性使集电极获取高阻抗电流输出，从而可串接阻抗很大的负载把信号放大，使电路的总电流与温度系数很小的电阻中的电流成固定比例关系，而与其制造工艺无关。

AD590 是电流输出型集成温度传感器的代表产品，如图 7 - 29 所示。工作直流为 +4 ~ +30 V，输出阻抗约为 10 MΩ，具有良好的互换性，在 - 55 ~ + 150 ℃ 范围内精度为 ± 1 ℃。此外，AD590 抗干扰能力强，不受长距离传输线压降的影响，信号的传输距离可达 100 m 以上。AD590 的灵敏度为 1 μA/K，在 0 ℃ 时将输出 273 μA 电流。

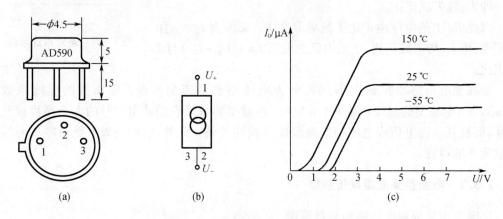

图 7 - 29   AD590 集成温度传感器
（a）外形；（b）电路符号；（c）输出特性

（1）基本应用电路

因为流过 AD590 的电流与热力学温度成正比，当电阻 R_1 和电位器 R_2 的电阻之和为 1 K 时，输出电压 V_o 随温度的变化为 1 mV/K。但由于 AD590 的增益有偏差，电阻也有误差，因此应对电路进行调整。调整的方法为：把 AD590 放于冰水混合物中，调整电位器 R_2，使 V_o = 273.2 mV。或在室温下（25 ℃）条件下调整电位器，使 V_o = 273.2 + 25 = 298.2 mV。但这样调整只可保证在 0 ℃ 或 25 ℃ 附近有较高精度。

（2）摄氏温度测量电路

电位器 R_2 用于调整零点，R_4 用于调整运放 LF355 的增益。调整方法如下：在 0 ℃ 时调整 R_2，使输出 V_o = 0，然后在 100 ℃ 时调整 R_4 使 V_o = 10 V。如此反复调整多次，直至 0 ℃ 时，V_o = 0 V，100 ℃ 时 V_o = 10 V 为止。最后在室温下进行校验，其电路原理图如 7 - 31 所示。例如，若室温为 25 ℃，那么 V_o 应为 2.5 V。冰水混合物是 0 ℃ 环境，沸水为 100 ℃ 环境。AD581 是高精度集成稳压器，输入电压最大为 40 V，输出 10 V。

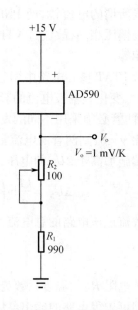

图 7 - 30   简单测温电路

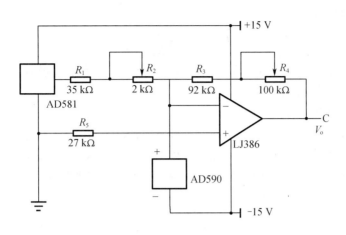

图 7 – 31 摄氏温度测量电路

（3）温差测量电路

温差测量电路如图 7 – 32 所示。两个传感器因温度不同而有不同的电流，它们的电流差值流向运放的输出，引起一定的输出电压

$$V_o = (T_1 - T_2) \times 1(\mu A/K) \times 10 \text{ k}\Omega$$
$$= (T_1 - T_2) \cdot 10 \text{ mV/K}$$

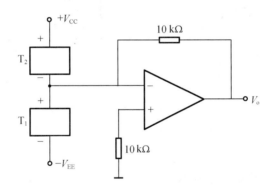

图 7 – 32 温差测量电路

7.5.3 电压型集成温度传感器

1. 电压型集成温度传感器测量原理

电压型集成温度传感器电路原理图如图 7 – 33 所示，在电流镜 PTAT 电路上加一个和 VT3 和 VT4 相同性质的 PNP 管 VT5（VT3，VT4，VT5 组成恒流源）和一只电阻 R_2，就构成了一种电压输出型的集成温度传感器的基本电路。

由于 VT5 的发射极电压及面积与 VT3 和 VT4 相同，所以流过 VT5 和 R_2 支路的电流与另两支路电流

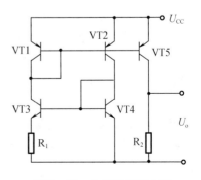

图 7 – 33 电压输出型电路

相等,因此输出电压为:

$$U_o = I_2 R_2 = \frac{R_2}{R_1}\frac{kT}{q}\ln\gamma$$

由此可见,只要 $R_1 : R_2$ 为一常数,就可以得到正比于绝对温度的输出电压 U_0,输出电压的温度灵敏度可由 $R_2 : R_1$ 和 γ 来调整。

2. LM35/45 系列温度传感器

LM35 集成温度传感器如图 7 – 34 所示,采用 +4 V以上的单电源供电时,不需要外接任何元件,无需调整,即可构成摄氏温度计,测量温度范围为 2 ~ 150 ℃。采用双电源供电时,测量温度范围为 – 55 ~ + 150 ℃(金属壳封装)和 – 40 ~ + 110 ℃(T092 封装)。

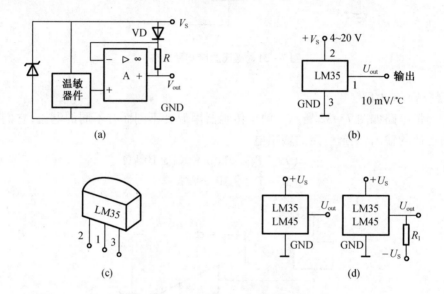

图 7 – 34   LM35/45 系列温度传感器
(a)内部原理图;(b)引脚功能;(c)外形封装;(d)摄氏温度计电路

7.5.4   数字温度传感器 DS18B20

1. 传感器 DS18B20 介绍

温度传感器 DS18B20 是美国 DALLAS 半导体公司最新推出的一种改进型智能温度传感器,与传统的热敏电阻等测温元件相比,它无需数模转换可以直接读出被测温度,并且可根据实际要求通过简单的编程实现 9 ~ 12 位的数字值读数方式。其测温范围为 – 55 ~ 125 ℃,最大分辨率可达 0.0625 ℃。而且它采用 1 – wire 与单片机相连,减少了外部的硬件电路。它体积更小、适用电压更宽、更经济。

Dallas 半导体公司的数字化温度传感器 DS18B20 也是世界上第一片支持"一线总线"接口的温度传感器。一线总线独特而且经济的特点,使用户可轻松地组建传感器网络,为测量系统的构建引入全新概念。DS18B20"一线总线"数字化温度传感器同 DS1820 一样,也支持"一线总线"接口,在 – 10 ~ + 85 ℃范围内,精度为 ±0.5 ℃。现场温度直接以"一线总线"的数字方式传输,大大提高了系统的抗干扰性。它适合于恶劣环境的现场温度测量,如环境控制、设备或过程控制、测温类消费电子产品等。与前一代产品不同,DS18B20 支持

3 ~ 5.5 V 的电压范围,使系统设计更灵活、方便。而且它更便宜,体积更小。DS18B20 可以程序设定 9 ~ 12 位的分辨率,精度为 ±0.5 ℃。可选更小的封装方式,更宽的电压适用范围。分辨率设定,及设定的报警温度存储在 EEPROM 中,掉电后依然保存。DS1822 与 DS18B20 软件兼容,是 DS18B20 的简化版本。它省略了存储用户定义报警温度、分辨率参数的 EEPROM,精度降低为 ±2 ℃,适用于对性能要求不高,成本控制严格的应用,是经济型产品。继"一线总线"的早期产品后,DS18B20 开辟了温度传感器技术的新概念。DS18B20 电压、特性及封装有更多的选择,让使用者可以构建适合自己的经济的测温系统。

DS18B20 采用 3 脚 PR - 35 封装或 8 脚 SOIC 封装,其内部结构框图如图 7 - 35 所示。

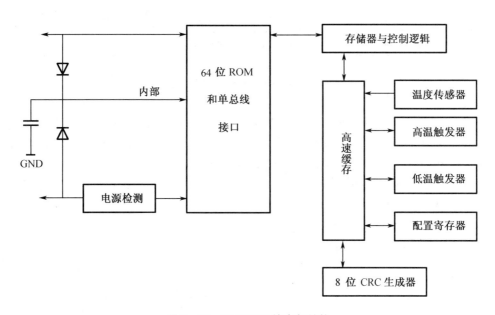

图 7 - 35   DS18B20 的内部结构

图 7 - 35 中,其结构主要由 64 位光刻 ROM、非挥发的温度报警触发器 TH 和 TL、温度传感器、配置寄存器四部分组成。64 位 ROM 的结构开始 8 位是产品类型的编号,接着是每个器件的唯一的序号,共有 48 位,最后 8 位是前面 56 位的 CRC 检验码,这也是多个 DS18B20 可以采用一线进行通信的原因。

2. DS18B20 的工作原理

DS18B20 的测温原理如图 7 - 36 所示。在图中低温度系数晶振的振荡频率受温度影响很小,用于产生固定频率的脉冲信号送给计数器 1。高温度系数晶振随温度变化其振荡率明显改变,所产生的信号作为计数器 2 的脉冲输入。计数器 1 和温度寄存器被预置了在 -55 ℃所对应的一个基数值。计数器 1 对低温度系数晶振产生的脉冲信号进行减法计数当计数器 1 的预置值减到 0 时,温度寄存器的值将加 1 计数器 1 的预置将重新被装入,计数器 1 重新开始对低温度系数晶振产生的脉冲信号进行计数,如此循环直到计数器 2 计数到 0 时,停止温度寄存器值的累加,此时温度寄存器中的数值即为所测温度。斜率累加器用于补偿和修正测温过程中的非线性,其输出用于修正计数器 1 的预置值。

系统对 DS18B20 的各种操作必须按协议进行。操作协议为:初始化 DS18B20(发复位脉冲)→发 ROM 功能命令→发存储器操作命令→处理数据。

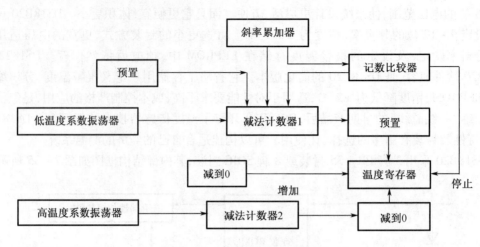

图 7 – 36　DS18B20 的工作原理

以 12 位转化为例说明温度高低字节存放形式及计算:12 位转化后得到的 12 位数据,存放在 DS18B20 的两个高低 8 位的 RAM 中,二进制中的前面 5 位是符号位。如果测得的温度大于 0,则这 5 位全为 0,只要将测得的数值乘以 0.062 5 即可得到实际温度;如果测得的温度小于 0,则这 5 位全为 1,测得的数值需要取反加 1 再乘以 0.062 5 才能得到实际温度。表 7 – 6 是部分采样值及其对应温度值:

表 7 – 6　部分采样值及其对应温度值

温度	二进制表示		十六进制表示
+ 125	0000 0111	1101 0000	07D0H
+ 25.062 5	0000 0001	1001 0001	0191H
+ 0.5	0000 0000	0000 1000	0008H
0	0000 0000	0000 0000	0000H
– 0.5	1111 1111	1111 1000	FFF8H
– 25.062 5	1111 1110	0110 1111	FE6FH
– 55	1111 1100	1001 0000	FC90H

DS18B20 完成温度转换后,就把测得的温度值与 TH、TL 作比较,若 T > TH 或 T < TL,则将该器件内的告警标志置位,并对主机发出的告警搜所命令作出响应。

3. DS18B20 的内部结构

DS18B20 外部结构图如图 7 – 37 所示,引脚定义:

1:GND 为电源地。

2:DQ 为数字信号输入/输出端。

3:V_{DD} 为外接供电电源输入端(在寄生电源接线方式时接地)。

其中电源供电 3.0 ~ 5.5 V,在寄生电源方式时接地,电路如

图 7 – 37　DS18B20
外部结构图

图 7-37 所示。当温度高于 100 ℃ 不能使用寄生电源,此时器件中较大的漏电流会使总线不能可靠检测高低电平,从而导致数据传输误码率的增大。

DS18B20 温度传感器的内部存储器还包括一个高速暂存 RAM 和一个非易失性的可电擦除的 EERAM。结构如表 7-7 所示。高速暂存 RAM 的结构为 8 字节的存储器,头 2 个字节包含测得的温度信息,第 3 和第 4 字节 TH 和 TL 的拷贝,是易失的,每次上电复位时被刷新。第 5 个字节,为配置寄存器,它的内容用于确定温度值的数字转换分辨率。DS18B20 工作时寄存器中的分辨率转换为相应精度的温度数值。该字节各位的定义如表 7-8 所示。

表 7-7 高速暂存 RAM 的结构

中间结果暂存 RAM	字节	非易失性电可擦除 RAM
温度 LSB	0 字节	
温度 MSB	1 字节	TH/用户使用字节 1
TH 用户字节 1	2 字节	
TL 用户字节 2	3 字节	
配置寄存器	4 字节	TL/用户使用字节 2
保留	5 字节	
保留	6 字节	
保留	7 字节	配置字节
CRC	8 字节	

表 7-8 DS18B20 字节定义

TM	R1	R0	1	1	1	1	1

DS18B20 字节低 5 位一直为 1,TM 是工作模式位,用于设置 DS18B20 在工作模式还是在测试模式,DS18B20 出厂时该位被设置为 0,用户要去改动,R1 和 R0 决定温度转换的精度位数,来设置分辨率。

由表 7-9 可知,DS18B20 温度转换的时间比较长,而且分辨率越高,所需要的温度数据转换时间越长。因此,在实际应用中应对分辨率和转换时间进行权衡考虑。

高速暂存 RAM 的第 6、7、8 字节保留未用,表现为全逻辑 1。第 9 字节读出前面所有 8 字节的 CRC 码,可用来检验数据从而保证通信数据的正确性。

当 DS18B20 接收到温度转换命令后,开始启动转换。转换完成后的温度值就以 16 位带符号扩展的二进制补码形式存储在高速暂存存储器的第 1、2 字节。单片机可以通过单线接口读出该数据,读数据时低位在先,高位在后,数据格式以 0.0625C/LSB 形式表示。

当符号位 S = 0 时,表示测得的温度值为正值,可以直接将二进制位转换为十进制;当符号位 S = 1 时,表示测得的温度值为负值,要先将补码变成原码,再计算十进制数值。表 7-9 是一部分温度值对应的二进制温度数据。

表7-9 DS18B20 温度转换时间表

R1	R0	分辨率/位	温度最大转向时间/ms
0	0	9	93.75
0	1	10	187.5
1	0	11	375
1	1	12	750

7.6 热电式传感器的应用

7.6.1 双金属温度计

双金属温度计如图7-38所示。基于固体受热膨胀原理,测量温度通常是把两片膨胀系数差异很大的金属片叠焊在一起,构成双金属片感温元件。当温度变化时,因双金属片的两种不同材料膨胀系数差异相对很大而产生不同的膨胀或收缩,导致双金属片产生弯曲变形。

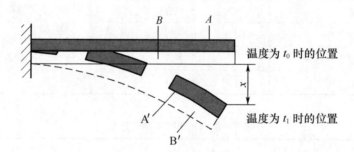

图7-38 双金属温度计敏感元件图

7.6.2 压力式温度计

压力式温度计如图7-39所示,是根据一定质量的液体、气体、蒸汽在体积不变的条件下其压力与温度呈确定的函数关系蒸气在体积不变的条件下,其压力与温度呈确定的函数关系而设计的。

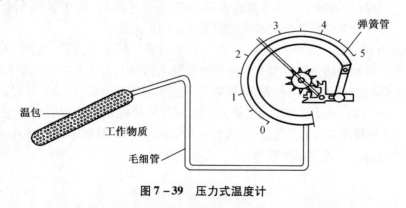

图7-39 压力式温度计

7.6.3　热电偶在盐浴炉温控中的应用

盐浴炉一般用于对精密仪器设备或大型设备的关键性部件进行淬火,常用温度在 800 ~ 1 500 ℃之间,对温度控制要求高,所以,对温度检测要求也高。因此,选用 S 型铂铑—铂热电偶,其测温范围为 0 ~ 1 600 ℃。热电偶温度检测与放大电路如图 7 - 40 所示。

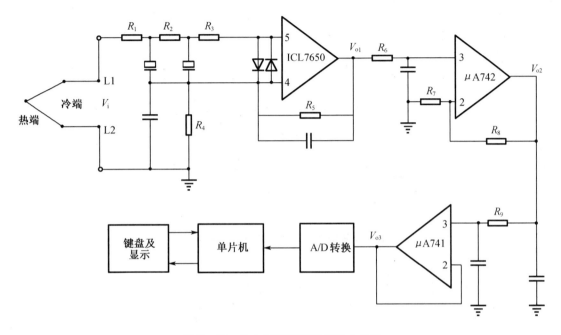

图 7 - 40　热电偶温度检测与放大电路

热电偶感应的热电势先经过自稳零高精度运算放大器 ICL7650,输出电压为

$$V_{o1} = \left[\left(R_4 + R_5 \right) \times V_i \right] / R_4$$

再由第二级运放 μA741 放大后,输出为:

$$V_{o2} = \left[\left(R_8 + R_7 \right) \times V_{o1} \right] / R_5$$

最后,由 μA741 构成的射极跟随器进行阻抗变换,以实现阻抗匹配。

7.6.4　温度上下限报警

图 7 - 41 中 R_t 为 NTC 热敏电阻,采用运算放大器构成迟滞电压比较器,当温度 T 等于设定值时,$U_{ab} = 0$,VT1,VT2 都截止。

当 T 升高时,R_t 减小。$U_{ab} > 0$,VT1 导通,LED_1 发光报警;

当 T 下降时,R_t 增加。$U_{ab} < 0$,VT2 导通,LED_2 发光报警。

7.6.5　电子节能灯及电子镇流器预热启动

电子节能灯及电子镇流器预热启动如图 7 - 42 所示,如果节能灯灯丝未经预热突加高压启动,则将导致灯丝材料严重溅射,使灯管提前发黑报废。使用 PTC 热敏电阻时,若在启动时先预热灯丝 1 s 左右,然后再加高压点亮灯管,就能有效地防止灯管两端发黑,同时能防止三极管等灯具线路元件受启动瞬间大电流及高反压冲击,使灯具寿命延长 10 倍以上。

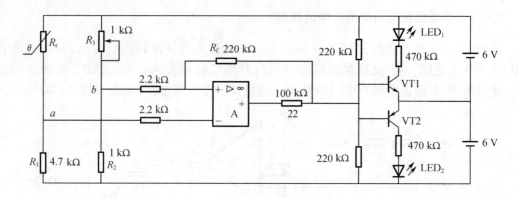

图 7 – 41　温度上下限报警电路

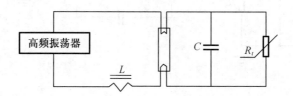

图 7 – 42　电子节能灯及电子镇流器预热启动示意图

7.6.6　热敏电阻在汽车水箱温度测量中的应用

图 7 – 43 所示为汽车水箱水温监测电路。其中 R_t 为负温度系数热敏电阻。温度升高，R_t 阻值减小，L_1 电流增大，L_2 电流减小，电表（温度表）指针偏转加大，指向高温。

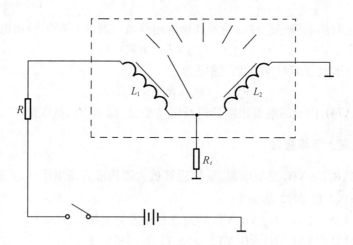

图 7 – 43　热敏电阻在汽车水箱温度测量电路

7.6.7　冰箱、冰柜专用温度传感器

冰箱、冰柜热敏电阻式温控电路如图 7 – 44 所示。A_1 组成开机检测电路，由 A_2 组成关机检测电路。周而复始地工作，达到控制电冰箱内温度的目的。

7.6.8 精密温差测量的电路

图 7 – 45 是一个实际的测量电路。图中 AD581 输出一个标准的 + 10.000 V 电压,R_{P1} 用来调零,R_{P2} 用来调满刻度。AD590 输出电流在 R_1 和 R_{P1} 上产生压降,该电压经过运算放大后输出。调整过程分别在 0 ℃ 和 100 ℃ 两点温度进行,通过运算放大器 A 放大使输出灵敏度为 100 mV/℃,即在 0 ℃ 时调整 R_{P1} 使输出为 0 V;在 100 ℃ 时调整 R_{P2} 使输出为 10 V。

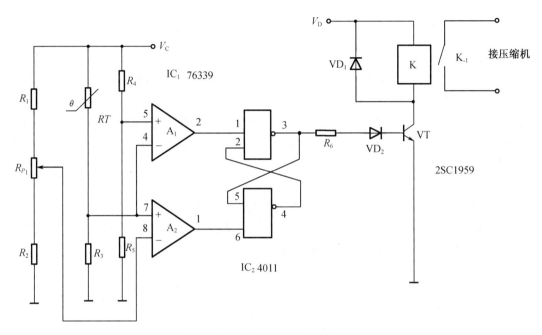

图 7 – 44　冰箱热敏电阻温控电路

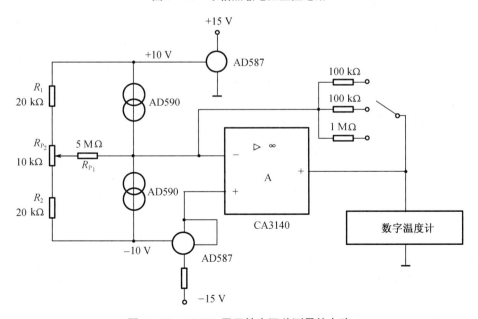

图 7 – 45　**AD590 用于精密温差测量的电路**

第8章 磁电式传感器

磁电式传感器是通过磁电作用将被测量(如振动、位移、转速、扭矩等)转换成电信号的一种传感器。磁电式传感器包括磁电应式传感器、霍尔传感器和磁栅式传感器。

8.1 磁电感应式传感器

磁电感应式传感器是利用导体和磁场发生相对运动而在导体两端输出感应电动势的,简称感应式传感器,也称为电动式传感器。它是一种机－电能量变换型传感器,具有不需要供电电源,电路简单,性能稳定,输出阻抗小等优点,又具有一定的频率响应范围(一般为10~1 000 Hz)。它适用于振动、转速、扭矩等测量,但这种传感器的尺寸和重量都较大。

8.1.1 工作原理

磁电感应式传感器是以电磁感应原理为基础的传感器。根据法拉第电磁感应定律可知,当线圈在磁场中运动切割磁力线或线圈所在磁场的磁通变化时,线圈中所产生的感应电动势与穿过线圈的磁通量的变化率成正比,即

$$e = -N \frac{d\Phi}{dt} \tag{8-1}$$

式中　N——线圈匝数;

　　　Φ——穿过线圈的磁通量;

　　　e——线圈中所产生的感应电动势。

一般情况下,匝数是确定的,而磁通变化率与磁感应强度 B、磁路磁阻 R_m、线圈的运动速度 v 有关,所以只要改变其中的一个参数,都会改变线圈中的感应电动势。

根据结构方式的不同,磁电式传感器通常分为恒定磁通磁电感应式传感器和变磁通磁电感应式传感器两种。

8.1.2 恒定磁通磁电感应式传感器

恒定磁通式传感器又分为动圈式和动铁式两种。

1. 动圈式

特点:永久磁铁与线圈相对运动,线圈运动,永久磁铁不动,结构构造如图8－1(a)所示。

动圈式传感器的工作原理:当壳体随被测振动体一起振动时,由于弹簧较软,当振动频率足够高(远大于传感器固有频率)时,运动部件惯性很大,因此来不及随振动体一起振动近乎静止不动,振动能量几乎全被弹簧吸收,永久磁铁与线圈之间的相对运动速度接近于振动体振动速度,磁铁与线圈的相对运动切割磁力线,从而产生感应电动势。

2. 动铁式

特点:永久磁铁与线圈相对运动,永久磁铁运动,线圈不动,结构构造如图8－1(b)所示。

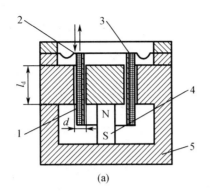
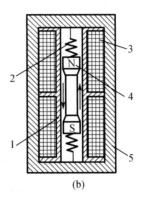

图 8 - 1 恒定磁通磁电感应式传感器
1—金属骨架;2—弹簧;3—线圈;4—永久磁铁;5—壳体
(a)动圈式;(b)动铁式

动铁式传感器的工作原理:当壳体随被测振动体一起振动时,由于弹簧较软,永久磁铁质量相对较大。当振动频率足够高(远大于传感器固有频率)时,线圈因自身惯性很大而来不及随振动体一起振动,所以近乎静止不动,振动能量几乎全被弹簧吸收。永久磁铁与线圈之间的相对运动速度接近于振动体的振动速度,磁铁与线圈的相对运动切割磁力线,从而产生感应电动势。

8.1.3 变磁通磁电感应式传感器

变磁通磁电感应传感器又称为磁阻式磁电感应传感器,磁阻式磁电感应传感器线圈和磁铁部分都是静止的,运动部件安装在被测物体上,且用导磁材料制成。在物体运动过程中,运动体改变通过线圈的磁感应强度 B,来使通过线圈的磁通量发生变化,在线圈中产生感应电动势。磁阻式磁电感应传感器一般用来测量旋转体的转速,线圈中感应电动势的频率作为传感器的输出,该频率取决于磁通变化的频率。

磁阻式磁电感应传感器的结构分为开磁路和闭磁路两种。如图 8 - 2 所示是开磁路磁阻式转速传感器结构示意图。传感器由永久磁铁 1、软铁 2、线圈 3 和齿轮 4 组成。线圈、永久磁铁以及软铁都是静止不动的,齿轮安装在被测旋转体上随其一起转动。当齿轮旋转时,齿的凸凹引起磁路磁阻的变化,使通过线圈的磁通量变化,在线圈中产生感应电电动势,其频率等于齿轮的齿数 Z 和转速 n 的乘积,即

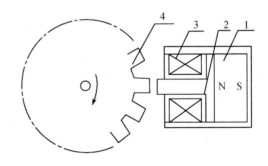

图 8 - 2 开路式磁阻式传感器
1—永久磁铁;2—软铁;3—线圈;4—测量齿轮

$$f = Zn/60 \tag{8-2}$$

式中　Z——齿轮的齿数;

　　　n——被测旋转体转速,r/min;

f——感应电动势频率。

当已知测量齿轮的齿数时,测得感应电动势的频率,就可以求得被测旋转体的转速了。

图 8 – 3 所示为闭磁路磁阻式转速传感器的结构示意图,它由内齿轮和外齿轮、永久磁铁和感应线圈组成。内、外齿轮齿数相同,内内子轮装在转轴上。当转轴连接到被测转轴上时,外齿轮不动,内齿轮随被测轴而转动,内、外齿轮的相对转动使气隙磁阻产生周期性的变化,从而引起磁路中磁通的变化,使线圈内产生周期性变化的感应电动势。与开磁路磁阻式转速传感器类似的是,感应电动势的频率与被测转速成正比,如式(8 – 2)所示。

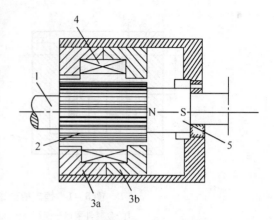

图 8 – 3　闭路式磁阻式传感器
1—转子;2—软铁;3—金属骨架;
4—感应线圈;5—永久磁铁

当转速太低时,由于输出的感应电动势太小,以致无法测量。所以这种传感器有一个下限工作频率,一般为 50 Hz,上限频率可达 100 kHz。

磁阻式磁电感应传感器对环境条件要求不高,能在 – 150 ~ + 90 ℃ 的温度下工作,不影响测量准确度,也能在油、水雾、灰尘等条件下工作。

8.1.4　磁电式传感器的测量电路

磁电式传感器直接输出感应电动势,且传感器通常有较高的灵敏度,所以一般不需要配置高增益放大器。但磁电式传感器是速度传感器,若要获得被测位移或角速度,则要配用积分或微分电路,图 8 – 4 为一般测电路方框图,其中点画线框内整形及微分部分电路仅用于以频率作为输出时。

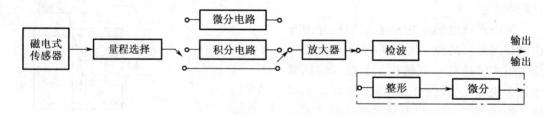

图 8 – 4　磁电式传感器测量电路框图

8.1.5　磁电式传感器的动态特性

磁电式传感器的动态系统可以等效为一个机械系统,如图 8 – 5 所示为一个二阶系统。我们设 v_0 为传感器外壳的运动速度,即被测物体运动速度;v_m 为传感器惯性质量块的运动速度。

若 $V(t)$ 为惯性质量块相对外壳的运动速度,则运动方程为

$$m \frac{\mathrm{d}V}{\mathrm{d}t} + cV(t) + k \int v(t)\,\mathrm{d}t = -m \frac{\mathrm{d}v_0(t)}{\mathrm{d}t}$$

幅频特性为

$$A_v(\omega) = \frac{(\omega/\omega_n)^2}{\sqrt{[1-(\omega/\omega_n)^2]^2 + [2\xi(\omega/\omega_n)]^2}}$$

相频特性为：

$$\phi_v(\omega) = -\arctan \frac{2\xi(\omega/\omega_n)}{1-(\omega/\omega_n)^2}$$

式中　ω——被测振动的角频率；

$\quad\quad\omega_n$——传感器运动系统的固有角频率；

$\quad\quad\xi$——传感器运动系统的阻尼比。

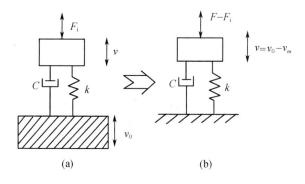

图 8-5　机械系统

磁电式速度传感器的频率响应特性曲线如图 8-6 所示。

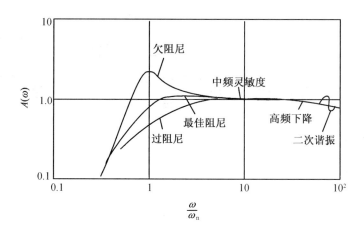

图 8-6　磁电式传感器的频率响应特性曲线

由图可知,只有 $\omega \gg \omega_n$ 的情况下,$A_v(\omega) \approx 1$,相对速度 $v(t)$ 的大小才可以作为被测振动速度 $v_0(t)$ 的量度。因此磁电式速度传感器的频率较低,一般为 10 ~ 15 Hz。

8.2 霍尔式传感器

霍尔式传感器是基于霍尔效应制作的一种传感器。1879年,美国物理学霍尔首先在金属材料中发现了霍尔效应,但由于金属材料的霍尔效应太弱而没有得到应用。随着半导体技术的发展,人们开始用半导体材料制成霍尔元件,由于它的霍尔效应显著而得到应用和发展。

霍尔传感器是基于霍尔效应将被测量(如电流、磁场、位移、压力、压差、转速等)转换成电动势输出的一种传感器。虽然它的转换率较低、温度影响大、要求转换精度较高时必须进行温度补偿,但因霍尔式传感器具有结构简单、体积小、坚固、频率响应宽(从直流到微波)、动态范围(输出电动势的变化)大、非接触、使用寿命长、可靠性高、易于微型化和集成化等优点,还是在测量技术、自动技术和信息处理得方面等到了广泛的应用。

8.2.1 霍尔元件的结构

基于霍尔效应工作的半导体器件称为霍尔元件,霍尔元件的外形如图8-7(a)所示,它是由霍尔片、4根引线和壳体组成。霍尔元件是一块矩形半导体单晶薄片(一般为4 mm×2 mm×0.1 mm),它的长度方向两端面上焊有编号1、2的两根引线,称为控制电流端引线,通常用红色导线。其焊接处称为控制电流极(或称激励电流),要求焊接处接触电阻很小,并呈纯电阻,即欧姆接触(无PN结特性)。在薄片的另两侧端面的中间以点的形式对称地焊有编号3、4的两根霍尔输出引线,通常用绿色导线。其焊接处称为霍尔电极,要求欧姆接触,且电极宽度与基片长度之比小于0.1,否则影响输出。霍尔元件的壳体上用非导磁金属、陶瓷或环氧树脂封闭。图8-7(b)为霍尔元件结构示意图,8-7(c)为霍尔元件符号。

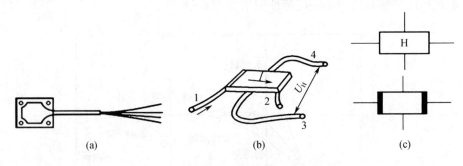

图8-7 霍尔元件
(a)霍尔元件的外形;(b)霍尔元件的结构示意图;(c)霍尔元件的符号

目前,最常用的霍尔元件材料是锗(Ge)、硅(Si)、锑化铟(InSb)、砷化铟(InAs)和不责骂比例亚砷酸铟和磷酸铟组成的In型固熔体等半导体材料。值得一提的是,20世纪80年代末出现了一种新型霍尔元件——超晶格结构(砷化铝/砷化镓)的霍尔器件,它可以用来测 10^{-11} T的微磁场。可以说,超晶格霍尔元件是霍尔元件的一个质的飞跃。

8.2.2 霍尔传感器的命名方法

国产霍尔元件型号命名的方法,如图8-8所示。

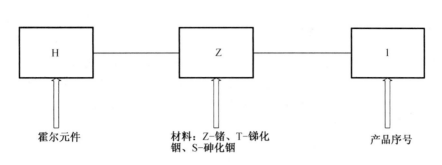

图8-8　霍尔元件命名方框图

8.2.3　霍尔传感器的工作原理

若半导体薄片被置于磁场中,当它的电流方向与磁场方向不一致时,半导体薄片上平行于电流和磁场方向的两个面之间会产生电动势,这种现象称为霍尔效应,该电动势称霍尔电势,半导体薄片称为霍尔元件。

如图8-9所示,在垂直于外磁场 B 的方向上放置半导体薄片,当有电流 I 流过薄片时,在垂直于电流和磁场方向上将产生霍尔电势 E_H。作用在半导体薄片上的磁场强度 B 越强,霍尔电势 E_H 也就越高。

霍尔电动势可用下式表示,即

$$E_H = K_H I B \tag{8-3}$$

式中 K_H 为霍尔元件的灵敏度,它表示霍尔元件在单位磁感应强度和单位激励电流作用下霍尔电势的大小。

$$K_H = 1/nde \tag{8-4}$$

式中　n——单位体积内自由电子个数;

　　　d——薄片厚度;

　　　e——电子的电荷量。

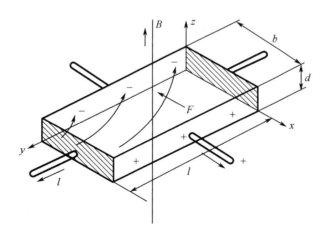

图8-9　霍尔效应原理图

8.2.4 霍尔传感器的特性参数

由式(8-4)可看出,当磁场和环境温度一定时,霍尔元件输出的霍尔电动势与控制电流 I 成正比。同样,当控制电流和环境温度一定时,霍尔元件的输出电动势与磁感应强度 B 的乘积成正比。用上述的一些线性关系可以制作多种类型的传感器,但是只有磁感应强度小于 0.5 T 时,上述的线性关系才较好。

霍尔元件的主要特性参数如下。

1. 额定控制电流与最大控制电流

霍尔元件将在空气中产生 10 ℃ 的温升时所施加的控制电流称为额定控制电流。在相同的感应强度下, I_C 值较大则可获得较大的输出电压。在霍尔元件做好之后,限制 I_C 的主要因素是散热条件。一般锗元件最大允许温升 ΔT_m 小于 80 ℃,硅元件允许温升 ΔT_m 小于 175 ℃。当霍尔元件的温升达到 ΔT_m 时, I_C 就是最大控制电流 I_{cm}。

2. 输入电阻 R_i 和输出电阻 R_o

霍尔片中两个控制电极间的电阻称为输入电阻 R_i,两个霍尔电极间的电阻称为输出电阻 R_o。一般 R_o、R_i 为几欧姆到几百欧姆,通常 $R_o > R_i$,但二者相差不大,使用时不能搞错。

3. 乘积灵敏度 K_H

霍尔元件的乘积灵敏度定义为单位控制电流和单位磁感应强度下,霍尔电势输出端开路时的电势值,其单位为 V/AT,它反映了霍尔元件本身所具有的磁电转换能力,一般希望它越大越好。公式为

$$K_H = \frac{E_H}{IB}$$

除 K_H 以外,霍尔元件还有磁灵敏度、电路灵敏度和电势灵敏度等技术指标。

4. 不等位电势 E_M 和不等位电阻 R_M

当 $I=0$ 而 $B=0$ 时,理论上应有 $E_H=0$。但在实际中由于两个霍尔电极安装位置不对称或不在同一电位面上,半导体材料的电阻率不均匀或几何尺寸不均匀,以及控制地电路接触不良等原因,使得当 $I=0$、$B=0$ 时, $E_H \neq 0$。此时, E_H 值为不等位电势 E_M,即 $E_H = E_M$。

不等位电势 E_M 与额定控制电流 I_C 之比,称为不等位电阻 R_M。公式为

$$R_M = \frac{E_M}{I_C} \tag{8-5}$$

8.2.5 霍尔传感器的测量和误差分析

1. 霍尔传感器的测量电路

霍尔元件的基本测量电路如图 8-10 所示。控制电流 I 由电压源 E 供给, R 是调节电阻,用以根据要求改变 I 的大小,霍尔电势输出的负载电阻 R_L,可以是放大器的输入电阻或表头内阻等。所施加的外电气 B 一般与霍尔元件的平面垂直。控制电流也可以是交流电。由于建立霍尔效应所需的时间短,所示控制电流的频率可高达 10^9 Hz 以上。

2. 霍尔传感器的误差分析

霍尔元件对温度的变化很敏感,因此,霍尔元件的输入电阻、输出电阻、乘积灵敏度等将受到温度变化的影响,从而给测量带来较大的误差。为了减少测量中的温度误差,除了选用温度系数小的霍尔元件或采取一些恒温措施外,还可以使用以下的温度补偿方法。

（1）恒流源供电

恒流源温度补偿电路原理图，如图8－11所示。

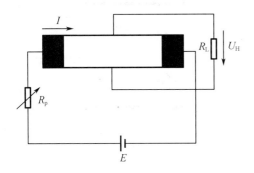

图8－10　霍尔元件的基本测量电路

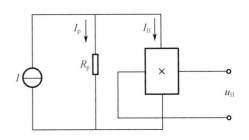

图8－11　恒流源温度补偿电路

（2）采用热敏元件

对于由温度系数较大的半导体材料制成的霍尔元件，采用图8－12所示的温度补偿电路，图中R_t是热敏元件（势电阻或热敏电阻）。图8－12（a）是在输入回路进行温度补偿的电路，即当温度变化时，用R_t的变化来抵消霍尔元件的乘积灵敏度K_H和输入电阻R_i变化对霍尔输出电势U_H的影响。图8－12（b）则是在输出回路进行温度补偿的电路，即当温度变化时，用R_t的变化来抵消霍尔电势U_H和输出电阻R_o的变化对负载电阻R_L上的电压U_L的影响。在安装测量电路时，热敏元件最好与霍尔元件封装在一起或尽量靠近，以使二者的温度变化一致。

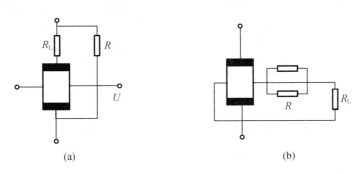

（a）　　　　　　　　　　　　　（b）

图8－12　采用热敏元件的温度补偿电路
(a)在输入回路进行温度补偿的电路；
(b)在输出回路进行温度补偿的电路

（3）不等位电势的补偿补偿

不等位电势与霍尔电势具有相同的数量级，有时甚至会超过霍尔电势。在实用中想消除不等位电势是极其困难的，所以常采用补偿的方法。由图8－13可以看出，不等位电势由不等位电阻产生，因此可以用分析电阻的方法找到一个不等位电势的补偿方法。

一个矩形霍尔片有两对电极，各个相邻电极之间有四个电阻R_1，R_2，R_3，R_4，因而可以把霍尔元件视为一个四臂电阻电桥，如图8－14所示，这样不等位电势就相当于电桥的初始不平衡输出电压。理想情况下，不等位电势为零，即电桥平衡，相当于$R_1 = R_2 = R_3 = R_4$，则所有能够使电桥平衡的方法均可用于补偿不等位电势，使不等位电势为零。

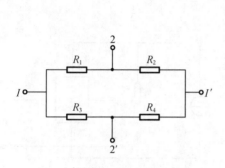

图 8 – 13　霍尔元件的等效电路

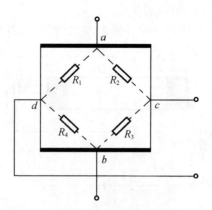

图 8 – 14　电势的补偿电路

①基本补偿电路

霍尔元件的不等位电势补偿电路有很多形式,图 8 – 15 为两种常见电路,其中 R_P 是调节电阻。图 8 – 15(a)是在造成电桥不平衡的电阻值较大的一个桥臂上并联 R_P,通过调节 R_P 使电桥达到平衡状态,称为不对称补偿电路;图 8 – 15(b)则相当于在两个电桥臂上并联调用电阻,称为对称补偿电路。

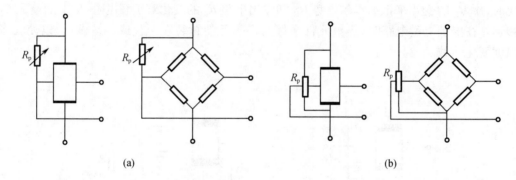

(a)　　　　　　　　　　　　　　　(b)

图 8 – 15　不对称电势的基本补偿电路

(a)不对称补偿电路;(b)对称补偿电路

②具有温度补偿的补偿电路

图 8 – 16 是一种常见的具有温度补偿的不等位电势补偿电路。其中一个桥为热敏电阻 R_t,并且 R_t 与霍尔元件的等效电路的温度特性相同。在磁感应强度 B 为零时调节 R_{P1} 和 R_{P2},使补偿电压抵消霍尔元件,此时输出不等位电势,从而使 $B = 0$ 时的总输出电压为零。

在霍尔元件的工作温度下限为 T_1 时,通过调节电位器 R_{P1} 来调节补偿电桥的工作电压 U_M。当工作温度由 T_1 升高到 $T_1 + \Delta T$ 时,热敏电阻的阻值为 $R_t(T_1 + \Delta T)$。R_{P1} 保持不变,通过调节 R,使补偿电压此时的不等位电势为 $U_{ML} + \Delta M$。

8.2.6　霍尔传感器的应用

霍尔元件具有结构简单、体积小、质量轻、频带宽、动态性能好和寿命长等许多优点,因而得到广泛应用。在电磁测量中,用它测量恒定的或交变的磁感应强度、有功功率、无功功率、相位、电能等参数;在自动检测系统中,多用于位移、压力的测量。

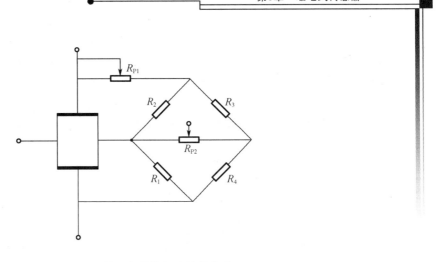

图 8 - 16　不等位电势的桥式补偿电路

1. 霍尔接近开关

霍尔接近开关电路如图 8 - 17 所示。它是一个无接触磁控开关,磁铁靠近时,开关接通;磁铁离开后,开关断开。图 8 - 18 为常见霍尔接近开关的实物图。

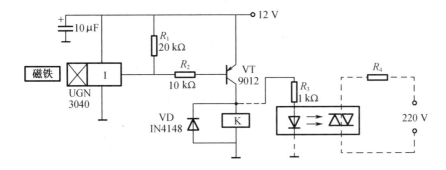

图 8 - 17　霍尔接近开关电路

图 8 - 18　常见霍尔接近开关实物图

2. 霍尔式压力传感器

霍尔元件组成的压力传感器基本包括两部分:一部分是弹性元件,如弹簧管或膜盒等,用它们感受压力,并把压力转换成位移量;另一部分是霍尔元件和磁路系统。图8-19所示为霍尔式压力传感器的结构示意图。其中,弹性元件是一个弹簧管,当被测压力发生变化时,弹簧管端部发生位移,带动霍尔片在均匀梯度磁场中移动,当在霍尔片的磁场发生变化,输出的霍尔电势随之改变,由此可得到压力的变化。并且霍尔电势与位移(压力)成线性关系,其位移量在±1.5 mm范围内输出的霍尔电势值为±20 mV。

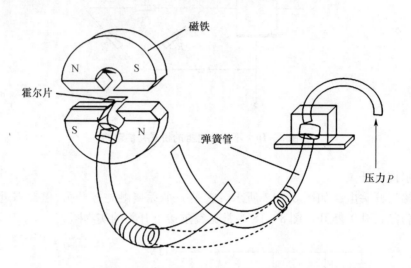

图8-19 霍尔式压力传感器示意图

3. 霍尔式转速传感器

图8-20是两种不同结构的霍尔式转速传感器。转盘的输入轴与被测转轴相连,当被测转轴转动时,转盘随之转动,固定在转盘附近的霍尔传感器便可在每一个磁场通过时产生一个相应的脉冲,检测出单位时间的脉冲数,便可知道被测转速。根据磁性转盘上小磁铁的数目就可确定传感器测量转速的分辨率。

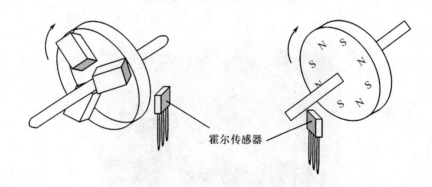

图8-20 霍尔式转速传感器

4. 电动机停转报警器

电动机停转报警电路如图8-21所示,该电路主要由霍尔检测和报警电路两个部分组成。

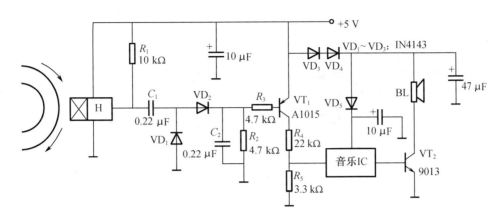

图 8 - 21　电动机停转报警电路

当电动机转动时,安装在电动机转轴上的磁铁以一定的频率经过霍尔传感器,霍尔式传感器不断地输出脉冲信号,该信号经 C_1 耦合,二极管 VD_1、VD_2 整流,在 C_2 上形成直流高电平,晶体管 VT1 截止,音乐 IC 无触发信号,无声音输出。当电动机停止转动时,霍尔式传感器无脉冲信号输出。C_2 为低电平,VT1 导通,音乐 IC 触发,扬声器 BL 发出声音。VD_3 ~ VD_5 起降压作用(因为音乐 IC 的电源电压一般为 3 V)。

5. 霍尔式汽车无触点点火装置

传统的机电气缸点火装置使用机械式的分器,存在着点火时间不准确、触点易磨损等缺点。采用霍尔开关无触点晶体管点火装置可以克服上述缺点,并提高燃烧效率。四气缸气车点火装置如图 8 - 22 所示,图中的磁轮鼓代替了传统的凸轮及白金触点。在与发动机主轴连接的磁轮上装有与气缸数相应的四块磁钢。当发动机主轴开始带动磁轮鼓转动,每当磁钢转动到霍尔传感器处时,传感器即输出一个与气缸活塞运动同步的脉冲信号,并用此脉冲信号去触发晶体管功率开关,使点火线圈二次侧产生很高的感应电压,火花塞产生火花放电。

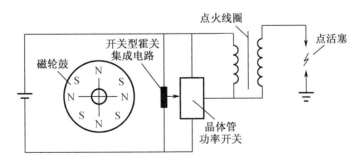

图 8 - 22　四气缸汽车点火装置

思考与练习

8.1 什么是磁电感应式传感器,它的主要优点是什么?

8.2 试述霍尔效应的定义及霍尔传感器的工作原理。

8.3 简述霍尔传感器灵敏度系数的定义。

8.4 霍尔传感器中不等位电势产生的原因有哪些,有哪些补偿方法?

第9章 湿度传感器

9.1 概　　述

水是一种强极性的电解质。水分子极易吸附于固体表面并渗透固定内部,引起半导体的电阻值降低,因此可以利用多孔陶瓷、三氧化二铝等吸湿材料制作湿敏传感器,即湿敏电阻。

湿敏电阻是指对环境具有响应或转换成相应可测性信号的元件,它由湿敏元件及转化电路组成,具有把环境湿度转变为电信号的能力。

近年来,国内外在湿度传感器研发领域取得了长足进步。湿敏传感器正从简单的湿敏元件向集成化、智能化、多参数检测的方向迅速发展,为开发新一代湿度/温度测控系统创造了有利条件,也将湿度测量技术提高到新的水平。

9.1.1　湿度传感器的分类

湿度传感器依据使用材料可分为电解质型、陶瓷型、高分子型和单晶半导体型。

1. 电解质型

以氧化锂为例,它在绝缘基板上制作一对电极,涂上氧化锂盐胶膜。氧化锂极易潮解,并产生离子导电,电阻随湿度升高而减小。

2. 高分子型

先在玻璃等绝缘基板上蒸发梳状电极,通过浸渍或涂覆,使其在基板上附着一层有机高分子感湿膜。有机高分子的材料种类也很多,工作原理也各不相同。

3. 陶瓷型

一般以金属氧化物为原料,通过陶瓷工艺,制成一种多孔陶瓷。利用多孔陶瓷的阻值对空气中水蒸气的敏感特性而制成。

4. 单晶半导体型

所用材料主要有单晶硅、利用半导体工艺制成二极管湿敏器件和 MOSFET 湿度敏感器件等,其特点是易于和半导体电路集成在一起。

9.1.2　湿度传感器的图形符号

湿度传感器的图形符号如图 9 - 1 所示。对于半导体陶瓷湿敏传感器,其图形符号代表电阻元件。对于多孔 AL2O3 湿敏传感器,其图形符号代表电阻 R 和电容 C 的并联。图中 $A - A$ 端为测量电极,$B - B$ 端为加热清洗电极。加热清洗电极通电后,内部电加热丝产生热量可排除传感器湿层中的水分子。

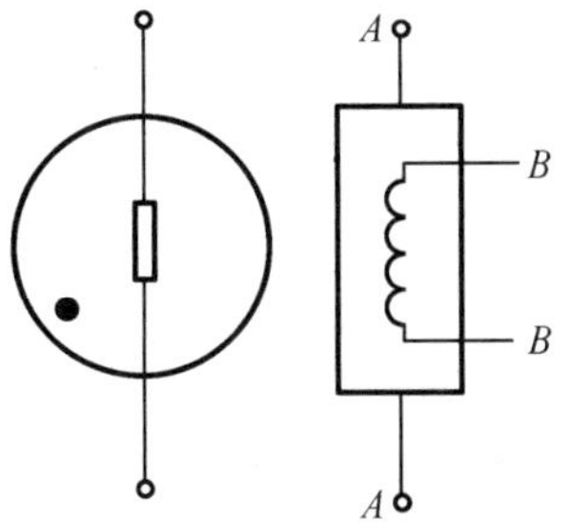

图 9 - 1　湿敏传感器的图形符号

9.2 常用的湿度传感器

9.2.1 湿敏元件

湿敏元件是最简单的湿度传感器,湿敏元件主要有电阻式和电容式两大类。

1. 湿敏电阻

湿敏电阻的特点是在基片上覆盖了一层用感湿材料制成的膜。当空气中的水蒸气吸附在感湿膜上时,元件的电阻率和电阻值都将发生变化。利用这一特性即可测量湿度。湿敏电阻的种类很多,如金属氧化物湿敏电阻、硅湿敏电阻、陶瓷湿敏电阻等。湿敏电阻的优点是灵敏度高,主要缺点是线性度和产品的互换性差。

2. 湿敏电容

湿敏电容一般是用高分子薄膜电容制成的,常用的高分子材料有聚苯乙烯、聚酰亚胺、酪酸醋酸纤维等。当环境湿度发生改变时,湿敏电容的介电常数发生变化,使其电容量也发生变化,其电容变化量与相对湿度成正比。湿敏电容的主要优点是灵敏度高、产品互换性好、响应速度快、湿度的滞后量小、便于制造、容易实现小型化和集成化,但其精度一般比湿敏电阻要低一些。国外生产湿敏电容的主要厂家有 humirel 公司、Philips 公司、Siemens 公司等。以 humirel 公司生产的 SH1100 型湿敏电容为例,其测量范围是 1% ~ 99% RH,在 55% RH 时的电容量为 180 pF(典型值)。当相对湿度从 0 变化到 100% 时,电容量的变化范围是 163 ~ 202 pF。温度系数为 0.04 pF/℃,湿度滞后量为 ±1.5%,响应时间为 5 s。

除电阻式、电容式湿敏元件之外,还有电解质离子型湿敏元件、重量型湿敏元件(利用感湿膜重量的变化来改变振荡频率)、光强型湿敏元件、声表面波湿敏元件等。湿敏元件的线性度及抗污染性差,在检测环境湿度时,湿敏元件要长期暴露在待测环境中,很容易被污染而影响其测量精度及长期稳定性。

9.2.2 新型湿度传感器

现代意义上的湿度传感器的种类有很多,根据分类有以下几种。

1. 电解质湿度传感器

如氯化锂湿度传感器。氯化锂是典型的离子晶体,当其溶液置于一定湿度环境时环境相对湿度高,氯化锂溶液的导电能力将受到水蒸气在空气中的分压作用而加强,即氯化锂湿敏组件电阻降低;反之,环境相对湿度变低,氯化锂溶液的导电能力将下降,其电阻上升。因此用氯化锂湿敏组件可实现对相对湿度的测量。这种传感器将湿度信息转化为容易测量的电信号,使得湿度的测量变得十分简便。其典型结构为登莫(Dunmore)式,如图 9 – 2 所示。

在聚苯乙烯圆管上做出两条相互平行的铝引线作为电极,在该聚苯乙烯管上涂覆一层经过适当碱化处理的聚乙烯醋酸盐和氯化锂水溶液的混合液,以形成均匀薄膜。若只采用一个传感器件,则其检测范围狭窄。因此常将氯化锂含量不同的几种传感器组合使用,其检测范围能达到 20% ~ 90% RH。图 9 – 2 中 A 为用聚苯乙烯包封的铝管;B 为用聚乙烯醋酸盐覆盖在 A 上的铝电极。

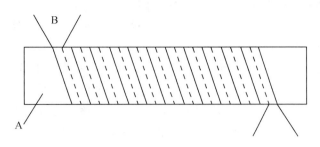

图 9 - 2 登莫式氯化锂电解质传感器

另一种典型结构为浸渍式。浸渍式传感器是在基片材料上直接浸渍 LiCl 溶液构成的。这类传感器的浸渍基片材料为天然树皮。在基片上浸渍氯化锂溶液。这种结构部分地减少了高湿度下所产生的湿敏膜的误差。由于采用了表面积大的基片材料,并直接在基片上浸渍氯化锂溶液,这种传感器具有小型化的特点,它适用于对微小空间的湿度检测。

与登莫式传感器一样,若仅用一个这种传感器,所检测的湿度范围狭窄。为了扩大到 20% ~90% RH,就必须使用多个不同氯化锂溶液浓度的传感器。经过优化,这类传感器的阻值的对数能与相对湿度在 20% ~85% RH 范围内呈线性关系。

氯化锂电解质传感器原理简单,灵敏度高,但在高湿环境中容易产生潮解,从而影响精度,缩短其使用寿命。一种改进的办法是将其制成胶体形式而不是溶液。将树脂、氯化理、感光剂和水按一定比例配成胶体溶液,浸涂在镀有电极的塑料基片上,干燥后放置在紫外线下曝光并热处理,即可形成耐温耐湿的感湿膜。它可在 80 ℃ 环境下使用,并且有较好的耐水性。为了进一步提高测量精度和范围,氯化锂常与多孔 SiO_2 或其他无机氧化物组成复合材料传感器。

2. 高分子材料湿敏传感器

使用如聚乙烯醇、醋酸纤维素、聚酸胺等材料制成的传感器。由于制作传感器的敏感高分子薄膜的材料结构和物理、化学现象非常丰富,对其敏感机理作出恰当的分类是非常困难的。但总体来说,高分子材料的敏感作用都是将材料的物化特性转化为传感器阻抗特性,然后再对被测量加以测量。

对于非导电性高分子材料,在某些特定条件下,带负电荷的引力中心可以被改变。其绝缘性可以用介电常数描述。由于具有高偶极矩的分子吸附作用,或者由于膨胀,许多高分子材料介电常数会产生可探测的变化。膨胀是一种纯几何效应,它可以由电容值的变化探测到.聚酰亚胺湿度传感器应用的就是这种原理。

还可将非导电性高分子材料与导电型材料一起构成复合材料应用在传感器上。复合材料电阻的变化是填充物浓度的函数。所有可改变填充物容量(密度)的环境效应,例如由于湿度增加而导致的材料膨胀会引起电荷通道的减少,相应引起电阻系数的变化。通常使用的填充材料是金属和半导体金属氧化物(V_2O_3,TiO_2 等).可用的高分子材料有聚乙烯、聚酰亚胺、聚酯类、PVAC、PTFE、聚亚胺脂、PVA、环氧树脂类、丙烯酸类、PMMA。其中聚乙烯醇、醋酸纤维素、聚酸胺等材料都被成功地用于湿度和气体传感器。

还有一类导电的高分子电解质及聚合高分子电解质,若它们含有离子单体或无机盐,可以表现出导电性,并且其导电性可以通过包括湿度在内的环境参数调节,这样就可以像电解质材料一样用于制作传感器。碱性的盐与聚醚混合物,如 PPO 和 PEO 与 $LiClO_4$、

LiSCN、聚苯乙烯酯和季铵化 PVPY 已被成功地用于湿度传感器。

这类传感器响应速度快、精度高,但是耐老化和抗污染能力不如陶瓷传感器。

3. 半导体陶瓷湿度传感器

在湿度测量领域中,对于低湿和高湿及其在低温和高温条件下的测量到目前为止仍然是一个薄弱环节,而其中又以高温条件下的湿度测量技术最为落后。以往,通风干湿球湿度计几乎是在这个温度条件下可以使用的唯一方法,而该法在实际使用中亦存在种种问题,无法令人满意。另一方面,因为科学技术的进展,要求在高温下测量湿度的场合越来越多,例如水泥、金属冶炼、食品加工等涉及工艺条件和质量控制的许多工业过程的湿度测量与控制。因此,自 20 世纪 60 年代起,许多国家开始竞相研制适用于高温条件下进行测量的湿度传感器。考虑到传感器的使用条件,人们很自然地把探索方向着眼于既具有吸水性又能耐高温的某些无机物上。实践已经证明,陶瓷元件不仅具有湿敏特性,而且还可以作为感温元件和气敏元件。这些特性使它极有可能成为一种有发展前途的多功能传感器。寺日、福岛和新田等人在这方面已经迈出了颇为成功的一步。他们于 1980 年研制成称之为"湿瓷 – Ⅱ型"和"湿瓷 – Ⅲ型"的多功能传感器。前者可测控温度和湿度,主要用于空调,后者可用来测量湿度和诸如酒精等多种有机蒸气,主要用于食品加工方面。

如 $Mg_2CrO_4 – TiO_2$ 湿敏传感器以及 $TiO_2 – V_2O_5$ 湿敏传感器. 它们主要利用陶瓷烧结体微结晶表面在吸湿和脱湿过程中电极之间电阻的变化来检测相对湿度。

下面以 $MgCr_2O_4 – TiO_2$ 为例说明其典型结构。如图 9 – 3 所示,在 $MgCr_2O_4 – TiO_2$ 陶瓷片的两面,设置金电极,并用掺金玻璃粉将引出线与金电极烧结在一起。在半导体陶瓷片的外面,安放一个由镍铅丝烧制而成的加热清洗圈,以便对元件进行经常加热清洗,排除有害气氛对元件的污染。元件安放在一种高度致密的、疏水性的陶瓷底片上。为消除底座上测量电极 2 和 3 之间由于吸湿和污染而引起漏电,需在电极 2 和 3 的四周设置金短路环。

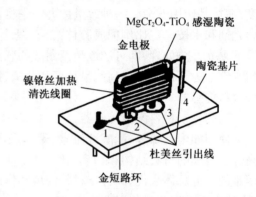

图 9 – 3 MgCr2O4 – TiO2

陶瓷烧结体微结晶表面对水分子进行吸湿或脱湿时,会引起电极间电阻值随相对湿度成指数变化,从而将湿度信息转化为电信号。

这类元件的可靠性比涂覆元件好,且由于体导电,所以不存在表面漏电流,元件结构也简单。测湿范围宽,一片即可测 1% ~ 100% RH,并可用于较高温环境(150 ℃),最高承受温度可达 600 ℃;能用电热进行反复清洗,除掉吸附在陶瓷上的油雾、灰尘、盐、酸、气溶胶或其他污染物,以保持精度不变;响应速度快(一般不超过 20 ns);稳定性好。

类似产品还有 $V_2O_5 – TiO_2$ 陶瓷湿敏元件、羟基磷灰石陶瓷湿敏元件等。使用过程中多需要清洗,并加有补偿电路。国外已研制出不用电热清洗的陶瓷湿敏元件,$ZnO – Cr_2O_3$ 陶瓷湿敏元件就是其中的一种。显然,此类传感器适合于高温和高湿环境中使用,也是目前在高温环境中测湿的少数有效传感器之一。

除了上述的种类外,还有一些其他种类的湿度传感器。

4. 氯化锂湿度传感器

(1)电阻式氯化锂湿度计

第一个基于电阻—湿度特性原理的氯化锂电湿敏元件是美国标准局的 F. W. Dunmore 研制出来的。这种元件具有较高的精度,同时结构简单、价廉,适用于常温常湿的测控等一系列优点。

氯化锂元件的测量范围与湿敏层的氯化锂浓度及其他成分有关。单个元件的有效感湿范围一般在 20% RH 以内。例如 0.05% 的浓度对应的感湿范围约为 80% ~ 100% RH,0.2% 的浓度对应范围是 60% ~ 80% RH 等。由此可见,要测量较宽的湿度范围时,必须将不同浓度的元件组合在一起使用。可用于全量程测量的湿度计组合的元件数一般为五个,采用元件组合法的氯化锂湿度计可测范围通常为 15% ~ 100% RH,国外有些产品称其测量范围可达 2% ~ 100% RH。

(2)露点式氯化锂湿度计

露点式氯化锂湿度计是由美国的 Forboro 公司首先研制出来的,其后我国和许多国家都做了大量的研究工作。这种湿度计和上述电阻式氯化锂湿度计形式相似,但工作原理却完全不同。简而言之,它是利用氯化锂饱和水溶液的饱和水汽压随温度变化而进行工作的。

5. 氧化铝湿度计

氧化铝传感器的突出优点是,体积可以非常小(例如用于探空仪的湿敏元件仅 $90~\mu m$ 厚、12 mg 重),灵敏度高(测量下限达 $-110~℃$ 露点),响应速度快(一般在 0.3 s 到 3 s 之间),测量信号直接以电参量的形式输出,大大简化了数据处理程序,等等。另外,它还适用于测量液体中的水分。以上特点正是工业和气象中的某些测量领域所希望的。因此它被认为是进行高空大气探测可供选择的几种合乎要求的传感器之一。也正是因为这些特点使人们对这种方法产生浓厚的兴趣。

9.3　光学湿度传感器

这些年来,随着光纤技术和光集成技术的发展,光学湿度传感器受到极大关注并被广泛应用。

光学湿度传感器利用湿度环境下媒介层理化性质的变化,进而引起光传播诸性质(如入射光的反射系数、频率或相位等)的变化来检测湿度。光学湿度传感器具有体积小、响应快、抗电磁干扰、动态范围大、灵敏度高等优点。

高灵敏的光学湿度传感器主要取决于其材料的湿敏特性与光学检测方法。本节将简单介绍光学湿度传感器的湿敏材料和光学检测方法。

湿敏材料是湿度传感器的最重要组成部分,其性能决定了湿度传感器响应特性的好坏。研制新型高性能湿敏材料一直是湿敏元件研究的核心。

9.3.1　电解质型湿敏材料

这类材料包括无机电解质和高分子电解质湿敏材料两大类。

无机电解质湿敏材料中最典型的是氯化锂。在绝缘基板上表面涂覆一层该电解质的感湿膜,感湿膜可随空气中湿度的变化而吸湿和脱湿,同时引起感湿膜电阻的增减。氯化锂湿敏元件灵敏、准确、可靠。其主要缺点则是在高湿的环境中，潮解性盐的浓度会被稀释。因此它的使用寿命短，当灰尘附着时，潮解性盐的吸湿功能降低，重复性变坏。

高分子电解质湿敏材料中典型的材料是聚苯乙烯磺酸锂。它是一种强电解质，具有极强的吸水性，吸水后电离，在其水溶液里含有大量的锂离子，阻值随吸湿量不同也不同。聚苯乙烯磺酸锂湿度传感器的吸湿响应时间比较快，湿滞小，稳定性好。但脱湿时间比较慢，响应时间一般在 1 min 以内。

电解质材料用作湿敏材料的不足之处是遇高湿环境易流失，在结露状态易损坏。

9.3.2　半导体陶瓷材料

半导体陶瓷湿敏材料通常是用两种以上的金属氧化物半导体材料混合烧结而成的多孔陶瓷。在陶瓷湿度传感器中，有以氧化锌、氧化钛等为主要成分的多种产品。

氧化锌—三氧化二铬湿敏元件的响应时间快，在 0 ~ 100% RH 时，响应时间约为 10 s，湿度变化 ±20% RH 时，响应时间仅 2 s；吸湿和脱湿时几乎没有湿滞现象。五氧化二钒—二氧化钛陶瓷湿敏元件利用体积吸附水汽现象通过测定电极间的电阻检测湿度。半导体陶瓷类元件的优是测湿范围宽，耐高温，响应时间短；缺点是容易发生漂移，漂移量与相对湿度成比例。

9.3.3　有机物及高分子聚合物湿敏材料

这类材料主要有胀缩性有机物和高分子聚合物薄膜两大类。

有机纤维素具有吸湿溶胀、脱湿收缩的特性。将导电的颗粒或离子掺入其中作为导电材料，就可将其体积随环境湿度的变化转换为感湿材料电阻的变化。这一类湿敏材料主要有羟乙基纤维素。感湿薄膜由羟乙基纤维素、碳粉、山梨酸和三硝基甲苯等混合而成。这类湿敏元件具有正向温度系数。对湿度响应较快，一般情况下小于 1 s。

高分子聚合物材料主要有等离子聚合法形成的聚苯乙烯等。聚苯乙烯具有亲水的极性基团，随环境湿度大小而吸湿或脱湿，从而引起介电常数的改变。此类湿敏元件具有湿度测量范围大、工作温度范围宽、响应速度快，温度系数小等优点。

9.4　湿敏薄膜的制备方法

湿敏薄膜的制备方法是多种多样的。比较常见的制备方法有传统的真空蒸镀法（Vacuum Evaporation，VE）和溶胶 – 凝胶法（Sol-gel）等。

9.4.1　真空蒸镀法

真空蒸镀法是在真空（~10^{-3} Pa）条件下通过加热使薄膜初始材料气化，将材料的蒸气沉积在温度较低的基片上以形成所需要的薄膜，是最基本的成膜方法之一。这种方法沉积速率高，沉积面积大，生产效率高，设备和操作也比较简单，是实验室和工业生产中制备湿敏薄膜的主要技术手段。也可采用真空镀膜方法分别在单晶硅片上下两面蒸发一层适当厚度的金属铝作为电极制成两端结构的湿敏元件。也可用真空淀积的方法在单晶硅片上获得一层 SnO_2 薄膜，发现其在室温下有较好的湿敏特性和较短的响应时间。

9.4.2　溶胶-凝胶法

溶胶-凝胶法是目前发展较为迅速的一种可以获得具有各种优越性能的湿敏材料的湿化学制备方法。目前，人们普遍采用该方法来制备湿敏薄膜，复合金属氧化物、有机电解质混合薄膜以及复合高分子材料均可以使用溶胶-凝胶法制备湿敏薄膜并表现出良好的湿敏特性。鲍际秀等人采用溶胶-凝胶法和提拉成膜技术制得了均匀完整的薄膜，其湿度传感器的响应速度快，湿滞现象较弱，提高了薄膜的湿敏特性。Orla McGaughey 等亦采用溶胶—凝胶法制备了 [Ru(phen)$_2$(doppz)](PF$_6$)$_2$) 的薄膜，该基质的特性可以通过改变制备过程中的参量使其适用于不同应用的传感器。

9.4.3　其他方法

静电自组装(Electrostatic Self-Assembly Multilayer, ESAM)法通过带相反电荷的聚离子或荷电微小粒子交替沉积，依靠静电引力吸附成膜。该种制膜方法不需要形成化学键，能够在分子水平控制膜的组成和结构，厚度和应力分布均匀，热稳定和长期稳定性较好。近年来已有人利用 ESAM 法制备聚二烯丙基二甲基氯化铵/聚乙烯按磺酸盐骨架的蒽并吡啶酮发色团[PDDA/Poly R-478]光学湿敏薄膜，利用这种薄膜制作的传感器灵敏度高、响应快，可以进行高湿度测量(75% ~ 100% RH)。

9.5　光学湿敏检测方法

9.5.1　平面光波导法

平面薄膜波导传感器是运用内全反射将光耦合到波导层的一种平面波导光学传感器。入射光束与波导层之间的耦合是通过棱镜与波导层之间的低折射率隔离层形成的倏逝场实现的，检测图如图 9-4 所示。当一种波导模式被激发时，波导中的光强会大大增加。湿敏薄膜在测量环境中吸湿或脱湿，从而改变湿敏薄膜表面的折射率，引起波导中出射光强的变化。平面薄膜波导传感器采用谱扫描(改变波长，固定入射角)和角扫描(固定波长，改变入射角)两种工作方式来测量出射光强或干涉图样的变化。通过测量湿敏薄膜表面折射率变化引起的相位变化或用偏振光调制技术并结合相干检测技术来进行湿度的检测。

9.5.2　光导纤维法(光纤法)

光湿敏传感器常采用干涉型光纤传感器，激光器发出的光经分束器分成两束，分别沿两条光纤传播，一为测量光路，一为参考光路。把测量光路置于待检测的环境中，由于湿度的作用，光纤内传播的光波相位发生变化，而参考光路无此相移，所以二者之间产生相位差。两路光经耦合器后，产生干涉现象，再用干涉技术把相位变化变换为振幅变化。检测器用来检测干涉条纹的情况，并变成相应的电信号输出，从而还原出所检测的湿度。

9.5.3　聚合物光学法

聚合物光学法基于吸收、反射、荧光、磷光、散射、折射率变化或干涉过程，利用光谱原理进行相关物理量的检测。在最新的光学传感技术研究中，已将光谱反射检测原理用于气

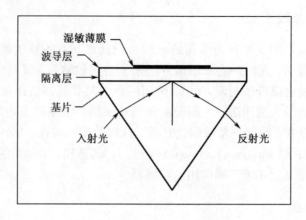

图 9-4 平面薄膜波导检测图

相或液相有机溶液的灵敏度检测。这种光学传感器也可用于空气湿度的检测。一种检测原理是基于光学厚度改变。在吸收空气中水蒸气的过程中，聚合物发生膨胀，使光学厚度改变，从而引起光学薄膜反射率的改变。在许多情况下，折射率 n 的变化与"物理"层厚的变化相比可以忽略不计。另一种检测原理是基于颜色变化。在水分子与湿敏薄膜分子相互作用时，由聚合物指示颜色材料的吸收带附近吸收率的改变引起反射率的变化。

9.6 光学湿度传感器的最新进展

长期以来，人们对各种材料的湿度传感器进行了大量的研发工作，尽管敏感材料的物理、化学性质纷纭复杂，但还是在一定程度上已取得了卓有成效的进展。

20 世纪 90 年代末，人们对金属氧化物的复合膜产生了浓厚的兴趣。在国内，贾健国等人发现 SnO_2/SiO_2 双层膜在常温下有良好的湿敏特性，在整个湿度区域阻湿特性的线性度较好，可测范围可扩展到整个湿度区域，并且 SnO_2/SiO_2 具有较强的抗干扰能力，在室温下灵敏度不受其他气体的影响。随后，通过溶胶 - 凝胶工艺制得的 $LiCl/SiO_2 - Al_2O_3$ 薄膜材料也具有良好湿敏特性，薄膜在全湿范围内阻抗值的变化大于三个数量级，阻抗的对数值与相对湿度的关系具有较好的线性度，吸湿响应小于 30 s，脱湿响应小于 60 s。近年来，复合系陶瓷湿敏材料也备受关注。$SiO_2 - LiZnVO_4$ 系湿敏材料中，液相掺杂 $LiZnVO_4$ 含量对试样的湿敏性能影响很大。$LiZnVO_4$ 添加量的摩尔分数为 10% 时，对应的材料感湿灵敏度和感湿线性都较好。

在国外，Maximino 等将湿敏荧光材料 $[Ru(phen)_2(doppz)]_2^+$ 掺于聚四氟乙烯（PTFE）中，对光敏材料进行优化，这种新颖的薄膜通过测量荧光发射强度或者荧光寿命，对湿度进行持续的监测，可以测量高湿度环境（RH > 90%）。另外，Milind V. kulkarni 等采用一种化学的聚合方法将不同的酸（例如 HCl、$HClO_4$、H_3PO_4、H_3BO_3 和醋酸等）掺在 Poly N - Methyl Aniline（PNMA）中，这种湿敏材料可以进行较宽范围的测量。经实验验证，掺有 H3PO4 的聚合物薄膜在 20% ~ 100% RH 具有良好的线性关系。

目前，一种新颖的材料受到了广泛的关注，新亚甲基蓝（New methylene blue，NMB）通过离子交换效应与丝光沸石（H-mordenite zeolite，HMOR）结合在一起，用这种材料制成的光学湿敏器件在 6% ~95% RH 范围内具有良好的线性响应,较高的稳定性和可逆性,吸湿和脱湿的恢复时间分别是 1 min 和 2 min,充分显示出它在光湿敏材料上的优势。与此同时,人们更加热衷于湿度传感器的光学检测方法的研究。

9.6.1　光学检测方法进展

在国内,姚岚等人利用离子自组装技术在光纤端面上制备了具有多层结构、含有亲水基团的聚电解质感湿薄膜。当湿度发生变化时,感湿膜的体积发生膨胀或收缩,法布里 - 珀罗(Fabry - Perot)干涉腔的长度发生变化,引起反射光的相位差发生改变,进而使得反射光的光强也随之变化,通过测量反射光强的变化便可测出湿度的变化。

9.6.2　光纤法

2000 年, C. Bariiain 等报告一种涂膜锥形光纤湿度传感器,由敏感光纤、激光源、光学功率计和计算机等部分组成。锥形光纤纤芯到玻璃包层的折射率逐渐变小,可使高模光按正弦形式传播,这能减少模间色散,提高光纤带宽。在光纤锥形段的两侧分别淀积了一层氰基胶质膜作为湿敏元件,对于不同的湿度,该亲水性膜的反射系数将发生不同的变化。实验结果表明:在相对湿度 30% ~80% 范围内,通过锥形光纤的光强将与相对湿度成近似线性关系。

近年,出现了许多有关 U 型光纤湿度传感器的报告。2001 年,B. D. Gupta 等采用纤芯表面涂有掺杂酚红的 PMMA 薄膜的 U 型光纤作为敏感元件,它的两端与激光源和光功率计相连,利用 PMMA 折射率与被测湿度相关的特性来实现对湿度的检测。该种 U 型光纤湿度传感器可以增加敏感区域,提高灵敏度,且响应时间仅有 5 s。最近,Sunil K. Khijwania 等报告了一种损耗波光纤湿度传感器,它采用掺杂氯化钴附着 U 型光纤芯表面,这种传感器可以测量的湿度范围是 10% ~90% RH,响应快且恢复时间小于 1s。

Maria Konstantaki 等报告了利用混合的 PEO/CoCl$_2$ 作为湿敏涂层材料的长周期光纤光栅(LPFG)湿度传感器。光纤上沉积的上述材料的薄膜涂层受到周围湿度的影响,将引起与感湿机理有关的材料折射率和吸收系数的变化,从而使透射谱发生改变。这种传感器可以检测的湿度范围是 50% ~95% RH,分辨率高于 0.2%,光纤传感器的响应时间常数也仅仅是 0.1 s 级。

还有一种典型结构叫作电稳定自组织锥形光纤湿度传感器,其结构是将一段单模光纤从中间拉成锥形,但将锥形腰处一段距离保持均匀的直径,并用对湿度敏感的复合材料做成均匀包层,这样实际上将光纤做成了哑铃型,如图 9 - 5。如将一定功率的光通过锥形光纤,则光能在此处的损失将与包层厚度、湿度相关,包层用紫外胶固化后,则只与湿度相关。用功率检测的方法即可测量湿度的大小。

这种光纤传感器应用在 1 550 nm 波长时,灵敏度为 0.03 dB/% RH,在 26 ~65 ℃ 范围内有 1 dB 的漂移,测量范围 0 ~90% RH,实验结果在 100 ℃ 内测得。

光纤光栅型的湿度传感器,与其材料相同,测量原理是环境湿度变化引起光纤光栅材料的形变,相应引起特征波长的变化,检测此波长的变化即可知环境湿度的变化。测量精度与范围也相近。

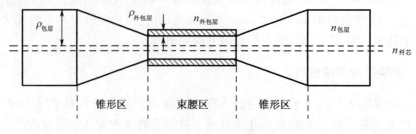

图 9 - 5 ESA 光纤湿度传感器结构

9.6.3 光学干涉法

1999 年，Francisco J. Arregui 等采用 ISAM 构造了一种基于纳米法布里 – 珀罗干涉腔的光纤湿敏传感器。利用 ISAM 法可以成功地控制法布里 – 珀罗腔的长度，使得干涉仪的腔长小于400nm，所以仅仅使用价格低廉的 LED 作为光源即可，从而取代了激光光源。这种方法制成的湿度传感器测量湿度的范围极广，从 11.3% 到 100% 均可以得到精确的数值。此外，传感器的响应时间小于 1.5 s，因此可以用于人们呼吸的监控，也可用于工业、医药工程等其他领域。

2006 年，S. McMurtry 等也曾经报告过一种多通道低相干光学干涉湿度敏感测量系统。它采用 PMMA – PMTGA – PMMA 聚合物作为湿敏薄膜，光信号处理采用迈克尔逊干涉仪。由于湿度的作用，聚合物薄膜的厚度产生变化。该系统采用多个独立的传感器来建立各自相对应的干涉匹配位置，通过干涉仪获得的频率与被湿度相关。这种聚合物薄膜不易老化并且该传感器测量准确性高，可以达到 1.2% RH。

9.6.4 光学衍射法

A. Tsigara 等人报告了一种基于光学衍射的湿度传感器。这种传感器采用浇铸或旋涂的镀膜方法将混合聚合物/氯化钴溶液涂镀在光栅结构或平面玻璃基质上，其湿度检测基于聚合物/氯化钴的合成膜表面修正现象所产生的变化而导致光衍射效应的改变。它的优点是可以通过改变聚合物薄膜的合成材料而调整测量湿度的范围。其实验装置如图 9 - 6 所示。

He - Ne 激光器(波长 633 nm)作为该实验的光源。探测器将不同衍射级的传输光强信号记录下来，参考信号也同时被另一探测器记录下来用于解释在测试腔中可能发生的光能不稳定性。实验样品被置于测试腔中来感测不同的湿度值(20% ~ 80% RH)，空间滤光片的作用是使不同衍射级的传输或衍射信号达到最佳效果。测量的结果通过数据采集系统被记录下来并在计算机上显示。该传感器具有响应快、稳定性高、良好灵敏性和测量范围相对较广。

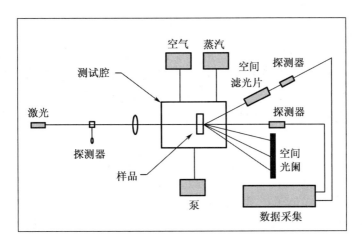

图9-6　基于衍射的光学湿度传感器实验原理图

9.6.5　荧光效应

这种方法是基于指示剂的发光强度或发射寿命的变化来检测湿度。Orla McGaughey 等发现利用溶胶－凝胶法制成的 Ru 复合物－$[Ru(phen)_2(doppz)](PF_6)_2^-$ 的薄膜可以作为良好的湿敏材料，通过荧光强度的改变可以测得湿度的变化情况。其实验测量系统如图9-7所示。将一镀有感湿薄膜的载玻片放置在专门设计的流通池中，其中通有湿度变化的干湿混合氮气，通过气流控制器来产生特定的湿度。同时，使用一电容湿度传感器来控制相对湿度的准确值。在流通池里还放有一加热器来控制温度的稳定性。该传感器的探测点通过一放置在流通池中蓝色 LED 来实现，LED 发射出的光强用光探测器记录下来。实验中使用滤光片是为了消除所探测到的输出信号的激发光。这种湿度传感器的测湿范围为 0~100% RH，已经被用于室内空气品质的检测而且可以达到 0.35% RH 的检测极限。

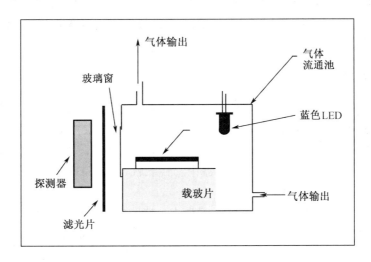

图9-7　基于强度变化的测量系统实验图

9.6.6 反射法

采用半导体方式制冷元件可以制成光学湿度传感器。它的工作原理是，光学检测器接收到 LED 发射的红外光束，当处于环境空气中的传感器经冷却器冷却后，引起水薄膜的收缩，由此产生的散射效应改变了光的反射系数，使光输出信号增加。被测相对湿度与冷却器冷端的光反射系数相关。传感器的准确度优于 ±1%，响应时间小于 10 s。

9.7 集成湿度传感器

集成湿度传感器是微电子技术和微电子机械系统(MEMS)发展的产物,这两种技术结合起来,使得湿度传感器在功能和微型化方面均有所突破。集成湿度传感器一般分成以下四种类型：

9.7.1 线性电压输出式

该类传感器输出的是与相对湿度呈比例关系的电压信号,采用恒压供电,内部有放大电路,响应速度快,重复性好,抗污染能力强。典型产品有美国 Honeywell 公司生产的 HIH3605/3610、HM1500/1520。

9.7.2 线性频率输出式

该类传感器输出频率,该频率与相对湿度呈线性关系。这类传感器由于具有很好的线性度,湿度测量范围大,抗干扰能力强,采用数字电路或单片机控制比较容易,且价格低,因此应用较为广泛。典型产品有美国 Humirel 公司生产的 HF3223。

9.7.3 频率/温度输出式

由于温度对湿度的影响较大,因此,有些湿度传感器在集成时,除了提供湿度转换的频率输出端以外,还增加了温度信号输出端,配上二次仪表可分别测量出湿度和温度值,典型产品为 HTF3223 型。

9.7.4 单片智能化湿度/温度传感器

它也称为数字化湿度/温度传感器,这类传感器往往都是温湿度一体产品。是将相对湿度传感器/温度传感器、放大器、A / D 转换器、接口、存储器及控制单元等通过集成技术,封装在一起,这类传感器输出的是数字信号。一般在出厂前,每只传感器都经过精密校准,校准系数被编成相应的程序存入存储器中。代表性产品有:盛世瑞恩公司 SHTxx 系列产品、E + E 公司的 EE02 系列产品等。

一般来说,集成湿度传感器的测量范围很大,精度较高,抗干扰能力强,体积小,价格低,因此受到越来越广泛的应用,如空调、大型粮仓、军火库等的湿度控制。

第10章 超声波传感器

超声波最早被人类发现是在 1793 年,意大利科学家斯帕拉捷在蝙蝠身上发现其存在。随后的三十多年里人们进行了有关超声波的产生机理方面的大量研究,直到 1830 年 F. Savar 用齿轮产生 2.4×10^4 Hz 的超声,首次实现了人类在人工控制下超声波的产生,开启了超声历史的新纪元,其他新技术如压电效应与逆压电效应的发现也大大推动了超声波的快速发展。在随后的 60 年间,世界各地区有关超声技术的研究不断的取得突破性成果,其应用总体上包括两大方面:第一类是超声加工和处理技术;第二类就是超声检测与控制技术。第一类技术应用是通过超声波去改变物质本身的特性或者状态,以满足生产生活需要;第二类应用主要是超声波本身的检测及测量。这两类技术的应用非常广泛,在军事、农业等领域的应用不胜枚举。本章着重分析超声波在检测中的一些应用。

10.1 超声波的基本知识

10.1.1 声波分类

1. 声波概述

我们周围充满各种各样的声音:交谈声、音乐店、车辆运行声、自然界风雨声等。从物理学角度讲,声音是由物体振动产生的一种波,并通过媒介(一般是空气)传播而作用于人们的耳鼓,使人们能够进行感知。声音的传播需要媒介,在真空中声波不能传播。声音的高低叫做音调,它是由声源振动的频率决定的,由于物体的振动有快有慢,所以发出的声音也就有高有低,一般来说,正常人能够听到频率范围从 20 Hz 到 20 000 Hz 的声波。

声音作为一种波,它具有波的所有特性,包括反射、干涉、衍射等。我们应该会判断一些常见声现象的实质,如空谷回声、夏日雷声轰鸣不绝等属于声波的反射;“隔墙有耳”或“闻其声不见其人”属于声波的衍射等。

2. 超声波和次声波

(1)次声波

频率低于 20 Hz 的声波,叫作次声波。次声波的特点是频率低、波长长、穿透力极强,它可传播至极远处而能量衰减很小,10 Hz 以下的次声波可以跨山越洋,传播数千千米之远。对于次声波人耳无法感受到,但鲸鱼、海豚之类的海生动物可以感受到,大洋彼岸的风暴、地震和海啸引起的次声波,数千公里外鲸鱼能感知到,并作出反应。在自然界,次声波的自然发生源有狂风暴雨、雷鸣电闪、台风寒潮、龙卷冰雹、晴空湍流、地震海啸、陨石落地、极光放电、太阳磁爆及日全食等,频率一般都在 0.1 Hz 以下。人为发生源包括飞机飞行、车辆高速行驶、机器飞速运转、打桩机喷气打桩、火箭发射、核爆炸等,它们所产生的频率一般在 1~15 Hz 范围内。

（2）超声波

频率超过 20 000 Hz 的波叫超声波。超声波人耳感受不到，但很多动物都有完善的发射和接收超声波的器官，如蚊子、蝙蝠、猫、狗和家畜就能听到超声波。西方人用一种叫作犬笛的口哨来呼唤爱犬，犬笛吹出的即是超声波。以昆虫为食的蝙蝠，视觉很差，飞行中不断发出超声波的脉冲，依靠昆虫身体的反射波来发现食物。海豚也有完善的"声呐"系统，使它能在混浊的水中准确地确定远处小鱼的位置。

超声波可以在气体、液体及固体中传播，但不同媒介传播速度不同。它具有频率高、波长短、绕射现象小、方向性好、能够成为射线而定向传播等特点。超声波对液体、固体的穿透本领很大，尤其是在阳光不透明的固体中，它可穿透几十米的深度。超声波碰到杂质或分界面会产生显著反射形成反射成回波，碰到活动物体能产生多普勒效应。

10.1.2 超声波的波形

超声波在本质上与普通的声波是一致的，其许多的传播规律和传播特性都符合波的传播特点，两者都是因频率而划定界限，因此携带的能量也不同，大体上存在以下三种波形：纵波、横波、表面波。

1. 纵波

纵波波形是当传播媒质中各点振动的方向和超声波的传播方向平行时，该波形被称作纵波波形。波形如图 10-1 所示。

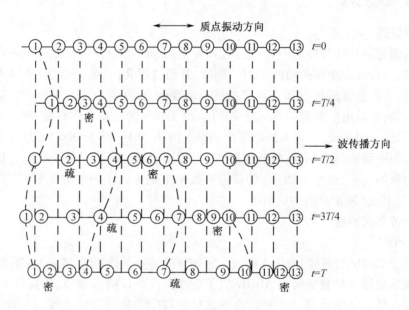

图 10-1　纵波示意图

当弹性介质受到交变的压应力或拉应力时，将产生交替变化的体积变化或伸缩形变，这种变化还会产生弹性恢复力，从而产生振动并且在介质中传播。在超声检测中，纵波是应用的最为普遍的一种波形，也是唯一在固体、液体和气体中都可传播的波形。鉴于纵波的发射和接收都较容易实现，在应用其他波形时，经常采用纵波声源经过波形转换后而得到所需的波形。

2. 横波

横波是质点的振动方向和波的传播方向相垂直的一种波形,波形如图 10 - 2 所示,是质点受到交变剪切力作用时,发生剪切形变而产生的。横波只能在固体中传播,不能在液体和气体中传播。横波的速度通常约为纵波声速的一半,所以同频率时横波波长约为纵波的一半。实际检测中使用横波的原因主要是,通过波形的转换,容易在材料中得到一个传播方向和表面有一定角度的波形,可用来对不平行于表面的缺陷进行检测。

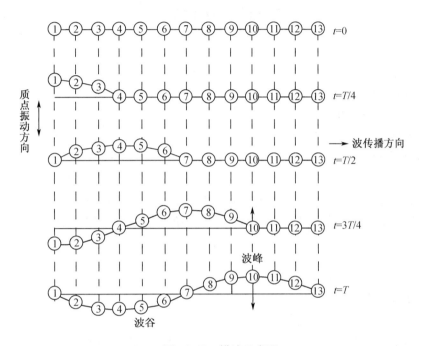

图 10 - 2 横波示意图

3. 表面波

表面波波形是沿着两种媒质的界面传播的同时具有纵波和横波的双重性质的一种弹性波,波形如图 10 - 3 所示声表面波不仅可以在各向同性均匀固体中传播,而且也可以在不均匀的(如分层的)固体介质中传播。不过,此时它是频散的,并且存在多种模式。在各向异性介质(如晶体)中,也可能存在声表面波,但由于介质的各向异性,其传播特性随表面的取向和传播方向而不同,而质点振动一般有三个分量。对于均匀的晶体,其传播也是非频散的,表面波的振动轨迹为椭圆,并且在距离表面四分之一的地方振幅最强,随深度增加逐渐减弱,在处理相关表面波的问题时可将其看作纵波与横波的合成,采用分解的方法来处理实际问题时。

10.1.3 超声波的声压、声强和声阻抗

1. 声压

介质中有声波传播时的压强与无声波传播时的静压强之差称为声压 p。随着介质中各点振动的周期性变化,声压也在作周期性变化,声压的单位是 Pa(N/m^2),则

$$p = \rho c \omega \xi_{m}(\omega t - \varphi) = \rho c u \qquad (10 - 1)$$

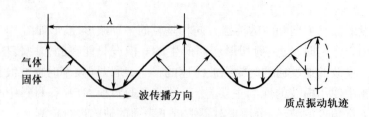

气体
固体
波传播方向
质点振动轨迹

图 10 - 3　表面波示意图

式中　ρ——传声介质的密度；

　　　c——声速；

　　　ξ_m——介质中质点的振幅；

　　　u——质点振动速度；

　　　ω——角频率；

　　　φ——相位角。

2. 声强

声强 I 又称为声波的能流密度，即单位时间内通过垂直于声波传播方向的单位面积的声波能量。声强是一个矢量，它的方向就是能量传播的方向，声强的单位是 W/m^2。则

$$I = \frac{p}{\rho c} \qquad (10-2)$$

式中　ρ——传声介质的密度；

　　　c——声速；

　　　p——压力。

声压与声强代表了超声波所能携带的能量大小，是在超声检测技术中衡量超声波所能传播并能足够引起传感器响应范围的指标。

3. 声阻抗

声阻抗特性：声阻抗特性能直接表征介质的声学性质，其有效值等于传声介质的密度 ρ 与声速 c 之积。记作

$$Z = \rho \cdot c \qquad (10-3)$$

式中　Z——声阻抗特性；

　　　ρ——传声介质的密度；

　　　c——声速。

声波在两种介质的界面上反射能量与透射能量的变化，取决于这两种介质的声阻抗特性。两种介质的声阻抗特性差愈大，则反射波的强度愈大。例如，气体与金属材料的声阻抗特性之比接近于 1:80 000，所以当声波垂直入射到空气与金属的界面上时，几乎是百分之百地被反射。温度的变化对声阻抗特性值有显著的影响，实际中应予以注意。

10.1.4　超声波的传播特性

1. 超声波垂直的入射到平界面上时的反射和透射

当超声波垂直的入射到两种介质的界面上时，如图 10 - 4 所示，一部分能量透过界面而进入到第二种介质中，成为透射声波（声强 I_t），并且波的传播方向不发生改变；另一部分

被界面反射回来的能量,则会沿着与入射波的反方向进行传播,成为反射声波(声强 I_r)。声波的此种性质是超声波检测缺陷的物理基础。

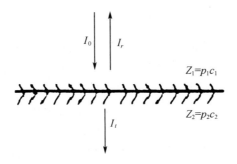

图 10 - 4　超声波向大平界面垂直入射时的
反射和透射

I_0—入射声强;I_r—反射声强;I_t—透射声强

声压反射率 r 定义为反射波的声压和入射波的声压的比,声压透射率 t 定义为透射波的声压和入射波的声压的比,它们的数学表达式为

$$r = \frac{p_r}{p_0} = \frac{Z_2 - Z_1}{Z_2 + Z_1} \tag{10-4}$$

$$t = \frac{p_t}{p_o} = \frac{2Z_2}{Z_2 + Z_1} \tag{10-5}$$

式中　p_t——透射波的声压;

　　　p_r——反射波的声压;

　　　p_0——入射波的声压;

　　　Z_2——第二种介质的声阻抗;

　　　Z_1——第一种介质的声阻抗。

为了研究透射波和反射波之间的能量关系,引入了声强强透率 T 和声强反射率 R 两个概念。声强透射率是透射波声强(I_t)与入射波声强(I_0)之比;声强反射率是反射波声强(I_r)与入射波声强(I_0)之比。

由声压和声强的关系式(10 - 3)和式(10 - 4)、式(10 - 5),可得到如下两式:

$$T = \frac{I_t}{I_0} = \frac{Z_1 p_t^2}{Z_2 p_0^2} = \frac{4Z_1 Z_2}{(Z_2 + Z_1)^2} \tag{10-6}$$

$$R = \frac{I_r}{I_0} = r^2 = \left(\frac{Z_2 - Z_1}{Z_2 + Z_1}\right)^2 \tag{10-7}$$

由能量守恒定律可得,$I_0 = I_r + I_t$,由式(10 - 6)和式(10 - 7)还可得出,$T + R = 1$。

由上面的公式可知,界面两侧介质当中存在着的声阻抗的差异对反射能量与透射能量的比例有决定作用。差异越大,透射声能越小,反射声能就越大。以钢和空气的界面为例,空气的声阻抗一般可以忽略,所以此时几乎只有反射声能,而没有透射声能。这一点当检测具有空气隙的缺陷(如分层、裂纹等)时是一个有利的因素,因为缺陷的反射率很高。但它同时带来的不利情况是,很难经过空气耦合使声波进入到固体材料中,这就是超声检测过程中通常使用耦合剂的最主要原因。而处于相反的情况时,若界面两侧介质声阻抗较接近,反射率几乎是零,声波接近于完全透射,这就导致了一些声阻抗过于接近基本材料的缺陷时不易被检测出来。

2. 超声波的散射和衍射

当未遇到介质特性发生改变时,平面波在均匀并且各向同性的弹性介质当中是沿直线传播的。在传播的过程中,当遇到一个障碍物(其声阻抗与周围的介质不同,并且假设其为有限尺寸)时,就会发生散射和衍射现象。所谓散射现象,是指声波在遇到障碍物之后不再向特定的方向而向各不同的方向发射声波的现象。衍射则通常是指当声波绕过障碍物的边缘并向后传播的现象。在这两种现象中声波的传播均不符合直线传播的规律。

如果障碍物尺寸比超声波波长小很多,则其对超声波的传播几乎没影响;如果障碍物尺寸近似于超声波的波长,超声波将不能按照几何规律被反射,而会发生较不规则的反射和衍射;当障碍物尺寸小于超声波波长,则波到达障碍物之后的现象和以障碍物为点状声源将向四周发射出声波的现象相类似,这些现象都被认为是波的散射。如果障碍物的尺寸有限却比超声波波长大得多,且障碍物的声阻抗和周围介质的差异很大的时候,入射到障碍物上的声波几乎全被反射,从而在障碍物的后面构成一个声影区。但声影区的大小并非是被障碍物所遮挡的全部区域。当平面波遇到反射面的边缘时,如靠近疲劳裂纹的末端,则可将边缘看成一直线声源,从边角处发出柱面波。这样,声波就可绕过障碍物的边缘向其后面传播,这种现象就称为衍射现象,是波动的特性之一。

10.2 超声波换能器

在超声波检测过程中,通常能够产生和接收超声波信号的核心部件被称为超声波换能器(又称为超声波探头)。超声波换能器的性能直接影响超声波的特性和超声波的检测性能。目前压电式超声波换能器比较常见。根据功能的不同压电式超声波换能器可分为发射超声波换能器、接收超声波换能器和收发一体式超声波换能器。发射超声波的过程为逆压电效应过程,接收超声波的过程为正压电效应过程。超声波换能器中的关键部件是晶片,晶片是一个具有压电效应的单晶或者多晶体薄片,它的作用是将电能和声能互相转换。

10.2.1 超声波换能器的种类

超声波探伤中由于被探工件的形状、材质、探伤目的、探伤条件不同,因而需使用不同形式的探头。超声波探头按不同的归纳方式可以进行不同的分类,一般有以下几种。

1. 按波型分类

按被探工件中产生的波形可分为纵波探头、横波探头、板波(兰姆波)探头和表面波探头。

2. 按入射声束方向分类

按入射声束方向可分为直探头和斜探头。

3. 按耦合方式分类

按照探头与被探工件表面的耦合方式可分为直接接触式探头和液浸式探头。

4. 按晶片数目分类

按照探头中压电晶片的数目可分为单晶探头、双晶探头和多晶探头。

5. 按声束形状分类

按照超声波声束的集中与否可分为聚焦探头和非聚焦探头。

6. 按频谱分类

按超声波频谱可分为宽频带和窄频带探头。

7. 特殊探头

除一般探头外，还有一些在特殊条件下和用于特殊目的的探头。如机械扫描切换探头、电子扫描阵列探头、高温探头、瓷瓶探伤专用扁平探头(纵波)及 S 型探头(横波)等。

10.2.2　超声波探头的构成

超声波探头的结构与探头的类型有关，下面就分别对常用的纵波直探头、横波斜探头及表面波探头的结构进行介绍。

1. 纵波直探头

(1)单晶直探头结构

纵波直探头用于发射和接收纵波，它由保护膜、压电晶片、阻尼块、外壳、电器接插件几部分组成。其结构如图 10－5 所示。压电晶片采用 PZT 压电陶瓷材料制作，外壳用金属制作，保护膜可以用三氧化二铝、碳化硼等硬度很高的耐磨材料制作。阻尼吸收块用于吸收压电晶片背面的超声脉冲能量，防止杂乱反射波产生，提高分辨力。阻尼吸收块用钨粉、环氧树脂等浇注。

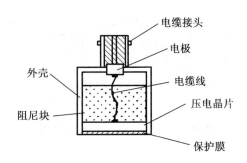

图 10－5　纵深直探头结构示意图

单晶直探头的发射和接收超声波原理：发射超声波时，将 500 V 以上的高压电脉冲施加到压电晶片上，利用逆压电效应，使晶片发射出一束频率落在超声范围内、持续时间很短的超声振动波。向上发射的超声振动波被阻尼块吸收，而向下发射的超声波将垂直透射到试件中。

假设该试件为钢板，而其底面与空气交界，到达钢板底部的超声波的绝大部分能量将被底部界面反射，反射波经过一个短暂的传播时间后，回到压电晶片。根据压电效应，压电晶片将超声振动波转换成同频率的交变电荷和电压。由于衰减等原因，该电压通常只有几十毫伏。

(2)纵波双晶探头的结构

纵在一个壳体内装有两个晶片的探头称为双晶探头双晶探头就是由两个单晶探头组合而成的探头，又称联合双探头、分割探头。

由两个纵波探头组合成的双晶探头称为纵波双晶探头或纵波联合双探头，也称双晶直探头。由两个横波探头组合成的双晶探头被称为横波双晶探头或横波联合双探头,也称双晶斜探头。由于纵波双晶探头使用较广,在这里只讨论纵波双晶探头,以下简称双晶探头。

双晶探头的两个晶片一个用于发射,一个用于接收,发射晶片可以用发射性能好的压电材料(如锆性酸铅)制成,接收晶片可以用接收性能好的压电材料(如硫酸理)制成。因此,双晶探头的发射灵敏度和接收灵敏度都很高,这是单晶探头无法办到的。双晶探头的两个晶片之间有一吸声性强绝缘性好的隔声层,将发射电路和接收电路分割开来,令而克服了发射声波和回波的互相干扰和阻塞,使脉冲变窄,分辨力提高,还消除了发射晶片和延迟块之间的反射杂波进入接收晶片,从而减少了杂波。收发探头各自都带延迟块,使探测盲区大为减小,有利于近表面缺陷的探测。

2. 横波斜探头

这里仅对使用最广泛的由波型转换得到横波的斜探头进行介绍。我们知道,当超声波从一种介质倾斜入射到另一种介质(必须为固体)时,在介质表面会产生反射、折射及波型转换,而当超声波入射角在第一临界角与第二临界角之间时,在第二介质中就只有折射横波。横波斜探头就是利用超声波的这一性质设计制作的。横波斜探头通常由声陷阱、吸声材料、透声楔块、晶片、阻尼块、电器接插件、外壳等部分构成。其中声陷阱的作用是吸收在透声楔块界面反射的声波,减少干扰杂波。其结构如图 10 – 6 所示

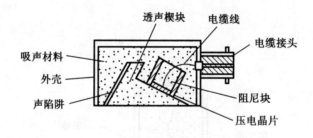

图 10 – 6 横波斜探头结构示意图

3. 表面波探头

表面波探头的结构与横波斜探头类似,主要区别在于晶片发射的纵波入射角度不同,即二者的透声楔块倾角角度不同。当超声波入射纵波的入射角大于或等于第二临界角时,在第二介质表面会存在表面波,表面波探头就是利用这一原理设计制作的。

10.3 超声波传感器的应用

10.3.1 超声波液位测量

液位测量广泛应用于石油、化工、气象等部门,实现无接触、智能化测量是当前液位测量的发展方向。随着工业、建筑业、农业、军事等领域的不断发展,计算机、微电子、传感器等高新技术的应用与研究,传统的液位测量方法在很多场合已无法满足人们的需求,因此很多先进的测量工具应运而生。按应用习惯可将这些测量工具分为接触式和非接触式两大类。

接触式液位测量主要有:人工检尺法、浮子测量装置、伺服式液位计、电容式液位计和磁致伸缩式液位计等。它们共同的特点是感应元件与被测液体接触,因此存在一定的磨损且容易被液体粘住或腐蚀。

非接触式液位测量出现了微波雷达液位计、射线液位计、激光液位计及超声波液位计等。它们共同的特点是感应元件与被测液体不接触,测量仪器不受被测介质的影响,这就大大解决了在粉尘多的情况下给人类引起的身体接触伤害,腐蚀性质的液体对测量仪器的腐蚀和触点接触不良造成的误测情况。但前几种方法由于技术难度大,成本高,一般用于军事工业,而超声波液位计由于其技术难度相对较低,且成本低廉,适用于民用推广。所以现在所见到一些液位计基本上都是利用超声波来测距的。

1. 超声波的测距原理

在超声波测距电路中,发射端得到输出一系列脉冲方波信号,脉冲宽度为发射超声波的时间间隔,被测物距离越大,脉冲宽度越大,输出脉冲个数与被测距离成正比。超声测距大致有以下两种方法:

(1)取输出脉冲的平均值电压,该电压(其幅值基本固定)与距离成正比,测量电压即可测得距离;

(2)超声波发射器向某一方向发射超声波,在发射的同时开始计时,超声波在空气中传播,途中碰到障碍物就立即被反射回来,超声波接收器收到反射波就立即停止计时,原理如图 10-7 所示。超声波在空气中的传播速度为 C,根据计时器记录的时间 t,就可以计算出发射点距障碍物的距离 L,即

$$L = Ct/2 \qquad\qquad (10-8)$$

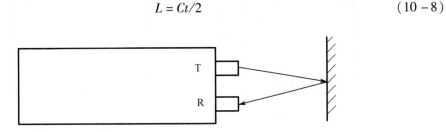

图 10-7　超声波测距原理图

由于超声波的声速与温度有关,如果温度变化不大,则可认为声速基本不变。如果测量精度要求很高,则应通过温度补偿的方法加以校正。

声速与温度关系如表 10-1 所示。

表 10-1　声速与温度关系表

温度/℃	-30	-20	-10	0	10	20	30	100
声速/(m/s)	313	319	325	323	338	344	349	386

在空气中,常温下超声波的传播速度是 340 m/s,但其传播速度 C 易受空气中温度、湿度、压强等因素的影响,其中受温度的影响较大,如温度每升高 1 ℃,声速增加约 0.607 m/s。因此在测距精度要求很高的情况下,应通过温度补偿的方法对传播速度加以校正。已知现场环境温度 T 时,超声波传播速度 C 的计算公式可近似表示为

$$C = 331.5 + 0.607T \qquad (10-9)$$

2. 液位信息采集电路

液位信息采集电路主要由超声波发射电路、超声波接收电路和温度测量电路组成。液位信息采集的方法有以下四种,如图 10-8 所示。

图 10-8(a)这种方式是超声波传感器位于液面下,超声波在水中传播,测量超声波传感器到液面的距离 L。超声波传感器做成收发一体式,超声波传播方向与液面垂直。要求超声波传感器具有防水能力。

图 10-8(b)这种方式是超声波传感器位于液面上,超声波在空气中传播,测量超声波传感器到液面的距离 L。超声波传感器做作成收发一体式,超声波传播方向与液面垂直。

图 10-8(c)这种方式是超声波传感器位于液面下,超声波在水中传播,测量的是距离 S。超声波传感器作成分体式,即超声波传感器的发射探头和接收探头分开,超声波传播方向与液面具有一定的夹角。这样超声波传感器距液面的距离 L。

图 10-8(d)这种方式与方式 10-8(c)类似,两种方式的区别在于 10-8(d)方式的超声波发射和接收探头在液面上,超声波在空气中传播,不具有防水性。

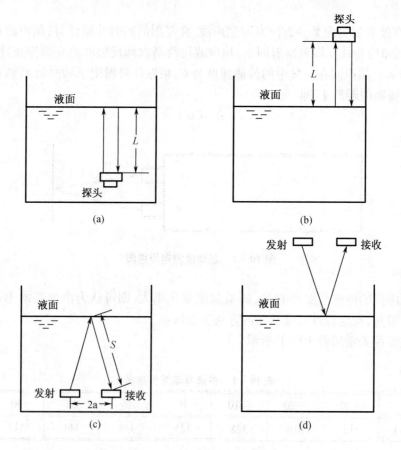

图 10-8　液位信息采集的方法

3. 超声波发射电路

超声波发射电路原理图主要由单片机、脉冲升压电路和超声波发射探头组成。

超声波发射电路如图 10-9 所示。超声波发射探头采用 T40-16,其中心频率为

40 kHz。超声波接收探头要接收从液面返回的超声波,超声波在空气中传播和到达液面后的反射都会导致超声波的能量损失,为了提高接收灵敏度,除使用高灵敏度探头外,还要提高发射功率,这样单靠三极管的放大作用是不行的,本系统采用了三极管加反向器的办法用于提高驱动功率。系统使用 ATMEGA128 单片机,由 PA1 端口输出约 40 kHz 的方波信号,通过三极管 T1 进行电压和电流的放大,一路经过六反向器 74LS04 两级反向,另一路经过六反向器 74LS04 三级反向,以推挽的形式驱动超声波发射探头发射出超声波信号。其中三极管 T2 是为系统自检而设计的。在正常的探测过程中,PA0 端口一直输出低电平,使三极管 T2 保持截止状态,不会影响超声波发射探头的正常发射。

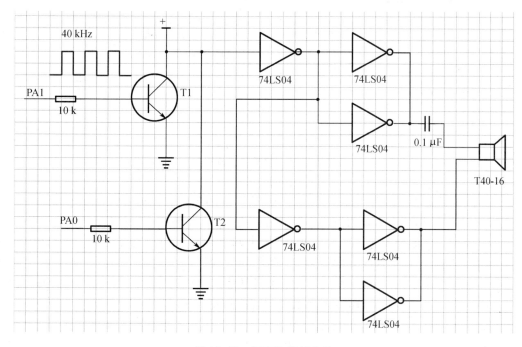

图 10-9 超声波发射电路

超声波探头是发射和接收超声波的仪器。本系统超声波发射探头采用 T40-16,超声波接收探头采用 R40-16。

采用收发分体式超声波探头有以下优点:发射角小,发射距离远,余震对接收探头的影响小,降低了调试的复杂性,提高了系统安装的灵活性,减小了盲区,同时提高了检测距离。

这里采用 74LS04 来提高驱动的功率,以使超声波发射信号足够大,来提高测量距离。74LS04 内有六个独立的反向器,每个反向器都可执行逻辑的反向操作,它还可构成振荡器,进行脉冲整形和小信号的电压放大等。其中一个非门用来为驱动器的一侧提供 180°的相移信号,另一侧由相内信号驱动,这种结构使驱动电压提高一倍。为提高超声波探头的驱动电压,本电路采用两个 74LS04 并联的形式。

4. 超声波接收电路

超声波接收电路是用来将探测到的回波的声能转换为电信号,实现超声波回波的接收。在被测液面距离较远的情况下,超声波的回波很弱,为此要求将信号多次放大。放大后的信号整形输出一个方波信号,此方波信号向 CPU 发中断申请,在中断服务程序中,读取时间计数器的计数值,从而计算被测液位的距离。超声波接收电路原理图如图 10 - 10 所示。

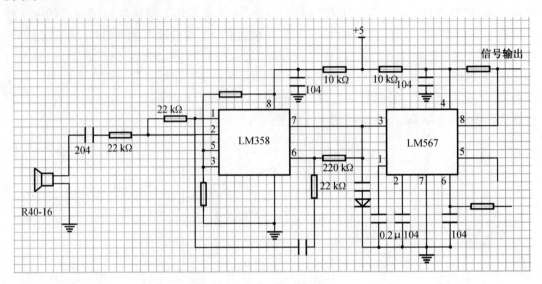

图 10 - 10   超声波接收电路

超声波的回波检测是整个超声波液位测量系统的关键。困难在于回波信号小、频率高,要将超声波接收探头输入的微弱信号进行放大、滤波等处理。增加放大倍数,干扰信号也会随之增加。根据超声波接收探头类型,为电路选择合适的运算放大器,是设计中经常面临的问题,同时为提高性能和降低成本,选择和合理使用运算放大器已经成为系统设计的关键。本设计中采用了 LM358 运算放大器,LM358 内部有两个独立的、高增益、内部频率补偿的双运算放大器,适合于电源电压范围很宽的单电源使用,也适用于双电源工作模式,在推荐的工作条件下,电源电流与电源电压无关。它的使用范围包括传感放大器、直流增益模块和其他所有可用单电源供电的使用运算放大器的场合,其单位增益频带约 1 MHz。由于 LM358 本身都相当于一个低通滤波器,在连续发射 40 kHz 的超声波的时候,接收部分包括运放的输出和比较器的输出口可以很稳定地接收到 40 kHz 的信号。

LM567 为通用音调译码器,当输入信号在通带内时,LM567 可作为饱和晶体管对地开关,由电压控制振荡器驱动振荡器确定译码器中心频率,用外接元件独立设定中心频率带宽和输出延迟。LM567 内部包含有两个检测器、放大器、电压振荡器等元件,锁相环路输出信号由电压振荡器产生。LM567 检测回波方式好、调试方便、可靠性好。LM567 的 1、2 引脚通常分别通过一电容器接地,形成输出滤波网络和环路单级低通波网络。2 引脚所接电容决定锁相环路的捕捉带宽,电容值越大环路带宽越窄。1 引脚所接电容至少是 2 引脚电容的 2 倍。3 引脚是输入端,要求输入信号≥25 mV。4 引脚是电源输入端。5、6 引脚外接的电阻和电容决定了内部压控振荡器的中心频率 f,f 的计算如式(10 - 10)所示。7 引脚直接接地。8 引脚是输出端。

$$f = \frac{1}{1.1RC} \tag{10 - 10}$$

当 LM567 的 3 引脚输入幅度应大于 25 mV,一般幅度小于 200 mV 且频率在其带宽内的信号时,8 引脚由高电平变成低电平,本系统中是利用 LM567 接收到相同频率 40 kHz 的载波信号后,8 引脚由高变低这一特性,触发单片机。由式(10 - 10)可知,电容值已定,可以通过调节可调电阻器的值来实现 LM567 的中心频率达到 40 kHz。带宽的计算公式为

$$B_W = 1\ 070 \sqrt{\frac{U_i}{f \cdot C_2}} \qquad (10 - 11)$$

式中　U_i——输入信号的有效值;

　　　f——中心频率;

　　　C_2——2 引脚所接的电容。

经计算 B_W 在 26% ~75% 时,能够保证接收的频率在带宽范围内。

10.3.2　超声波流量测量

据统计,在大多数工业系统中,流量这一过程参数占所需检测参数的30% ~45%。不同的应用场合给流量测量仪表提出了不同的要求,比如石油天然气工业在贸易输送上要求仪表具有高精度;环境工程需要测量脏污介质的流量;化工、食品、造纸、炼钢等部门要求仪表能够在恶劣条件下进行测量等。可见,从节约能源、成本核算、贸易往来等方面而言,流量测量已经成为必不可少的手段。

超声波流量计具有对介质几乎没有要求、非接触式、无压力损失、易于实现数字化管理、可以测量具有腐蚀性、放射性、非导电性的流体流量等特点,因此受到了广泛的关注。

超声波流量计在工业中的应用包括气体、液体以及固体物质流量的测量,其测量范围对大多数液相介质而言,流速从每秒几厘米到每秒十几米,管径从小于 1 cm 到几米,工作温度从低温(如液态氧、液化天然气)到上千摄氏度的高温,允许工作压力从接近真空到几百个大气压,其响应时间从几个毫秒(引擎控制)到 24 h(监控管道流量),在医学上可以测量血管流量,还可以用于江河流量和敞开水道流量的测量。

1. 超声波流量计测量原理

超声波流量计发展到今天,已经有了很多种类型,按测量原理分类有:传播速度差法、多普勒效应法、波束偏移法、相关法及噪声法等。

(1)传播速度差法

传播速度差法是根据超声波信号顺流传播时间和逆流传播时间之差来计算流速,进而求得流量的。根据时差的表现形式不同可以分为时差法、频差法和相位差法。

时差法超声波流量计就是通过测量超声波脉冲顺流传播和逆流传播的时间差来进行流量测量的。其基本原理如图 10 - 11 所示。取静止流体中的声速为 c,流体流速为 v,从上、下游两个作为发射器的超声换能器 T_1、T_2 发射两束超声波脉冲,各自到达下、上游作为接收器的两个超声换能器 R_1,R_2,显然,顺流(由 $T_1 - R_1$)的传播时间为

$$t_1 = \frac{L}{c + v} \qquad (10 - 12)$$

逆流(由 $T_2 - R_2$)的传播时间为

$$t_2 = \frac{L}{c - v} \qquad (10 - 13)$$

一般情况下,液体中的声速 c 在 1 000 m/s 以上,而工业上多数流体的流速 v 不超过几米每秒,即 $c^2 \gg v$,所以

$$\Delta t = t_2 - t_1 \approx 2L \frac{v}{c^2} \qquad (10 - 14)$$

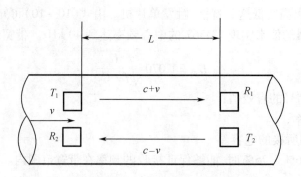

图 10－11　时差法基本原理图

因而,当声速 c 一定时,流速 v 和时差 Δt 成正比,只要测出时差 Δt,就可以求得流体流速 v。

用时差法对管道流量进行非接触测量时,其换能器的安装方式常采用管外斜置式结构,如图 10－12 所示。主控振荡器以一定频率控制收发转换器使两个超声波换能器轮流发射或接收超声脉冲。

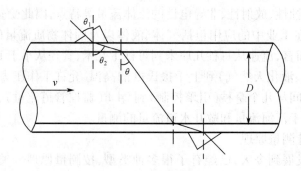

图 10－12　换能器安装方式

设顺流时超声脉冲的传播时间为 t_1,逆流时超声脉冲的传播时间为 t_2,则

$$t_1 = \frac{\dfrac{D}{\cos\theta}}{c + v\sin\theta} + \tau_0 \qquad (10-15)$$

$$t_2 = \frac{\dfrac{D}{\cos\theta}}{c - v\sin\theta} + \tau_0 \qquad (10-16)$$

式中　D——管道内径;

　　　c——超声波在静止流体中的声速;

　　　v——流体的流速;

　　　τ_0——超声脉冲在声楔和管壁中传播的时间及电路延迟时间之和,且设顺流、逆流传播时的 τ_0 相一致,即

$$\tau_0 = 2(L_1/c_1 + L_2/c_2) + \tau_e$$

式中　c_1, L_1——声楔中的声速和声程;

　　　c_2, L_2——管壁中的声速和声程;

τ_e——电路的延迟时间。

因为 $c^2 \gg v^2$，所以时差 $\Delta t = t_2 - t_1 = 2Dv\tan\theta/c^2$。式中 c^2 项与介质的种类、温度等一些物理参数有关，为了消除它的影响，作一个变量代换消去 c^2 项，取

$$t_0 = \frac{t_1 + t_2}{2} = \frac{\dfrac{D}{\cos\theta}}{c} + \tau_0 \qquad (10-17)$$

则流体的流速为

$$v = \frac{D}{\sin\theta} \cdot \frac{t_2 - t_1}{(t_0 - \tau_0)^2} \qquad (10-18)$$

流量可由下式确定，即

$$Q = \frac{1}{K} \cdot \frac{\pi D^2}{4} v \qquad (10-19)$$

式中　K——流速分布修正系数；

$\dfrac{\pi D^2}{4}$——管道横截面积。

（2）多普勒效应法

当测量含有悬浮粒子或气泡的流体流量时，反射超声波信号的多普勒频移是

$$\Delta f = f_R - f_S = 2 \cdot v \cdot f_S \cdot \sin\theta/c \qquad (10-20)$$

式中　Δf——多普勒频移；

f_R——发射信号频率；

f_S——接收信号频率；

θ——入射角（等于反射角）；

v——流体流速：

c——超声波信号在流体中的传播速度。

于是

$$v = c \cdot \Delta f/(2 \cdot f_S \cdot \sin\theta)$$

这一技术已在医疗仪器上得到了重要应用，多普勒血液流速计现在已成为非观血的、无侵袭的临床测量血流的重要手段。在工业计量测试领域应用不是十分广泛，仅在含泥沙的河水、下水、排水等含有较大颗粒的流体流量的测量中使用。

（3）波束偏移法

波束偏移法是利用超声波束垂直流体流动的方向上入射时，由于流体的流动而使超声波束产生偏移的现象，以偏移量的大小来度量被测流体的流速。

它的工作原理如图 10-13 所示。

在管道一侧装一超声波发射换能器 T，在另一侧安装两个接收换能器 R_1 和 R_2，由 T 所发射的超声波垂直于流体流动方向。当流体静止或无流体时，超声

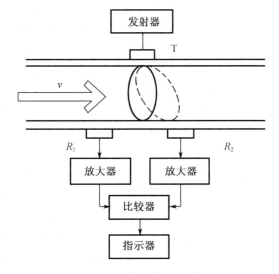

图 10-13　波束偏移法原理图

波束如图中实线所示,这时两个接收器收到的信号强度相等,指示器示值为零。而当流体流动时,两个接收器所接受到的超声波强度不再相等,出现差值。上游侧的接收器输出信号电压降低,下游侧的输出信号电压升高,两个电压之比与流速成线性关系,测得两个接收波的电压幅值差,可求得流体的流速。

(4)相关法

多数流体可以看作沿管道以相干方式运动的湍流模式,任意两点 A 和 B 记录的信号 $x(t)$、$y(t)$ 满足相关函数:

$$\phi_{xy}(\tau) = \lim_{T \to \infty} \int_0^T x(t) \cdot y(t + \tau) \mathrm{d}t \qquad (10-21)$$

如果由湍流扰动,在 A 和 B 两点产生幅度和相位相同的信号,那么 τ 等于 A、B 两点间的扰动平均传播时间,$\phi_{xy}(\tau)$ 将出现最大值,设 t_m 是对应于 $\phi_{xy}(\tau)$ 峰值点的 τ 值,则流体流速满足:

$$V = L/t_m \qquad (10-22)$$

式中,L 是两个换能器之间的距离。

相关法测量流量属于非接触式测量方法,在使用超声波换能器的同时,需要将两组参数近似相等的换能器固定在被测管道上进行测量。通过对接收到的两路信号进行实域特性分析,可以确定 t_m,从而求得流量。相关法的测量的特点在于寻找两路信号的相似程度,因此这种方法的测量精度与所测管道的口径、介质的种类及流速关系不大,比较而言,相关法更适合小管道、小流量的测量。

(5)噪声法

管道中流体流动时产生的噪声与流体流速有关,通过检测噪声可以求得流速值,在测量精度不高时可以用这种方法(10%以内)。这种方法又被称为被动式测量(凡有超声波发射的称为主动式测量)。

以上这些方法各有优缺点,在实际应用中,要根据待测对象和要求的精度进行选择。在某些工业测量中有 5% ~ 10% 的精度就够了,这时可以采用波束偏移法和噪声法。目前工业上常用的是传播时差法和多普勒效应法,用这两种方法作研究的很多,所生产的产品性能也比较稳定,精度相对高。相关法的研究也比较活跃,并有相应的产品问世,但由于技术和价格上的原因,应用不是很广泛,有待于技术上的进一步成熟。超声波流量计以其非接触、易于安装维护的优点在工业测量领域获得了广泛的应用。然而超声波流量计本身也存在许多不足之处,如稳定可靠性差,测量范围窄,精度不高等。

2. 超声波换能器安装方法

根据传播路径的不同,时差式超声波流量计中超声波换能器的安装方法主要有 Z 法、V 法、W 法、N 法,以及 π 型法几种。图 10 - 14 为时差式超声波流量计中超声波换能器的几种不同安装方法。

其中 Z 法、V 法、W 法、N 法均可测得管道内流体的线平均流速,其中 Z 法和 V 法使用比较普遍。Z 法能够测量管道内流体的线平均流速,但安装要求两个超声波换能器在同一截面,对安装精度要求较高;V 法常用于竖直管道,检测水平管道时若管道内流体不在满状态时,会引起测量偏差。目前在大中型管径的流量测量领域通常采用 Z 法和 V 法测量方法,而对于小管径应用领域 Z 法和 V 法因其声程较短,对超声波传播时间测量的精度要求非常高,很难实现高精度测量。π 型法测量流体在管道中心处沿轴线方向的线平均流速。

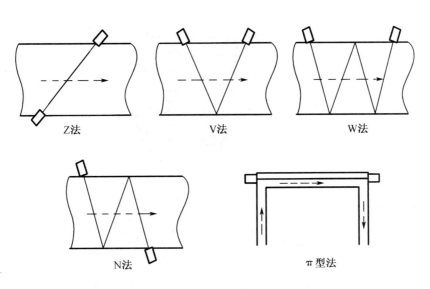

图 10 – 14　超声波换能器的安装方法

采用 π 型法测量时超声波换能器的安装与管壁之间不存在夹角,减小了超声波的能量损失,避免了波束偏移引起的误差。同时声程与管径大小无关,可以延长超声波传播时间,减小对时间测量精度的要求。目前基于 π 型法的小管径超声波流量计的研究正成为主流,是小管径超声波流量计的发展趋势。

3. 超声波流量测量实例

RZ – 1158C 外夹式超声波流量计在渣水测量生产中的应用

(1)RZ – 1158C 外夹式超声波流量计的特点

①高准确度

时差式超声波流量计具有 40 ps(40×10^{-12} s)的时间分辨率。

举例说明:超声波两个探头距离为 0.5 m,超声波在 50 ℃ 水中的传播速度为 1 500 m/s,那么两个探头之间的传播时间为(0.5 m)/(1 500 m/s)= 1/3 000 s。两个探头间的时间分辨数为(1/3 000 s)/(40×10^{-12} s)= 1/12 × 108 次。

②高可靠性

超声波流量计具有结构简单,无任何运动部件、无磨损、无阻塞、无压损;实现大范围的动态测量;解决了流量仪表的量程比问题;寿命长,具有长达 20 年时间的稳定性。

③方便安装、维护、检定

外贴式探头超声波流量计设计使其安装、拆卸、检定等对生产工艺无任何影响。

④报警、记忆、通信功能

超声波流量计可人为任意设定流量段,实现报警功能;流量记忆时间长达五年;超声波流量计具有有线通信功能和无线 GSM 通信功能。

其外形如图 10 – 15 所示。

(2)测量原理

RZ – 1158C 型外夹式超声波流量计是利用超声波脉冲在通过流体的顺逆两方向上传播速度之差来求流体的流量。该流量计采用贴片集成电路,低电压多脉冲发射技术。

性能特点:管外测量,探头贴装在管壁外侧,可在不停产、不停水的情况下安装测量。

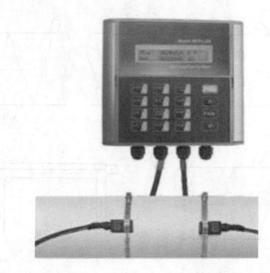

图 10 – 15　RZ – 1158C 外夹式超声波流量计实物图

抗液体中的气泡或固体颗粒的能力大大提高。抗变频干扰与其他噪声干扰的能力也大大提高。采用了低功耗设计,使整机功耗小于 0.5 W。

其适用范围宽,一台仪表可以测量适用范围内的任何一条管路。

其测量原理框图如图 10 – 16 所示。

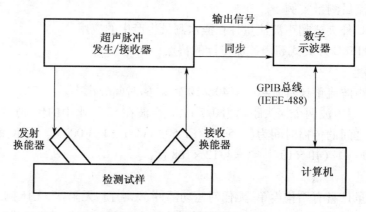

图 10 – 16　测量原理框图

(3)安装

要使超声波流量计正常稳定的工作,就要合理的安装换能器,通常换能器安装不合理是超声波流量计不能正常工作的主要原因。安装换能器需要考虑位置的确定和方式的选择两个问题。确定位置时除保证足够的上、下游直管段外,尤其要注意换能器尽量避开有变频调速器、电焊机等污染电源的场合。在安装方式上,主要有对贴安装方式、V 方式和 Z 方式三种。通常情况下,管径小于 300 mm 时,采用 V 方式安装,管径大于 200 mm 时,采用 Z 方式安装。对于即可以用 V 方式安装又可以 Z 方式安装的换能器,尽量选用 Z 方式。实践表明,Z 方式安装的换能器超声波信号强度高,测量的稳定性也好。

10.3.3　超声波无损探伤

1. 无损探伤的基本概念

无损检测技术被定义为是在不损伤被测对象的前提下,利用其材料内部结构的异常或当有缺陷存在时所引起的对电、磁、声、光、热等反映的变化,来探知被测对象的缺陷,并且对缺陷的性质、类型、形状、尺寸等作出判断和评价的检测方法。无损检测技术在机械制造、冶金、石油化工、国防、船舶、航天航空、核能、电力、建筑、交通等行业有着非常广泛的应用。

目前在工业领域中已广泛采用的常规无损检测方法主要有超声波检测、磁粉检测、涡流检测、射线检测;非常规无损检测方法有声发射检测、微波检测、泄漏检测、红外线成像和光全息照相。与其他无损检测技术相比,超声波检测具有检测对象范围更广,检测深度大;缺陷定位更准确,灵敏度高;成本较低,使用方便;速度快,对人体无害,并且易于现场使用等特点。因此,超声波检测是国内外使用频率最高、应用最广泛,且发展速度较快的一种无损检测技术。

2. 超声波探伤原理

超声波探伤是利用超声波的反射特征来检测材料中的缺陷的。探伤仪产生的高频脉冲振荡电流流经探头时被转换成超声波并传入被检工件,当在超声波声路上遇到缺陷时在界面产生反射,反射回波被探头接收并转换成高频脉冲电信号输入探伤仪的接收放大电路,经过处理后在探伤仪示波管荧光屏上显示出与回波声压大小成正比的回波图形。探伤人员可根据回波波幅大小判断缺陷大小,根据回波在荧光屏时基线上出现的位置来判断缺陷在工件中的位置。

3. 超声探伤分类

根据图像处理方法(也就是将得到的信号转换成图像)的种类,可以将超声探伤分为 A 型显示、B 型显示、C 型显示三类。

(1) A 型超声探伤

A 型超声探伤的结果是将接收到的超声信号处理成波形图像,它的横坐标为时间轴,纵坐标为反射波强度。根据波形的形状可以看出被测物体里面是否有异常和缺陷在哪里、有多大等。

(2) B 型超声探伤

B 型超声探伤的原理类似于医学上的 B 超。它将探头的扫描距离作为横坐标,探伤深度作为纵坐标,以屏幕的辉度(亮度)来反映反射波的强度。它可以绘制被测材料的截面图形。探头的扫描可以是机械式的,但更常用的是用计算机控制一组发射晶片阵列(线阵)来完成与机械式移动探头类似的扫描动作,扫描速度更快,定位更准确。

(3) C 型超声探伤

C 型超声探伤显示也是一种图像显示,探伤仪荧光屏的横坐标和纵坐标都是靠机械扫描来代表探头在工件表面的位置。探头接收信号幅度以光点辉度表示,因而,当探头在工件表面移动时,荧光屏上便显示出工件内部缺陷的平面图像,但它不能显示缺陷的深度。

4. 超声波探伤方法

按照检测原理,可将超声波探伤方法分为脉冲反射法、穿透法和共振法三种。

（1）脉冲反射法

超声波探头发射脉冲波到被检测工件内，根据反射波的情况来检测工件缺陷的方法，称为脉冲反射法。脉冲反射法又包括缺陷回波法、底波高度法和多次底波法。

①缺陷回波法

缺陷回波法是根据仪器示波屏上显示的缺陷波型进行判断的检测方法，是反射法的基本方法。

如图 10 - 17(a)所示，当试件中没有缺陷存在时，检测图形中仅显示有发射脉冲 T 和底面回波 B。而当试件中有缺陷存在时，在检测图形中，会在发射脉冲和底面回波信号之间出现来自于缺陷的回波信号 F，如图 10 - 17(b)所示。通过观察缺陷回波 F 的高度可以对缺陷大小来进行评估，还可以通过观察回波信号 F 距发射脉冲的距离来判断缺陷到探头的埋藏深度。

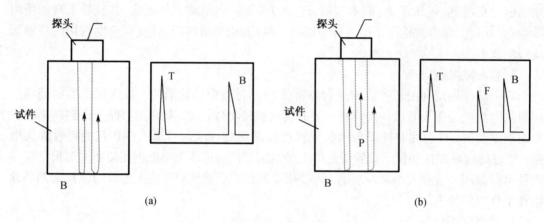

图 10 - 17　接触式单探头脉冲反射法

(a)无缺陷；(b)有缺陷

②底波高度法

当工件的材料和厚度不变时，底面回波高度应是基本不变的；但如果工件内存在缺陷，则底面回波高度会下降甚至消失，依据底面回波高度的变化就可判断工件内的缺陷情况，这种检测方法称为底波高度法。底波高度法的优点是同样投影大小的缺陷可以得到同样的指示，而且不出现盲区。但是实施该方法时要求被检测工件的探测面要与底面平行，且耦合条件一致。由于该方法检出缺陷的定位、定量不便，灵敏度也较低，因此，很少作为一种独立的检测方法，而经常作为一种辅助手段，配合缺陷回波法发现某些倾斜或小而密集的缺陷。

③多次底波法

当透入工件的超声波能量较大，而工件厚度较小时，超声波可在探测面与底面之间往复传播多次，令示波屏上出现多次底波。如果工件存在缺陷，则由于缺陷反射以及散射而增加了声能的损耗，底面回波次数会减少，同时也打乱了各次底面回波高度依次衰减的规律，并显示出缺陷回波；根据底面回波次数，就可以判断工件有无缺陷，这种检测方法就是多次底波法。多次底波法主要用于厚度不大、形状简单、探测面与底面平行工件的检测，缺陷检出的灵敏度低于缺陷回波法。

（2）穿透法

穿透法是依据脉冲波或连续波穿透工件之后的能量变化来判断缺陷情况的一种方法，穿透法常采用两个探头，一个用于发射，一个用于接收，分置在工件两侧进行探法测。如图 10－18 所示。

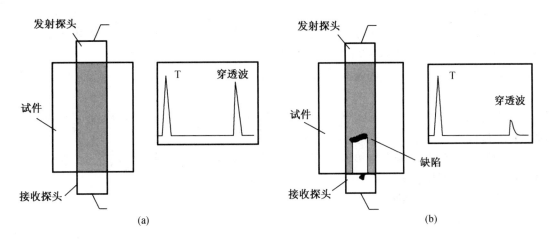

图 10－18　穿透法检测

（a）无缺陷；（b）有缺陷

当试件均匀完好无缺陷时，有幅度高并且稳定的穿透波；当试件中存在一定尺寸的缺陷或存在材质的剧烈变化时，由于材质可以引起声能的衰减，或者缺陷遮挡住了部分声能的穿透，使得穿透波的幅度下降很多甚至消失。此种方法不能得知缺陷进一步的信息，也不能准确地判断出缺陷的具体尺寸。但可以用此方法来进行超声测厚，而且这是最简单的实现形式。

（3）脉冲反射法的优点

①检测灵敏度较高

脉冲反射法是根据缺陷脉冲是否出现来判断缺陷是否存在，只要存在的小缺陷可以引起高于噪声的回波信号，就可通过提高增益的方法把信号放大后来进行显示。实际中，微小缺陷有散射的作用。已有实验可证明，在细晶金属材料中，如果有足够高的信噪比，25 MHz 的聚焦探头能发现直径约为 50 μm 缺陷的回波。而穿透法显示缺陷是利用缺陷处底波的降低量，当缺陷的尺寸较小于探头的声束直径时，可引起的底波变化的分贝数是很小的，并且此种变化是不能通过提高增益来将其放大，因此不容易被发现。当缺陷尺寸较小时，由于衍射的缘故，小缺陷不能够引起穿透波的变化。

②可对缺陷进行精确定位

利用传播的时间和距离的线性关系，通过 A 型扫描根据已知声速或时间基准的精确定标，由脉冲波在时间基准线上的位置可以进行缺陷的精确定位。穿透法不能获得缺陷深度的具体信息。

③操作方便

只需要单面接触试件进行扫查，可以采用手动检测，也可使用自动扫查装置。穿透法需要将两个探头一发一收的准确对准，手动时很难操作，对检测设备的要求也较高。

④适用范围广

可用于各种形状的试件。而穿透法则要求试件在一定的范围内应具有两个近乎平行的向对面。因此,只要超声波的灵敏度和分辨力可得到所要检测缺陷的回波显示,脉冲反射法就是较高的选择。

(4)脉冲反射法相应的缺点

①当采用纵波垂直入射检测时,会存在一定的盲区,对处于表面和近表面的、平行于表面的缺陷检出能力较低,难以实现对较薄试件的检测。

②对于声束轴线和主平面不相垂直的缺陷,探头常接收不到缺陷回波,或者回波信号较弱从而易产生缺陷漏检。

③声波经发射到接收会通过两倍的声程,材料对声能会有两倍的衰减,不利于对高衰减材料进行检测。

脉冲反射法的上述缺点恰恰却是穿透法的优点,因此穿透法较适用于检测薄板类、缺陷尺寸较大的试件和衰减较大的材料。

5.超声波探伤的通用技术问题

(1)频率的选择

超声频率在很大程度上决定了超声波探伤的探测能力,必须选取合适。频率高时,波长短,声束窄,扩散角小,能量集中,因而发现小缺陷能力强,分辨力好,缺陷定位准确。但打扫空间小,仅能发现声束轴线附近位置的缺陷。此外,高频率超声波在材料中衰减大,穿透能力差。

频率低时,波长长,声束宽,扩散角大,能量不集中,因而发现小缺陷能力差,分辨力差。但扫描查伤空间大。此外,低频超声波在材料中衰减小。穿透能力强。在一般的接触法探伤中,对于晶粒细小的材料,考虑到探测范围和分辨能力等因素,采用 2.5 ~ 5 MHz 的频率是合适的,超声波探伤能发现的最小缺陷,一般在一半波长左右。当采用2.5 MHz 或 5 MHz 的频率是,能发现的最小缺陷约 1 mm。对于晶粒粗大、对超声散射较强烈的材料,频率高时,就会出现晶界引起的林状回波,致使无法判伤。因此对于这类材料,一般选用 0.5 ~ 1 MHz。对于铸铁、非金属等声衰减强烈的材料,甚至采用几十千赫的频率。

(2)探头的选择

超声波探伤中,超声波的发射与接收都是通过探头实现的。探头类型很多,性能各异,因此需根据检验对象来合理地选择探头。探头的选择主要是对频率、晶片尺寸和角度等几方面的选择探头晶片尺寸大时,发射能量大,扩散角小,扫描查伤空间大,近场长度长,发现远距离小缺陷的能力高。探头晶片尺寸的选择还要考虑工件探测面和结构等情况。

选择直探头还是斜探头,主要取决于欲发现缺陷的部位及方位。

(3)耦合

耦合就是实现声能从探头向工件的传递。因此,耦合在超声检测中具有重要的影响。在接触法探伤中,探头与工件的接触有两种:固态接触和液态接触。固态接触就是探头与工件之间直接地足够紧密地接触,以实现声能的传递。如探头和工件表面之间有较多气隙,必然极大的阻止声能的传递。因此要实现固态接触,探头接触面及工件表面均应十分光滑,并需施加较大压力,从达到紧配合的程度。这在实际探伤工作中往往是不易实现的。更为有效、方便和常用的方法是,借助探头和工件之间涂敷的液体,排除空气间隙,以实现声能的传递,这就是液态接触。这层液体称为"耦合剂"。在液浸探伤中,通过浸渍液体实现耦合,这时的液体就是耦合剂。

（4）宽脉冲与窄脉冲

在实际探伤中,一般都是使用持续时间有限(微秒数量级)的脉冲超声波。随着超声波探伤技术的发展,理论和实践都表明,有必要再将脉冲超声波分成宽脉冲与窄脉冲两大类。由傅里叶分析可知,一个脉冲可以看作是由无限多个不同频率持续时间无限的正弦波组成的函数。在脉冲持续时间内它们叠加成脉冲,而在持续时间外,它们彼此相抵消。脉冲的一个重要特性是其持续时间越短,它所包含的谐波频率越宽。因此可以认为,宽脉冲就是频率近乎单一的脉冲,而窄脉冲是包含较多频率成分的脉冲。

为了提高距离分辨率,超声脉冲的持续时间应越短越好,至少荧光屏上显示的脉冲宽度要小于两个缺陷在荧光屏上的声程差。显然,窄脉冲的距离分辨率比宽脉冲的高。

对于横向分辨率,情况正好相反。因为声束的指向性愈好,声束截面愈小,横向分辨率愈高。也就是横向分辨率主要由声束扩散角决定。而窄脉冲的最大声束扩散角是由它所含最低频率成分决定的,故中心频率为某一数值的窄脉冲,其声束扩散角要比同频率宽脉冲的大些,所以窄脉冲的横向分辨率较宽脉冲的低。

6. A 型超声探伤

A 型超声探伤采用超声脉冲反射法。而脉冲反射法根据波形不同又可分为纵波探伤、横波探伤和表面波探伤等。A 型超声探伤仪外形如图 10 − 19 所示。

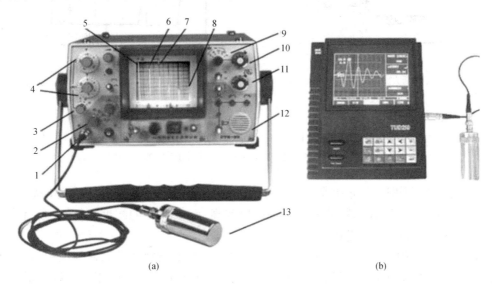

图 10 − 19 A 型超声波探伤仪外形

(a)台式 A 型探伤仪;(b)便携式 A 型探伤仪

1—电缆插头座;2—工作方式选择;3—衰减细调;4—衰减粗调;5—发射波 T;6—第一次底反射波 B1;
7—第二次底反射波 B2;8—第五次底反射波 B5;9—扫描时间调节 10—扫描时间微调;11—脉冲 x 轴移位;
12—报警扬声器;13—直探头

纵波探伤的方法:测试前,先将探头插入探伤仪的连接插座上。探伤仪面板上有一个荧光屏,通过荧光屏可知工件中是否存在缺陷、缺陷大小及缺陷位置。工作时探头放于被测工件上,并在工件上来回移动进行检测。探头发出的超声波将以一定速度向工件内部传播,如工件中没有缺陷,则超声波传到工件底部便产生反射,反射波到达表面后再次向下反射,周而复始,在荧光屏上出现始脉冲 T 和底脉冲 B(见图 10-20)所示。B 波的高度与材料对超声波的衰减有关,可以用于判断试件的材质、内部晶体粗细等微观缺陷。纵波探伤示意图如图 10-20 所示。

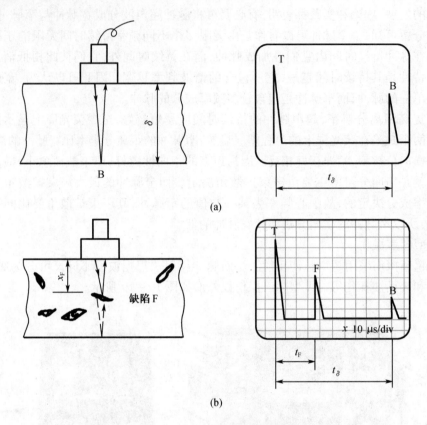

(a)

(b)

图 10-20 纵波探伤示意图

(a)无缺陷时超声波的反射及显示波形;(b)有缺陷时超声波的反射及显示波形

分析波形:荧光屏上的水平亮线为扫描线(时间基线),其长度与工件的厚度成正比(可调整)。缺陷面积大,则缺陷脉冲 F 脉冲的幅度就高,而 B 脉冲的幅度就低。F 脉冲距离 T 脉冲越近,缺陷距离表面经越近。

对于 A 型脉冲反射式超声波检测而言,示波屏的水平刻度值代表缺陷波的时延,在扫描速度已知时,可以由此求出缺陷波的声程,这就是缺陷定位的原始依据。假设超声波在被检物体中传播速度为 u,从发射到遇到缺陷后反射回来传播的时间为 t_F,则缺陷的声程 l 为

$$l = \frac{u \times t_F}{2} \tag{10-23}$$

超声检测的缺陷定量,就是要给出缺陷的大小(包括长度、面积、深度)与数量信息,A 型超声波检测对缺陷的定量只是某种程度的近似。

思考与练习

10.1　什么是超声波,其频率范围是多少?

10.2　超声波在通过两种介质时,会发生什么现象?

10.3　超声波传感器的发射与接收分别利用什么效应,检测原理是什么? 常用的超声波传感器(探头)有哪几种形式? 简述超声波测距原理。

10.4　利用超声波测液位的基本方法是什么? 已知超声波在工件中的声速为 5 640 m/s,测得的时间间隔为 t 为 22 μs,试求工件厚度?

10.5　如图 10 - 20 中(b)图所示,显示器的 x 轴为 10 μs/div(格),现测得脉冲 B 与脉冲波 T 的距离为 10 格,脉冲波 F 与脉冲波 T 的距离为 3.5 格。

求:

(1)t_δ 及 t_F;

(2)钢板的厚度 x_δ 及缺陷与表面的距离 x_F。

(纵波在钢构件中的声速为 5.9 km/s)

第11章 气体传感器

随着国民经济的快速发展和人们生活水平的提高,对易燃、易爆、有毒、有害气体的及时、准确检测要求,已经扩展到工业、科研、生活、医疗、农业等许多领域。

在民用方面气体传感器的应用主要体现在厨房里检测天然气、液化石油气和城市煤气等民用燃气的泄漏,检测微波炉中食物烹调时产生的气体从而自动控制微波炉烹调食物。

在工业应用主要是在石化工业中检测二氧化碳、氮氧化合物、硫氧化物、氨气、硫化氢及氯气等有害气体;半导体和微电子工业检测有机溶剂和磷烷等剧毒气体;电力工业检测电力变压器油变质过程中产生的氢气等。

在生活环境方也离不开气体传感器,比如应用传感器检测氮的氧化物、硫的氧化物、氯化氢等引起酸雨的气体;检测二氧化碳、甲烷、一氧化二氮、臭氧、氟利昂等温室效应气体;检测臭氧、氟利昂等破坏臭氧层的气体;检测氨气、硫化氢和气体难闻气体等。

11.1 气体传感器概况

气体传感器是一种将气体的成分、浓度等信息转换成可以被人员、仪器仪表、计算机等利用的信息的装置,可以将某种气体体积分数转化成对应电信号气体传感器是化学传感器的一大门类。从工作原理、特性分析到测量技术,从所用材料到制造工艺,从检测对象到应用领域,都可以构成独立分类标准,衍生出一个个纷繁庞杂分类体系,但分类标准问题上目前还没有统一。

通常以气敏特性来分类,主要可分为:半导体型气体传感器、电化学型气体传感器、固体电解质气体传感器、接触燃烧式气体传感器、光化学型气体传感器、高分子气体传感器几类。

11.2 半导体气体传感器

半导体气体传感器是采用金属氧化物或金属半导体氧化物材料做成元件,与气体相互作用时产生表面吸附或反应,引起以载流子运动为特征的电导率、伏安特性或表面电位变化。借此来检测特定气体的成分或者测量其浓度,并将其变换成电信号输出。这些都是由材料半导体性质决定。从1962年半导体金属氧化物陶瓷气体传感器问世以来,半导体气体传感器已经成为当前应用最普遍、最具有实用价值的一类气体传感器,其气敏机制可以分为电阻式和非电阻式两种。

非电阻式半导体气体传感器是 MOS 二极管式和结型二极管式以及场效应管式(MOSFET)半导体气体传感器。其电流或电压随气体含量而变化,主要用于检测氢和硅烷气等可燃性气体。其中,MOSFET 气体传感器工作原理是挥发性有机化合物(VOC)与催化金属(如钮)接触发生反应,反应产物扩散到 MOSFET 栅极,改变了器件性能。分析器件性能变化而识别 VOC。改变催化金属种类和膜厚可优化灵敏度和选择性,并可改变工作温度。MOSFET 气体传感器灵敏度高,但制作工艺比较复杂,成本高。本节主要分析电阻式半导体气体传感器。

11.2.1　电阻式半导体气体传感器

电阻式半导体气体传感器主要是指半导体金属氧化物陶瓷气体传感器,是一种用金属氧化物薄膜(例如 SnO_2,ZnO,Fe_2O_3,TiO_2 等)制成的阻抗器件,其电阻值随着吸附气体含量不同而变化。气味分子薄膜表面进行还原反应以引起传感器传导率变化。消除气味分子还必须发生一次氧化反应。传感器内加热器有助于氧化反应进程。它具有成本低廉、制造简单、灵敏度高、响应速度快、寿命长、对湿度敏感低和电路简单等优点;不足之处是必须工作于高温下、对气味或气体选择性差、元件参数分散、稳定性不够理想、功率要求高。当探测气体中混有硫化物时,容易中毒。现在除了传统的 SnO,SnO_2 和 Fe_2O_3 三大类外,又研究开发了一批新型材料,包括单一金属氧化物材料、复合金属氧化物材料以及混合金属氧化物材料。这些新型材料研究和开发,大大提高了气体传感器特性和应用范围。另外,在半导体内添加 Pt,Pd,Ir 等贵金属能有效提高元件灵敏度和响应时间。它能降低被测气体化学吸附活化能,可以提高其灵敏度和加快反应速度。催化剂不同,有利于吸附不同试样,使其具有选择性。例如各种贵金属对 SnO_2 基半导体气敏材料掺杂,Pt,Pd,Au 提高对 CH_4 灵敏度,Ir 降低对 CH_4 灵敏度;Pt,Au 提高对 H_2 灵敏度,而 Pd 降低对 H_2 灵敏度。利用薄膜技术、超粒子薄膜技术制造金属氧化物气体传感器具有灵敏度高(可达 10^{-9} 级)、一致性好、小型化、易集成等特点。

1. 表面控制型电阻式半导体气敏传感器

(1) 表面控制型气体传感器的结构

表面控制型气体传感器的结构如图 11-1 所示。图 11-1(a) 是烧结型元件,即先将金属氧化物浆料涂布在贵金属电极周围使之成形,然后通电流加热或在低温下烧结。制作方法简单,但选定烧结温度很重要。若烧结温度过低,则元件的机械强度不好;若烧结温度过高且升温速度快,则元件的性能不好。图 11-1(b) 是薄膜型元件,其制作方法是将金属氧化物及电极蒸发或喷射到绝缘基片上使之成膜。制备虽然简单,但元件之间的特性差异很大。图 11-1(c) 是厚膜型元件,利用丝网印刷工艺将含氧化物半导体的浆料印刷到绝缘基片上制成厚膜,其工艺性、元件强度、特性均好。

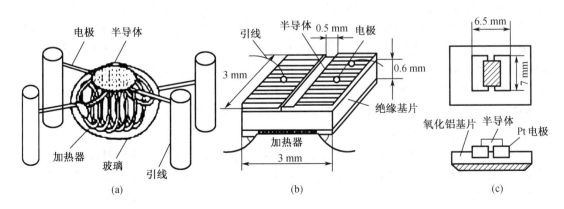

图 11-1　表面控制型气体传感器的结构

（2）表面型气体传感器的工作原理

半导体气敏传感器一般由三部分组成：敏感元件、加热器和外壳。气敏材料作为传感器最为关键的一部分，其性质直接影响到传感器的性能，常见的电阻式敏感材料主要分为金属氧化物类、复合类和高分子类。由于气敏材料的多样性，所以气体传感器的气敏机理很复杂，要给出一个统一的理论解释是比较困难的。下面以 N 型半导体气敏传感器为例来介绍一下表面型气体传感器的工作原理。

当半导体表面上吸附气体分子时，在半导体与气体之间引起电子转移。气体分子从半导体中获得一个电子时，该气体放出的能量叫作电子的亲和势，常用 A 表示。半导体功函数用 P_S 表示。当 $A > P_S$ 时，半导体的费米能级与价电子之间相当于产生一个新的吸附能级。为此，半导体中电荷产生再分配，位于半导体导带的电子向位于低能级的吸附粒子转移，令吸附粒子获负电，这叫作负电荷吸附。能带也发生向上的弯曲。反之，当 $A < P_S$ 时，吸附粒子的电子能级处于比半导体的费米能级高的位置，由于主体的吸附，电子从气体向半导体侧移动，吸附粒子因失去电子带正电，成正电荷吸附，能带向与负电荷吸附相反的方向弯曲，即向下弯曲。正是由于半导体表面和气体之间的正负吸附的发生，才引起气体传感器中气敏材料的电导率变化，对于 N 型半导体表面，气体进行正电荷吸附时，因气体向导带放出电子，半导体的导电电子数将增加，引起电导率增加；反之，负电荷吸附时，半导体的导电电子数减少，电导率下降。这种变化只发生在表面空间电荷区内，在这个区域内的电导率的变化相应于气体吸附量的变化，是由于吸附引起导电电子数增减，随气体吸附量的变化而变化。如果是 P 型半导体金属氧化物传感器，例如 NiO 和 Cu_2O 等，则会发生完全相反的情况。

（3）表面控制型气体传感器举例

①ZnO 半导体氧传感器

ZnO 半导体传感器是常用的检测还原性气体的一种表面控制型气体传感器，是一种 N 型半导体。近年来对 ZnO 的研究主要集中在提高其气体灵敏度和气体选择性方面，其中贵金属掺杂，氧化物复合，ZnO 纳米线化，光激发 ZnO 等方法是比较有效的措施，而且取得了明显的进展。其工作原理如上节所说，其具体的敏感机理是：ZnO 半导体中存在过剩的 Zn 离子，在空气中吸附了氧分子，引起半导体的导电率下降、电阻上升，在催化剂的作用下，促进了吸附过程，在上述状态下，导入还原性气体，催化剂促进了还原性气体与吸附的氧发生反应，从而半导体的氧化被中断，当氧脱离半导体表面后，其电导率上升，电阻则下降。

ZnO 系烧结型 H_2S 气体传感器适用于低浓度 H_2S 气体检测，当 H_2S 浓度 < 100 μg/g 时，灵敏度 K 与 H_2S 浓度 c 的对数呈线性关系，它可用于 $10 \sim 100$ μg/g 的 H_2S 气体的定量检测，它的响应恢复特性在一定的温度和浓度下比较好，而且它还具有较好的选择性，抗湿性也很强。由于它不含 Pt 和 Pd，等贵金属，避免了中毒、老化，有较好的稳定性，所以它是一种选择性好、灵敏度、稳定性高的一种新型 H_2S 气体传感器，目前已得到推广与应用。

②NiO 烧结型氧传感器

NiO 烧结型氧传感器的制作与结构：将以共沉淀法制成的 NiO 基体材料和碱金属添加剂按一定比例在玛瑙研钵中混匀，加入适量的黏合剂，研磨 4 h，使其均匀并呈糊糊状。将其滴在直径为 0.025 mm 的 Pt 丝上，在红外灯下烘干，再在其上贴上 $\phi0.05$ mm 的 Pt 丝电极烘干，经高温（850 ℃）烧结而成。

传感器的灵敏度与氧浓度的关系：NiO 氧传感器的灵敏度（用色谱仪测出的峰高，用 H

表示)与氧含量的关系曲线见图 11 - 2 所示。

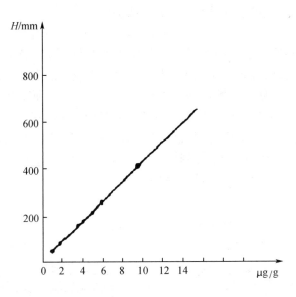

图 11 - 2　NiO 氧传感的灵敏度与氧含量的关

传感器的稳定性:NiO 氧传感器在色谱仪上可连续工作一年,其灵敏度变化不大综上可见,NiO 氧传感器由于其灵敏度高(检测下限浓度可达 10^{-9} 级),响应快(约为 10 s),稳定性好,它已成功地应用在气敏色谱仪中作为检定器进行高纯气体中微量氧的定量分析。

③WO$_3$ 烧结型 NO$_2$ 气体传感器

三氧化钨(WO$_3$)是最近几年开发出来的具有优良气敏特性的半导体材料,由于它对氨和氮氧化物气体十分敏感,在某些特定的场合中具有实用价值。目前对它的敏感机理和改性研究进行得较为活跃,已有报道显示在气氛中氨含量低于 5×10^{-5} 时,纯 WO$_3$ 敏感性能差,但当掺杂了某些贵金属(如 Au,Rh,Pd,Ag 等)作催化剂对其进行改性后,维测试发现掺 Au 的 WO$_3$ 材料对 NH$_3$ 的敏感性最好,其最佳工作温度为 450 ℃,能够检测气体中氨含量的范围为 $5 \times 10^{-6} \sim 5 \times 10^{-5}$。Au - WO$_3$ 敏感材料对氨的灵敏度随 Au 含量的增大呈现先上升后减小的趋势,并且其在空气中的电阻与 Au 含量的关系也呈相似的趋势。

贵金属催化剂对半导体气敏材料的电阻和敏感特性影响很大,贵金属在半导体表面的催化机理较为复杂,一般说来,贵金属对半导体的作用是加强氧吸附,使其接触势垒增高,费米能级降低,从而使敏感体电阻增大。测定的影响情况见表 11 - 1,由表中数据可以看出此类传感器对 NO$_2$ 选择性比较好。

表 11 - 1　气体选择性比较

气体种类	NO$_2$	CO	丁烷	H$_2$	乙醇	H$_2$S	SO$_2$
气体深度(10°)	5	1 000	1 000	1 000	1 000	1 000	1 000
灵敏度	229.1	1	1	1	- 2.5	1	1

备注:元件加热功率 0.24 W。

2. 体控制型电阻式半导体气体传感器

(1)体控制型气体传感器工作原理及结构举例

体控制型气体传感器是主要由 $\gamma - Fe_2O_3$,TiO_2,NiO,MgO 等氧化物材料制作的气敏元件所制成的气体传感器。它借助物质的吸附作用引起体原子价态的变化而导致半导体电阻不同来识别不同物质,主要是通过气体与半导体气体传感器的敏感材料内部发生相互作用时电子之间的相互转移。此类传感器中作为敏感材料的金属氧化物大多数采用非化学计量配比组成。当接触可燃气体时,因改变其内部组成(晶格缺陷)而使敏感体的阻值发生变化。这就是一般情况下体控制型气体传感器的敏感机理。这类传感器目前实用的有 $\gamma - Fe_2O_3$ 烧结型气体传感器、TiO_2 控制燃烧型气体传感器和 MgO 气体传感器。

体控制型气体传感器结构举例如图 11 – 3 所示。

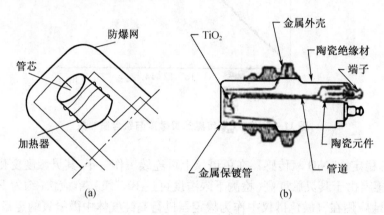

图 11 – 3　体控制型气体传感器结构举例

(2)体控制型气体传感器举例

①Fe_2O_3气体传感器

Fe_2O_3按其晶向不同分为 $\alpha - Fe_2O_3$ 和 $\gamma - Fe_2O_3$,它们与 Fe_3O_4 之间存在如图 11 – 4 所示的关系。Fe_2O_3 是电阻值非常小的材料,若将其在 400 ℃ 以下的低温进行氧化则成为阻值高的 $\gamma - Fe_2O_3$,然后将这种 $\gamma - Fe_2O_3$ 在高温下加热则变为 $\alpha - Fe_2O_3$,而且反过来 $\gamma - Fe_2O_3$ 能比较容易地还原成 Fe_3O_4。也就是说,在 Fe_3O_4 和 $\gamma - Fe_2O_3$ 之间存在可逆的氧化还原过程,这就是 $\gamma - Fe_2O_3$ 烧结型气体传感器检测机理的基础。

$\gamma - Fe_2O_3$ 气体传感器用于检测液化石油气,该传感器的特点是对丙烷、丁烷的选择性高,而且基本上不受醇类及水蒸气所影响。图 11 – 4(a)示出该传感器的结构。该气体传感器由电阻体、加热线圈、防爆网及封装部分所组成,加热线圈采用均热性好的螺旋状旁热方式,在两根引线上加上规定的电压,将电阻体加热到400 ~ 420 ℃,通过测定引线间的电阻值来测定气体的感应特性。$\gamma - Fe_2O_3$ 气体传感器已获得实际应用,常用于一般家庭的液化石油气泄漏报警器。

$\alpha - Fe_2O_3$ 对气体的灵敏度本来很小,但如果将粒子细微化来提高元件的多孔性(表面积 130 m^2/g),则气体灵敏度增大很多。因此已开始采用 $\alpha - Fe_2O_3$ 制作气体传感器来检测煤气。

②TiO_2 气体传感器

半导体 TiO_2 是常见的 N 型氧化物半导体氧敏材料。这种氧化物是缺氧型氧化物,在氧

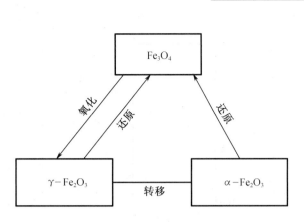

图 11 - 4　氧化铁的氧化还原及转移过程

分压低的介质气体中由于氧缺陷而构成电子传导型半导体。TiO_2 氧传感器对汽油中的铅化物具有良好的稳定性。通过掺入 Pt 和 Nb 等,可使传感器在 $\lambda = 1$ 处的电导率变化很大,具有良好的空燃比析出特性,而且电导率与温度的依赖性小,响应也快。在 1982 年才开始实际应用于氟利昂泄漏、鱼制品加工业中三甲胺等的检测。TiO_2 的本征缺陷有 Ti^{3+} 和 Ti^{4+} 和 Vo。根据缺陷方程可推得其电阻、氧分压、温度之间的关系,即

$$R_s = APo_2^{1/x}\exp(E/RT) \qquad (11 - 1)$$

式中　A——常数;

　　　E——导电活化能;

　　　$x = 4 \sim 6$;

　　　R——气体常数。

从式(11 - 1)可以看出,当温度保持恒定时,氧敏阻值只依赖于气体中的氧浓度,这是 TiO_2 不同于 ZrO_2 氧传感器的一个优点。TiO_2 传感器有多孔片状、厚膜型、薄膜型,目前正朝纳米薄膜方向发展[29-32]。在氧化还原气氛中,平衡氧分压分别为 10^{-3} MPa 和 10^{-21} MPa 左右。氧化态阻值 $R_s(ox)$、还原态阻值 $R_s(re)$ 在 $600 \sim 650$ ℃ 区间明显转折,这是由于 TiO_2 中占主导的缺陷形式随温度、气氛发生改变。图 11 - 5 表示出了 TiO_2 电阻随空燃比 A/F 变化的规律。

TiO_2 氧敏传感器的响应时间依赖于体缺陷与环境氧分压达到平衡所需的时间,故强烈地依赖于敏感材料的空隙度。空隙度越大,响应时间越短,直至在某一密度处,响应时间不再缩短。极限时间还可通过掺入贵金属催化剂 Pt 和 Pa 来进一步缩短。这个方法在较低温度时尤为明显。近来也有人采用 $TiO_2 - Nb_2O_5$ 复合材料改善元件特性以及制作 TiO_2 薄膜和纳米薄膜氧传感器。

$TiO2$ 氧传感器的制作一般分为三个步骤,首先采用 TiC_{14} 直接水解法制备 TiO_2 微粉,然后在特制钢模中压力成型,同时压入两根 Pt 电极,在 980 ℃ 以上的氧化气氛中烧结成多孔元件,最后将元件浸泡在特定的溶液中,真空浸泡 12 h,在 300 ℃ 空气中煅烧 4 h 进行催化处理。

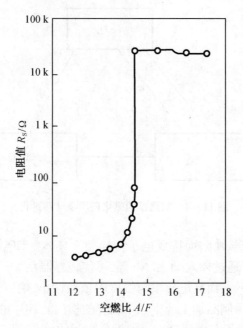

图 11 - 5　TiO₂ 电阻随空燃比 A/F 变化的规律

11.2.2　气敏传感器的应用

气敏传感器常作为实用酒精测试仪使用(测试驾驶员醉酒的程度)。

1. MQ - 3 酒精检测用半导体气敏元件介绍

MQ - 3 气体传感器所用的气敏材料是在洁净空气中电导率较低的二氧化锡。当传感器所处环境中存在酒精蒸气时,传感器的电导率随空气中酒精气体浓度的增加而增大。使用简单的电路即可将电导率的变化转换为与该气体浓度相对应的输出信号。MQ - 3 气体传感器对酒精的灵敏度高,可以抵抗汽油、烟雾、水蒸气的干扰。这种传感器可检测多种浓度酒精气氛,是一款适合多种应用的低成本传感器。

用于机动车驾驶人员及其他严禁酒后作业人员的现场检测,也用于其他场所乙醇蒸气的检测。

2. 电路设计

主要芯片 LM393、ZYMQ - 3 气体传感器,滑动变阻器 W103. 工作电压,直流 5 V。电路如图 11 - 6 所示。

电路的特点:具有信号输出指示。双路信号输出(模拟量输出及 TTL 电平输出),TTL 输出有效信号为低电平。(当输出低电平时信号灯亮,可直接接单片机),模拟量输出 0 ~ 5 V 电压,浓度越高电压越高。对乙醇蒸气具有很高的灵敏度和良好的选择性。

它具有长期的使用寿命和可靠的稳定性,有快速的响应恢复特性。

3. 电路测试方式

传感器先预热 20 s 左右,将传感器放在无被测气体的地方,顺时针调节电位器,调节到指示灯亮,然后逆时针转半圈,调到指示灯不亮,然后接近被测气体,指示灯亮,离开被测气体,指示灯熄灭,证明传感器正常。酒精测试仪电路原理图如图 11 - 6 所示。

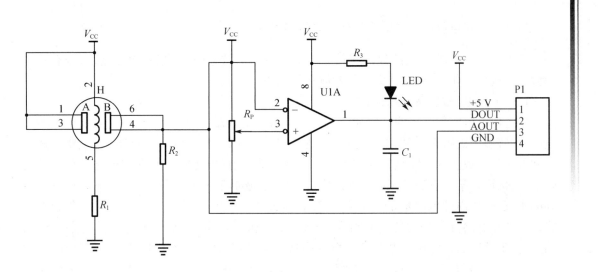

图 11 −6 酒精测试仪电路原理图

11.3 电化学型气体传感器

电化学传感器是根据化学原理制成的,原理为目标气体(相当一部分的可燃性的、有毒有害气体)会上传感器发生氧化反应或还原反应,产生与气体浓度大小相关的电信号(一般为电流),通过对电信号的检测完成对气体浓度的测量。

电化学式气体传感器具有灵敏度高,抗干扰能力强,线性度好的优点,适合对传感器精度要求高的系统,而且传感器的响应速度快,能够实现连续的实时检测。除此之外,传感器还具有体积小,结构简单的特点,易于实现小型化和智能化设计。

11.3.1 电化学型气体传感器分类

按照检测原理不同,电化学型气体传感器可分为原电池式、定电位电解式、电量式和离子电极式四种类型。

原电池型气体传感器(也称加伏尼电池型气体传感器,燃料电池型气体传感器,自发电池型气体传感器),它的原理与干电池相同,只是电池的碳锰电极被气体电极替代了。在传感器的两极分别发生氧化和还原反应,产生的电子形成电流,从一极流向另一极,想要得到气体的浓度,测量相应的电流值即可。市售检测缺氧仪器几乎都配有这种传感器,近年来,又开发了检测酸性气体和毒性气体原电池式传感器。

定电位电解式传感器为三电极传感器,传感器引入参比电极,在保持参比电极恒定的前提下,传感器与目标气体反应,输出与气体浓度有关的电流信号,测量电解时流过的电流来检测气体体积分数,和原电池式不同是,需要由外界施加特定电压,在能检测 CO,NO,NO_2,O_2,SO_2 等气体外,还能检测血液中氧体积分数。

电量式气体传感器是被测气体与电解质反应产生电流来检测气体体积分数。

离子电极式气体传感器出现较早,测量离子电极上电动势的大小来检测气体的体积分数,电动势是目标气体在传感器中产生的离子作用于离子电极而产生的。

11.3.2　定电位电解式电化学型气体传感器

使电解池电解质溶液的界面保持一定电位进行电解,通过调整其设定电位,来有选择地使气体进行氧化或还原,从而定量检测各种气体。

1. 定电位电解式传感器的结构

定电位电解式传感器的结构如图 11-7 所示。传感器主要由工作电极,对电极和参比电极、电解质溶液组成,其中工作电极、对电极、参比电极统称为气体扩散电极,主要由透气膜和催化膜组成。透气膜是气体进入的传感器内部通道,催化膜带有促进电化学反应的催化剂,以保证化学反应顺利完成。除此之外,透气膜还具有疏水性强的特点,隔离传感器内外的水汽,阻止内部电解液的泄漏和外部水汽的进入。传感器的透气膜多为多孔塑料薄膜,催化膜除催化作用外,还具有很强的吸附能力和导电能力,使气体易于吸附在电极表面,并收集反应后的电荷。电解液一般分为酸性电解液或碱性电解液,是实现三个电极间电荷传递的主要媒介。保持电解液与三个电极具有良好的电极电位,不仅有利于反应进行,还可以使传感器具有良好的选择性,降低其他气体对系统的影响。

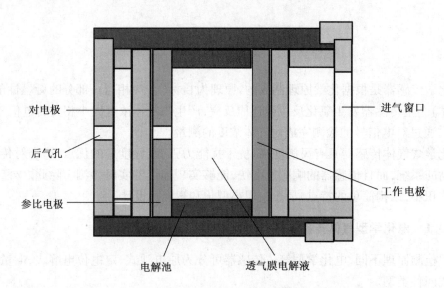

图 11-7　定电位电解式传感器的结构图

2. 定电位电解式传感器的工作原理

由传感器的结构可以看到,定电位电解型传感器的工作电极与对电极组成一组电极对,待测气体首先要通过多孔的透气膜才能扩散到工作电极表面,在催化膜的作用下气体吸附,在对电极、工作电极和电解液之间进行氧化反应或者还原反应,工作电极与对电极间产生电流。化学反应类型一般由待测目标气体种类决定。当待测气体为 NH_4,H_2S,NO,CO 时发生氧化反应,参加电化学反应的电子由工作电极流出。当待测气体为 NO_2,Cl_2 是发生还原反应,参加电化学反应的电子流向工作电极。参比电极一般不解除目标气体,其作用是为工作提供一个恒定的电位,保证电化学反应过程中工作电极的稳定。为保持电位的恒定传感器参比电极上电流为零。

11.3.3 定电位电解型传感器举例

ME3M – CH2O 型甲醛传感器,以 $(1.1 \pm 0.5) \times 10^{-6}$ μA 电流输出,分辨率可达 0.02×10^{-6},在空气中寿命可达两年。其体积小,适合便携式设备。工作原理为工作电极响应甲醛气体,生成和甲醛气体浓度成比例的极小电流,通过测试电流的大小来判定 CH_2O 浓度的高低。浓度 10^{-6} 的甲醛气体输出 1.1 ± 0.5 μA 电流,微弱电流经过传感器的处理模块后输出为 4~20 mA 电流,在经过电流电压转换后得到 A/D 转换器可以接收的模拟电压值。此传感器具有线性度输出,分辨率高达 0.02×10^{-6},长期漂移小、低功耗,高精度,高灵敏度,抗干扰能力强,优异的重复性和稳定性的特质。广泛的适合工业和环保中的甲醛的检测。

1. 甲醛传感器的工作原理

根据甲醛传感器的结构可以知道,工作电极与对电极同时浸入到电解液中时,外加电压会使得两电极间产生极化。假如对电极为正极,工作电极为负极,则电解液中的负离子向对电极移动,而正离子向工作电极移动,此时被测气体向对电极扩散,发生电化学反应而生成电荷。在甲醛传感器中,以及催化剂镍、钌、铂等金属粒子的作用下,酸性电解液的电解池内,甲醛气体向工作电极扩散,而发生氧化还原反应。

电极反应如下:

工作电极	$HCHO + H_2O \rightarrow CO + 4H^- + 4e^-$	(11 – 2)
对电极	$O_2 + 4H^- + 4e^- \rightarrow 2H_2O$	(11 – 3)
总反应	$HCHO + O_2 \rightarrow CO_2 + H_2O$	(11 – 4)

此时,甲醛在工作电极与对电极上产生电位变化,在工作电极上释放电子,对电极上得到电子,形成的电流大小与气体浓度有关。

2. 甲醛传感器的信号处理电路

因为传感器的输出信号非常微弱,再通过 OPA333 运算放大器将传感器毫伏级的输出信号放大至伏特级。以免出现干扰信号,而影响到精度,所以把这部分和传感器组成一体,RT_1 热敏电阻用于温度补偿校准,R_1,R_2,RT_1 对信号进行放大,R_3 和 C_3 用于滤除杂波。甲醛传感器输出电路 如图 11 – 8 所示。传感器输出电流和电路输出的电压关系为

$$U = I(R_1 + R_2/RT_1) \qquad (11 – 5)$$

11.4 固体电解质气体传感器

11.4.1 固体电解质气体传感器概述

固体电解质气体传感器使用固体电解质气敏材料做气敏元件。其原理是气敏材料在通过气体时产生离子,从而形成电动势,测量电动势从而测量气体浓度。20 世纪 70 年代开始,固体电解质气体传感器因其电导率高、灵敏度和选择性好的优点而获得了迅速发展,现在应用于环保、节能、矿业、汽车工业等各个领域,其产量大、应用广,仅次于金属氧化物半导体气体传感器。近来国外有些学者把固体电解质气体传感器分为下列三类:

①材料中吸附待测气体派生离子与电解质中移动离子相同的传感器,例如氧气传感器等。

②材料中吸附待测气体派生离子与电解质中移动离子不相同的传感器,例如用于测量

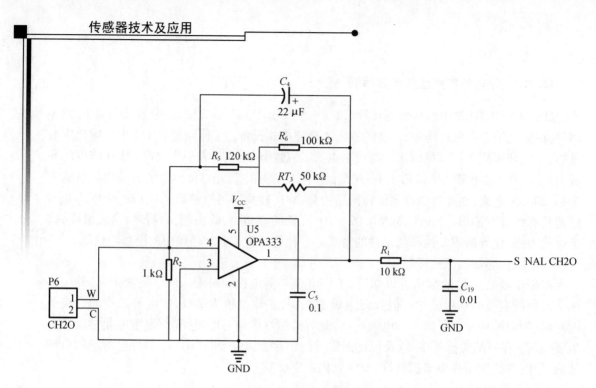

图 11 - 8　甲醛传感器输出电路

氧气由固体电解质 SrF_2H 和 Pt 电极组成气体传感器。

③材料中吸附待测气体派生离子与电解质中移动离子以及材料中固定离子都不相同的传感器,例如新开发高质量 CO_2 固体电解质气体传感器是由固体电解质 NASI - CON 和辅助电极材料 Na_2CO_3 - $BaCO_3$ 或 Li_2CO_3 - $CaCO_3$,Li_2CO_3 - $BaCO_3$ 组成。

目前新近开发高质量固体电解质传感器绝大多数属于第三类。又如用于测量 NO_2 的由固体电解质 NaSiCON 和辅助电极 NO_2 - Li_2CO_3 制成传感器;用于测量 H_2S 的由固体电解质 YST - Au - WO_3 制成传感器;用于测量 NH_3 的由固体电解质 NH_4 - Ca_2O_3 制成传感器;用于测量 NO_2 的由固体电解质 Ag0.4Na7.6 和电极 Ag - Au 制成传感器等。

11.4.2　应用举例

1. 固态电解质 CO_2 传感器测量原理

TGS4161 是一种新的小型化,低能耗的固态电解质 CO_2 传感器,内含热敏电阻的混合式 CO_2 敏感元件。该元件在两个电极之间充有阳离子固体电解质。它的阴极由锂碳酸盐和镀金材料制成,而阳极只是镀金材料。该敏感元件的基衬是用对苯二酯聚乙烯和玻璃纤维加固,然后采用不锈钢网做圆柱封装。元件的内层采用 100 目双层不锈钢网套在镀镍铜环上,并用高强度树脂黏合剂与基衬固定在一起。其外层顶盖上又罩上了一层 60 目的不锈钢网。为了达到降低干扰气体的影响的目的,在内外两层不锈钢网之间还填充有吸附材料(沸石)。传感器的六个引脚通过 0.1 mm 的箔导线与内部相连。其检测范围从 $350 \times 10^{-6} \sim 10\ 000 \times 10^{-6}$。是理想的家居空气质量控制元件。

CO_2 感应部分是由固体电解液形成的两个电极。同时它带一个已印刷的加热基(RUO_2)。可通过监测两个电极之间产生的电动势,来测量 CO_2 的含量。在传感器顶部有一个防其他气体干扰的吸附装置。

若周围气体环境中二氧化碳超过变化时,便会发生电化学反应。通过对两个电极之间由于化学反应产生的电动势差 ΔEMF 进行监测,便可确定二氧化碳的浓度值。一般通过对传感器施加一个稳定的加热电压来保证该器件工作在最敏感的温度区间。

为了保证 CO_2 的正确测量,除了保证加热电压稳定及对环境温度的变化进行温度补偿外,更主要的是要测量两电极之间变化的电势值 ΔE_{MF},而不是绝对电势值 E_{MF},由于 ΔE_{MF} 与 CO_2 浓度变化之间有一个较好的线性关系。

固然 E_{MF} 绝对值随环境温度的上升而上升,ΔE_{MF} 却保持常量,而且它在 $-10 ℃ \sim 50 ℃$ 温度范围内时,基本不受温度的影响。

ΔE_{MF} 值可由下式求得,即

$$\Delta E_{MF} = E_{MF1} - E_{MF2}$$

式中　　E_{MF1}——350×10^{-6} 的 CO_2 中的 E_{MF} 值;

E_{MF2}——所测量的 CO_2 的 E_{MF} 值。

TGS4161 输出的电动势与 CO_2 含量成对数比率的线形输出。图 $11-9$ 是 TGS4161 的灵敏度曲线图,其中 X 轴为气体密度(ppm),Y 轴的 delta E_{MF} 为 $350 \times 10^{-6} CO_2$ 时的 E_{MF1} 与 X 轴气体密度的差值。由图 $11-9$ 可知,该传感器有很好的线性度。

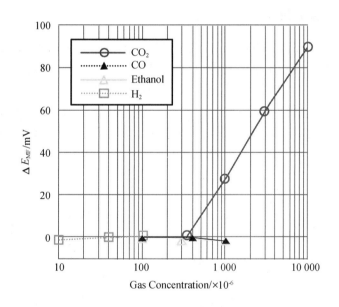

图 11 - 9　TGS4161 传感器灵敏度曲线

TGS4161 需要一个加热电压(VH)输入。加热电压用于内部加热器供电,从而是感应部分处于一个理想的特定温度。电动势是由一个高阻抗的带偏置电流(1<PA)的放大器输出。既然固体电解液传感器作为一个电源输出。其电动势本身的值的变化与 CO_2 含量的变化有一个稳定的关系。

2. 调理电路

给出了 TGS4161 的供电和调理电路,其中后级运放采用射随器接法,如图 $11-10$ 所示。TGS4161 输出的原始信号,通过 LM324 阻抗匹配后,直接输出给单片机进行 AD 转换。

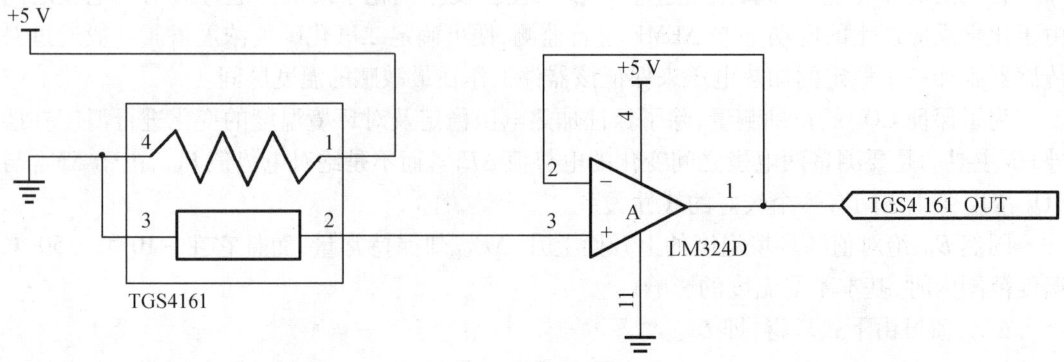

图 11 –10　TGS4161 传感器电路图

11.5　接触燃烧式气体传感器

11.5.1　接触燃烧式气体传感器概述

接触燃烧式气体传感器的发展历史很长。1923 年美国首次采用了裸露的白金线圈制作了接触燃烧式瓦斯传感器用于检测煤矿气氛中的瓦斯含量时,它就表现出了很好的发展前景。1957 年英国发明了在裸露的白金线圈表面涂覆担载了催化剂的载体材料的新型传感器,将该类传感器的灵敏性能和工作稳定性大大提高,许多国家也相继开展了相关的研究,但这种传感器的主体结构和工作原理并未发生变化。我国对接触燃烧式气体传感器的研究始于 20 世纪 50 年代,1958 年我国开始采用纯铂丝作为敏感元件制作了接触燃烧式气体传感器,此后 1974 年又研制出了采用这种传感器的 AQR – 1 型煤矿瓦斯测量仪,实际应用于煤矿安全生产中的检测。

可燃性气体(H_2,CO,CH_4 等)与空气中的氧接触,发生氧化反应,产生反应热(无焰接触燃烧热),使得作为敏感材料的铂丝温度升高,电阻值相应增大。一般情况下,空气中可燃性气体的浓度都不太高(低于 10%),可燃性气体可以完全燃烧,其发热量与可燃性气体的浓度有关。空气中可燃性气体浓度愈大,氧化反应(燃烧)产生的反应热量(燃烧热)愈多,铂丝的温度变化(增高)愈大,其电阻值增加的就越多。因此,只要测定作为敏感件的铂丝的电阻变化值(ΔR),就可检测空气中可燃性气体的浓度。但是,使用单纯的铂丝线圈作为检测元件,其寿命较短,所以,实际应用的检测元件,都是在铂丝圈外面包裹一层多孔耐高温的催化剂,使其具有很高的机械强度,催化剂的活性成分一般为贵金属 Pd 或 Pt,然后将整个器件进行烧结。将敏感元件和未担载活性成分的参考元件配对为一组,并焊接在底座上,装入防爆隔离罩内,这样既可以延长其使用寿命,又可以提高检测元件的响应特性。

接触燃烧式气体传感器只能用来检测可燃性气体,对不可燃性气体不敏感,因此它被大量地应用于矿井隧道、石油化工、厨房浴室等经常接触可燃性气体的场所。

1. 接触燃烧式气体传感器的结构

接触燃烧式气体传感器的结构如图 11 – 11 所示,元件的核心是一根白金线圈,线圈的表面涂覆了一层担载了催化剂的载体材料。

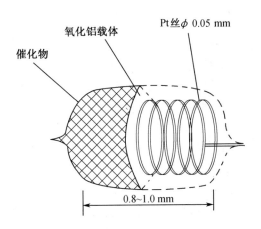

催化物

氧化铝载体

Pt丝 ϕ 0.05 mm

0.8~1.0 mm

图 11-11　接触燃烧式气体传感器的结构图

担载过催化剂的载体一般呈现黑色,作为敏感元件,一般也称"黑元件"。在反应中,敏感元件表面的催化剂将促使元件表面的可燃性气体无焰燃烧;而未担载过催化剂的载体一般呈现白色,作为参考元件,一般也称"白元件"。由于参考元件表面没有催化剂,因此参考元件表面不会发生燃烧反应,它的温度只与环境温度有关。两种元件配对为一组,焊接在器件底座上,并安装防爆隔离罩。当接触到可燃性气体时,气体将在参考元件上氧化燃烧;而参考元件则可以有效地补偿外界温度的微小变化对敏感元件输出信号造成的影响。

2. 接触燃烧式气体传感器的工作原理

以瓦斯为例,瓦斯在敏感元件表面发生的是一种气相固相催化反应,亦即多相催化。多相催化反应一般发生于固体催化剂的表面层,先将反应物吸附于催化剂的表面,在表面进行反应,而反应生成物也吸附在催化剂表面。因此为了使催化反应连续进行,产物的及时离解非常重要,由于 Pt,Pd 等贵金属是很好的加氢脱氧催化剂,所以它们可以使甲烷气体吸附并离解,即发生离解化学吸附:

$$CH_4 + 2M \longrightarrow CH_3M + HM \qquad (11-6)$$

式中,M 表示表面金属原子

甲烷是一种饱和烃,在催化剂的表面吸附时间非常短,所以很难以氧化。又由于离解化学吸附作用,使得甲烷分子价键力变化,反应活化能降低,产生了催化作用。因此当使用敏感元件检测甲烷时,只要混合气体中氧含量足够,并维持工作温度,甲烷就会在敏感元件表面无焰燃烧,其氧化方程如下:

$$CH_4 + \frac{1}{2}O_2 \xrightleftharpoons[\text{加热}]{Pt,Pd} CH_3OH + 129.8 \text{ kJ} \qquad (11-7)$$

$$CH_3OH + \frac{1}{2}O_2 \xrightleftharpoons[\text{加热}]{Pt,Pd} CH_2O + H_2O + 147.5 \text{ kJ} \qquad (11-8)$$

$$CH_2OH + \frac{1}{2}O_2 \xrightleftharpoons[\text{加热}]{Pt,Pd} HCOOH + 275.4 \text{ kJ} \qquad (11-9)$$

$$HCOOH + \frac{1}{2}O_2 \xrightleftharpoons[\text{加热}]{Pt,Pd} CO_2 + H_2O + 242.8 \text{ kJ} \qquad (11-10)$$

总反应方程式如下

$$CH_4 + 2O_2 \underset{\text{加热}}{\overset{Pt,Pd}{\rightleftharpoons}} CO_2 + 2H_2O + 795.5 \text{ kJ} \qquad (11-11)$$

反应的过程释放热量,使得敏感元件的电阻值增加,采用一个外接的惠斯顿电桥就可以测量出敏感元件电阻的变化量,测试电路如图 11 - 12 所示。

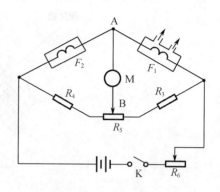

图 11 - 12 测试电路图

敏感元件、参考元件和两个固定电阻分别构成惠斯顿电桥的四个臂,当检测到甲烷气体时,敏感元件表面的催化剂促使甲烷在敏感元件表面无焰燃烧,产生热量,使得敏感元件的温度升高,这主要是因为各种可燃性气体的爆炸下限浓度 X(体积分数)和气体的分子燃烧热 Q(K/mol)和活化能量值 E(K/mol)存在相关关系,对活化能量 E 值相近的可燃性气体,有

$$X \cdot Q = \text{const} \qquad (11-12)$$

即在爆炸极限以下浓度时,单位体积的可燃性气体混合气燃烧产生的热量近似为常量。

当上述反应在敏感元件表面发生时,放出的燃烧热将使得敏感元件的温度升高,电阻增加,由于可燃性气体燃烧产生热量引起的电阻变化为

$$\Delta R = \rho \cdot \Delta T = \rho \cdot \Delta H/C = \rho \cdot a \cdot x \cdot Q/C \qquad (11-13)$$

式中　ρ——为待测元件电阻温度系数;

　　　ΔT——因为燃烧而引起的温度改变;

　　　ΔH——敏感元件的热容量;

　　　Q——可燃性气体的单位质量燃烧热;

　　　a——一个常数由待测元件的催化性能所决定。

ρ, C, a 的数值决定于待测元件的材质、形状、表面处理方法和结构,Q 随可燃性气体的种类不同而不同。

但没有发生反应的参考元件电阻不变,因此惠斯顿电桥失去平衡,电信号的改变可由桥上的电压表读出,相应地也就可以得到被检测的甲烷气体的浓度。由上述推导可知电桥的输出电位差将于空气中可燃性气体含量呈正比关系,如图 11 - 13 所示。

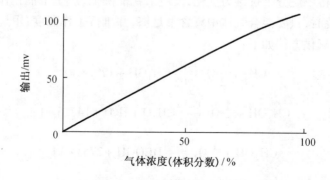

图 11 - 13　接触燃烧式气体传感器典型性能曲线图

3. 接触燃烧式气体传感器的特性

接触燃烧式气体传感器的工作原理决定了它将具有一些不同于其他气体传感器的特性。在 100% 的 LEL 内接触燃烧式气体传感器的工作曲线线性度很好,输出信号与气氛中可燃性气体的浓度呈现线性关系,可以对不同浓度的可燃性气体进行标定。但当超过了爆炸极限以后,输出信号将不再依循线性关系变化。所以依托于此类传感器的可燃气体检测仪器只能在 0 ~ 100% LEL 的量程范围内工作。

接触燃烧式气体传感器的精度和再现性能比较好,环境对其影响很小,可工作温度范围跨度 −20 ~ 50 ℃,湿度范围跨度 10% ~ 95%。但对于不同种类或者组分的可燃性气体,在 100% LEL 浓度以下的响应信号值还不能一致地满足测量精度的要求,上下误差约为 10%。刘亚珍等人测试了国产元件对几种可燃性气体在 100% LEL 浓度下的信号输出值,发现该类型传感器用于检查不同目标气体时,在同一浓度下的输出信号具有非一致性。

接触燃烧式气体传感器接触到某些物质时,会发生中毒,从而使用寿命降低。一般表现为两种形式:一为"催化剂中毒",一般是铅或硫的化合物以及硅化物等在催化剂表面分解,形成固体的钝化层,阻止可燃性气体与元件表面的接触,这种作用最终将导致敏感元件的灵敏度产生不可逆转的降低,甚至在很短时间内就使得器件失去活性。另一种为"催化剂抑制",某些种类的化合物例如齿代烃类(F,C1,Br,I)与催化剂发生强烈化学反应,使得敏感元件本身正常工作所发生的反应受到了抑制,结果会使得元件的灵敏度出现暂时性的降低,这种降低可以通过在洁净空气中通电工作一段时间得到恢复。基于以上的原因,接触燃烧式气体传感器的工作寿命一般在 1 ~ 3 年以内,当其灵敏度明显降低时,就应该对其进行更换。

最后,接触燃烧式气体传感器是一种广谱型气体传感器,对于各种可燃性气体都有很好的响应,但选择性较差。由于其工作原理所限制,选择性差的问题很难以解决,所以对该类传感器的应用上,应扬长避短,在发挥其广谱性能的同时,尽量提高一致性,降低测量误差,并提高其工作寿命。

11.5.2　应用实例

1. MC112 催化燃烧式甲烷传感器介绍

MC112 催化燃烧式甲烷传感器可以在家居室内和矿井等地方进行测量和报警,这类传感器在环境温度下,有着很好的稳定性,可以监测很多种处于爆炸下限的可燃性气体,因此在很多领域都适用。

MC112 催化燃烧式甲烷传感器有四个引脚,包括表面涂有催化剂的检测器件 D 和表面没有涂催化剂的补偿器件 C。这两个检测器件构成了电桥的两臂,外加上阻值为两个 2 kΩ 和一个 500 Ω 的电阻构成了回路,以便回路中的工作电流不会因过大导致元件烧毁。在应用电路中,如图 11 – 14 所示,传感器所工作的电桥需要 3 V 的直流工作电压,为传感器在接触

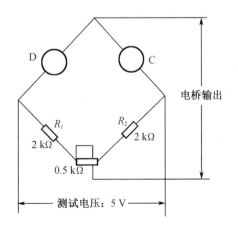

图 11 – 14　甲烷传感器的应用电路图

甲烷气体时能够提供燃烧需要的热量。此时补偿器件 C 无反应,电阻率、温度以及电桥输出电压都不会变化,但是检测器件的电阻率、温度以及电桥输出电压都会发生变化,这个变化反映了空气中甲烷气体的浓度值。

甲烷传感器的灵敏度特性如图 11 – 15 所示。

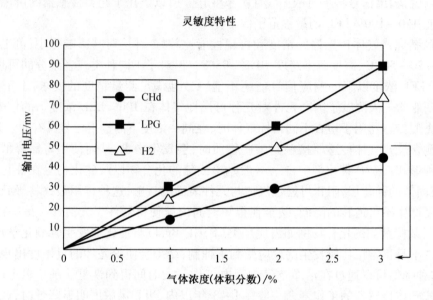

图 11 – 15　甲烷传感器的输出特性曲线

2. 甲烷传感器的信号处理电路

甲烷传感器的信号处理电路如 11 – 16 图所示,通过 AD623 进行放大后,直接送入到单片机。MC112 在监测瓦斯上输入输出的线性度良好,有灵敏度的特性曲线可以得出

$$Y_{输出} = 0.015 X_{输入}$$

X 输入为气体的体积分数,Y 输出是输出的电压值,瓦斯监测的最大范围是 $0 \sim 3\%$,那

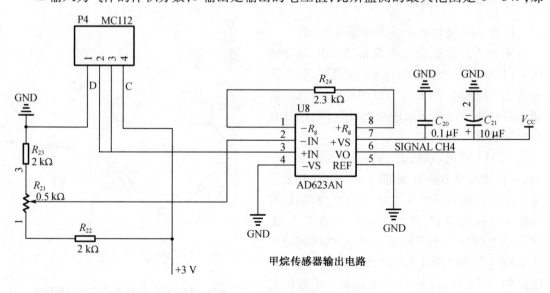

图 11 – 16　甲烷传感器输出电路

么体积分数为 $0\sim3\%$,对应输出电压值为 $0\sim0.045$ V,要想使 AD623 收到的是 $0\sim5$ V,输出应该放大 111 倍,所以增益 $G=111$ 。$R_g=R_{24}=100$ k$/(G-1)=1.22$ k。

11.6   光学式气体传感器

光学式气体传感器包括红外吸收型、光谱吸收型、荧光型和光纤化学材料型等,主要以红外吸收型气体分析仪为主,不同气体红外吸收峰不同,测量和分析红外吸收峰来检测气体。目前最新动向是研制开发了流体切换式、流程直接测定式和傅里叶变换式线红外分析仪。该传感器具有高抗震能力和抗污染能力,与计算机相结合,能连续测试分析气体,具有自动校正、自动运行功能。光学式气体传感器还包括化学发光式、光纤荧光式和光纤波导式,其主要优点是灵敏度高、可靠性好。

光纤气敏传感器主要部分是两端涂有活性物质玻璃光纤。活性物质中含有固定有机聚合物基质上荧光染料,当 VOC 与荧光染料发生作用时,染料极性发生变化,使其荧光发射光谱发生位移。用光脉冲照射传感器时,荧光染料会发射不同频率光,检测荧光染料发射光,即可识别 VOC。

它与其他类别气体传感器如电化学式、催化燃烧式、半导体式等相比具有应用广泛、使用寿命长、灵敏度高、稳定性好、适合气体多、性价比高、维护成本低、可在线分析等等一系列优点。所以它被广泛应用于石油化工、冶金工业、工矿开采、大气污染检测、农业、医疗卫生等领域。

11.6.1   红外吸收型气体传感器原理

红外气体传感器是一种基于不同气体分子的近红外光谱选择吸收特性,利用气体浓度与吸收强度关系(朗伯－比尔(Lambert－Beer)定律)鉴别气体组分并确定其浓度的气体传感装置。

下面将分别介绍红外光谱吸收原理、非分光红外探测器原理以及热电堆的工作原理。

1. 红外光谱吸收原理

当一束连续波长的红外光通过某种气体时,如果气体分子的某个基团的振动频率或者转动频率与红外光的频率一致,气体分子就会吸收能量而从基态能级跃迁至能量更高的能级,处于该频率的红外光便会被吸收而形成吸收峰。由于不同分子中原子结合的化学键不相同,不同化学键跃迁需要的能量也不相同,因而不同的气体的红外吸收峰也大都不同,根据气体的红外吸收峰便可判断是哪种气体。图 11 – 17 为常见气体的红外吸收峰分布。

物质对光吸收的定量关系遵循朗伯－比尔定律,朗伯－比尔定律定量地阐述了物质的吸光度与物质的浓度和厚度之间的关系,朗伯－比尔定律的数学表达式为

$$A=\lg\frac{1}{T}=Kbc \tag{11-14}$$

其中 A ——物质的吸光度;

T ——物质的透光比,或者称为透光度;

K ——摩尔吸收系数,它与物质本身的性质以及入射光的波长有关;

b ——物质的厚度;

c ——物质的浓度。

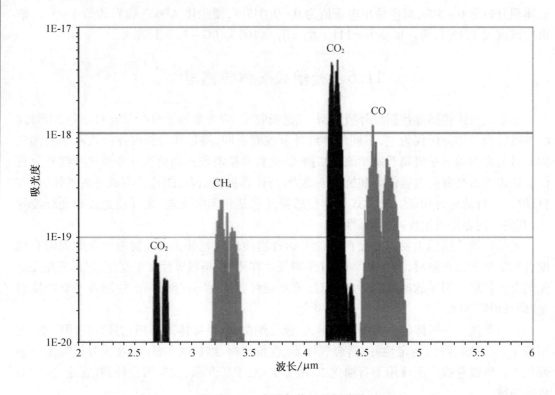

图 11 – 17　多种气体红外吸收峰

物质在特定波段会产生吸收峰就反映在公式(11 – 14)中的摩尔吸收系数 K 上面,当入射光波长与该物质的吸收波段匹配时,摩尔吸收系数 K 较大,当入射光波长与物质吸收波段不匹配时,摩尔吸收系数 K 就会大大减小,从而反映出对特定波长的强烈吸收。

2. NDIR 非分光红外探测器原理

目前的红外探测器可以分成分光型和非分光型。分光型红外探测器主要是通过分光系统分离出单色光进入气室,再由探测器对输出光强进行监测;而非分光型红外探测器是光源向气室中输入连续光谱,经过气室后,带有滤波片的探测器对所需波段进行选择性接收。

在实际应用中大都采用非分光型红外探测器。分光型探测器的分光系统比较复杂,需要进行调制才能输出,所以输出通道很难共用一个气室,对于多通道的探测器就需要大量的空间。相对于分光型探测器,非分光性探测器仅需在不同的探测器表面添加不同的滤光片便可有效的解决波段的选择问题,各个探测通道共用一个气室也不会产生任何影响。同时非分光型探测器对于光源的要求也不是很高,光学气室的结构比较简单,易于设计、加工和维护。分光型和非分光型红外探测器示意图如图 11 – 18 所示。

3. 热电堆工作原理

热电堆是一种温度测量元件,它是由两个或者多个热电偶串联而成。两种不同成分的导体两端接合成回路,当两个结合点的温度不相同时,在回路中就会产生电动势,这种现象称为热电效应,热电偶就是利用热电效应制成的探测器。两个结合点中,温度较高的一段通常称为热端,另一端称为冷端,一般热端为测量端,而冷端为自由端。工作时,冷端的温度要保持不变,热电偶产生的电势便可以反应热端温度。若测量时冷端温度发生变化,就

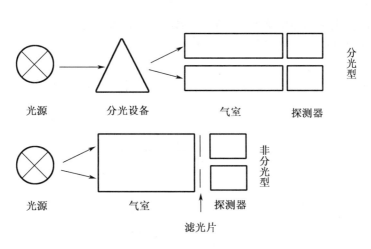

图 11 - 18 分光型和非分光型红外探测器示意图

会严重影响测量的准确性,需要进行温度补偿来抵消冷端温度变化的影响。

入射光照射到热电堆探测器上时,热电堆探测器会吸收入射光的能量而使热端温度上升,在温度补偿电路的作用下保持温度不变,这样入射光的能量就直接影响了热电堆冷热端之间的温度差,进而影响热电堆的热电势,通过测量热电势便可计算得知入射光的能量。

11.6.2 红外气体传感器实例

1. CO_2 浓度检测传感器选型

CO_2 浓度检测,本节选用 TPS2534。TPS2534 系列是 PerkinElmer 公司生产的非分光双通道热电堆红外气体传感器。该传感器专门针对气体浓度检测问题而设计。具有体积小,精度高,响应迅速,适用性强等特点,已被越来越多地应用于红外气体浓度检测仪器的生产和设计之中。

非分光型传感器对于光源和探测器的要求并不苛刻,光源选用的是宽谱红外光源,探测器采用双通道热电堆探测器,两个通道表面分别装有不同的滤波片,其中一个是针对 CO_2 波段。光源采用调制的方式工作,因为连续工作会使探测器产生大量的热积累,探测器需要大量的时间才能达到热平衡,同时对探测器也会产生负担,不利于长时间工作。调制光源经过简单气室后到达探测器,探测器输出电压信号,A/D 转换器将其转换成数字信号后进入单片机,再由单片机进行处理。热电堆探测器的温度补偿采用数字补偿的办法,也就是单独输出温度通道信号,转换成数字信号后参与运算,而不是模拟电路补偿。相对于模拟电路补偿,数字补偿更容易实现,电路简单易于设计,同时,数字补偿具有更高的灵活性,可以方便地进行尝试和调节。单片机对三个通道(信号通道、参考通道和温度通道)的数字信号进行运算,从而得出相应的浓度值。之后单片机控制显示器进行显示,或者控制蜂鸣器进行报警等等。

2. TPS2534 传感器的内部结构和外部引脚

TPS2534 双通道热电堆传感器,采用 TO - 5 封装,全封闭镍金属外壳,内部充干燥氮气。该传感器具有两个敏感感应面积为 1.2 mm×1.2 mm 的 2.6 mm×2.3 mm 红外传感窗口,用于接收气体通道光强和参考通道光强;此外,TPS2534 内部的 30 kΩ 热敏电阻能够作为温度传感器对外部环境温度进行测量,以提供温度补偿参考变量。TPS2534 有四个引脚,分别为 1 脚是测温电阻信号输出端,2 脚为探测通道输出端,3 脚为参考通道输出端,4 脚为接地引脚。红外探测模块电路图如图 11 - 19 所示。

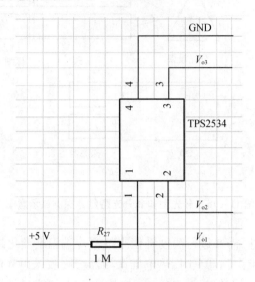

图 11 - 19　红外探测模块电路图

3. TPS2534 传感器气体浓度检测的理论依据

使用 TPS2534 气体浓度传感器测量气体浓度的主要依据是非分光红外(NDIR)气体浓度检测方法和 Lamber - Beer 定律。当红外光通过待测气体时,气体分子对特定波长的红外光进行吸收,其吸收关系服从 Lamber - Beer 定律,由此定律可得出射光的强度为

$$I_1 = I_0 \cdot e^{-KCL} \qquad (11-15)$$

式中　K——吸收系数;

　　　c——气体浓度;

　　　L——气室长度;

　　　I_0——入射光强度;

　　　I_1——出射光强度。

对于气体测量通道输出的电压信号为

$$U_1 = I \cdot e^{-KCL} \cdot K_1 \qquad (11-16)$$

而对于参考通道输出的电压信号为

$$U_2 = I \cdot K_2 \qquad (11-17)$$

K_1, K_2 为两个通道的系统参数,该参数与滤光片的透射效率和传感器的响应度有关。在实际环境中,由于光强受到外界环境的影响比较大,并且不易测量,所以需要采用比值法来消除其影响。对于相同的系统而言,在同一时间两个通道接收到的光强是相同的。可以得到以下的关系式,即

$$U_1 / U_2 = (K_1 / K_2) \cdot e^{-KCL} \qquad (11-18)$$

设系统参数 $K_0 = K_1 / K_2$,当气室内充入纯氮气时,气体浓度 $c = 0$,这时就可以确定系统参数,即

$$K_0 = U_1 / U_2 \qquad (11-19)$$

式(11 - 18)一经过变换,可得气体的浓度为

$$c = (-1/KL) \cdot (\ln U_1 - \ln K_0 - \ln U_2) \qquad (11-20)$$

由于对于固定的系统,参数 K_0、气体吸收系数 K,以及气室长度 L 都是固定的,并且 U_1, U_2 可以通过测量得到,所以可以把上式作为气体浓度测量的理论依据。

4. 信号滤波放大模块

此模块可以分成三个部分,即信号通道部分、参考通道部分和测温电阻部分。其中信号通道和参考通道的输出信号已经是电压信号,因此直接进行放大即可。而测温电阻只是一个热敏电阻,因此在进行测量之时需要用一个稳定的限流电阻与其分压,将电阻变化转换成电压信号,从而进行测量。但是三个部分的滤波放大部分基本相同,其中差别只是放大倍数略有不同。信号的滤波放大结构是基于同相放大器设计,具体电路如图 11 – 20 所示。

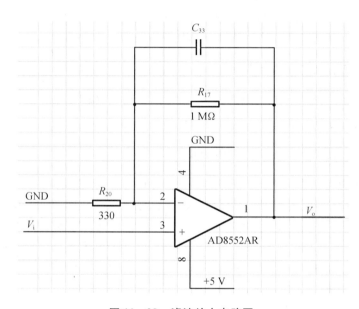

图 11 – 20　滤波放大电路图

同相放大电路放大倍数为

$$\frac{V_{\text{out}}}{V_{\text{in}}} = \frac{R_{17} + R_{20}}{R_{20}} \approx 3\ 000\ \text{倍}$$

对于高频信号,电容相当于短路,也就是相当于导线,电阻 R_{17} 就会被短路。因此对于高频信号,该电路可以等效成一个电压跟随器,电路的放大倍数为1。

由此,对于低频信号,电路的放大倍数为 3 000,而对于高频信号,电路的放大倍数为1。在本设计中,三个通道传输的信号都是低频信号,高频信号则是电路中的噪声,通过以上放大滤波电路,使信号得到了有效地放大,而噪声没有得到放大,从而减轻噪声对信号的影响。

运算放大器选用的是 AD8552。该运算放大器失调电压低,仅为 1 μA。输入失调漂移低,仅为,以及超低的输入偏置电流,只有 20 pA,从而可以有效地获取探测器输出信号,而不对探测器产生较大的影响。同时该运算放大器具有高增益、高共模抑制比和高电源抑制比,从而大大地减小共模噪声以及驱动电源噪声对输出信号的影响。该运算放大器具有轨到轨的输入和输出摆幅,可以提供有效的输出范围。

11.7　高分子气体传感器

近年来,国外高分子气敏材料研究和开发上有了很大进展,高分子气敏材料具有易操作性、工艺简单、常温选择性好、价格低廉、易与微结构传感器和声表面波器件相结合等特点,毒性气体和食品鲜度等方面检测具有重要作用。高分子气体传感器气敏特性主要可分为下列几种:

11.7.1　高分子电阻式气体传感器

该类传感器是测量高分子气敏材料电阻来测量气体体积分数,目前材料主要有欧菁聚合物、LB 膜、聚吡咯等。其主要优点是制作工艺简单、成本低廉。但这种气体传感器要电聚合过程来激活,这既耗费时间,又会引起各批次产品之间性能差异。

11.7.2　浓差电池式气体传感器

浓差电池式气体传感器工作原理是:气敏材料吸收气体时形成浓差电池,测量输出电动势就可测量气体体积分数,目前主要有聚乙烯醇 – 磷酸等材料。

11.7.3　声表面波(SAW)式气体传感器

SAW 气体传感器制作压电材料衬底上,一端表面为输入传感器,另一端为输出传感器。两者之间区域淀积了能吸附 VOC 的聚合物膜。被吸附分子增加了传感器质量,使声波材料表面上传播速度或频率发生变化,测量声波速度或频率来测量气体体积分数。主要气敏材料有聚异丁烯、氟聚多元醇等,用来测量苯乙烯和甲苯等有机蒸气。其优势选择性高、灵敏度高、很宽温度范围内稳定、对湿度响应低和良好可重复性。SAW 传感器输出为准数字信号,可简便地与微处理器接口。此外,SAW 传感器采用半导体平面工艺,易于将敏感器与相配电子器件结合一起,实现微型化、集成化,降低测量成本。

11.7.4　石英振子式气体传感器

石英振子微秤技术,是 20 世纪 60 年代建立起来的一种新型传感器测量技术。石英振子式气体传感器利用石英振子的频率变化与晶体表面的质量变化成正比的原理,可以进行纳克级的质量检测。其具有灵敏度高、选择性好、成本低、装置简单、易于实现现场连续检测等优点,受到了各国科学家的重视,目前是传感器研究的一个热点,已经广泛应用于气体传感器、免疫传感器、DNA 生物传感器、药物分析等领域。

石英振子微秤(QCM)由直径为数微米石英振动盘和制作盘两边电极构成。当振荡信号加器件上时,器件会在它特征频率(1 ~ 30 MHz)处发生共振。振动盘上淀积了有机聚合物,聚合物吸附气体后,使器件质量增加,引起石英振子共振频率降低,测定共振频率变化来识别气体。

高分子气体传感器对特定气体分子灵敏度高、选择性好,结构简单,可在常温下使用,能补充其他气体传感器不足,发展前景良好。

思考与练习

11.1　填空题

（1）根据所检测电信号的不同，电化学传感器可分为＿＿＿＿＿＿＿、
＿＿＿＿＿＿＿＿、＿＿＿＿＿＿。

（2）Fe_2O_3各种晶型中，＿＿＿＿＿＿型Fe_2O_3具有气敏特性。

（3）半导体气体传感器，按其结构不同，可分为＿＿＿＿＿＿＿、＿＿＿＿＿＿＿、＿＿＿＿＿＿。

（4）N型半导体一般用于制备＿＿＿＿＿＿传感器，P型半导体一般用于制备＿＿＿＿＿
传感器。

（5）电化学传感器中的三电极系统通常由＿＿＿＿＿＿、＿＿＿＿＿＿、＿＿＿＿＿＿构成。

11.2　简述题

（1）简述SnO_2半导体陶瓷气体传感器与Fe_2O_3系气敏传感器响应机理的异同点。

（2）简述半导体气体传感器的三种结构类型各自的优缺点。

（3）伽伐尼电池法测定总氧量时，需要载气，其组成为1% CO，2% H_2，97% N_2，试简述载
气中各成分作用。

11.3　设计题

酒后驾车易出事故，但判定驾驶员是否喝酒过量带有较大的主观因素。请你利用学过
的知识，设计一台便携式、交通警察使用的酒后驾车测试仪。

总体思路是：让被怀疑酒后驾车的驾驶员对准探头，呼三口气，用一排发光二极管指示
呼气量的大小（呼气量越大点亮的LED越多）。当呼气量达到允许值后，"呼气确认"LED
亮，酒精含量数码管指示出三次呼气的酒精含量平均百分比。如果呼气量不够，则提示重
新呼气，当酒精含量超标时，LED闪亮，蜂鸣器发出嘀嘀声。

根据以上设计思路，请按以下要求操作：

（1）上网查阅有关酒精蒸气测试仪以及燃料电池型呼气酒精测试传感器的资料；

（2）说明燃料电池型呼气酒精传感器与MQN型半导体气敏电阻的区别；

（3）画出构思中的便携式酒后驾车测仪的外形图，包括一根带电缆的探头以及主机盒。
在主机盒的面板上必须画出电源开关、呼气指示LED若干个、呼气次数指示LED（3个）、酒
精蒸汽含量数字显示器、报警LED、报警蜂鸣器发生孔等；

（4）画出测量呼气流量的传感器见图；

（5）画出测量酒精蒸汽含量的传感器简图；

（6）画图测试仪的电路原理图；

（7）简要说明几个环节之间的信号流程；

（8）写出该酒后驾车测试仪的使用说明书。

第12章　生物传感器

12.1　生物传感器概述

生物传感器的分子识别元件又叫敏感元件,主要指来源于生物体的生物活性物质,包括酶、抗原、抗体,和各种功能蛋白质、核酸、微生物细胞、细胞器、动植物组织等。

从20世纪60年代 Clark 和 Lyon 提出生物传感器的设想开始,生物传感器的发展已经距今已有五十多年的历史。生物传感器在发酵工艺、环境监测、食品工程、临床医学、军事及军事医学等方面得到了深度重视和广泛应用。

1962年 Clark 和 Lyon 等从将酶液夹在两层透明膜之间形成一层薄液层,然后将其紧贴在 pH 电极、氧电极和电导电极上,这是生物传感器的雏形。

1967年 Updike 等人根据 Clark 等人的设想,采用酶的固定化技术,将葡萄糖氧化酶固定在疏水膜上,然后再和氧电极结合,组装成了世界上第一个生物传感器——葡萄糖氧化酶电极。该领域专家的研究背景现也从生物学扩大到化学和电子学,表明了生物传感器领域学科相互交叉的趋势。

12.1.1　生物传感器的定义

生物传感器(Biosensor)是用生物活性材料(酶、蛋白质、DNA、抗体、抗原、生物膜等)与物理换能器有机结合的器械或装置,是发展生物技术必不可少的一种先进的检测方法与监控方法,也是物质分子水平的快速、微量分析方法。

12.1.2　生物传感器的组成

根据定义,生物传感器由两部分组成:生物活性材料,也叫生物敏感膜或分子识别元件;物理换能器,也叫传感器。其中,生物敏感膜(Biosensitive membrane)又称为分子识别元件(Molecular recognition element)是生物传感器的关键元件,直接决定传感器的功能与质量,如表12-1所示。根据生物敏感膜所选用材料不同,其组成可以是酶、DNA、免疫物质、全细胞、组织、细胞器或它们的组合,近年还引入了高分子聚合物模拟酶,使分子识别元件的概念进一步延伸。

表 12-1　生物传感器的生物敏感膜(分子识别元件)

生物敏感膜	生物活性材料	生物敏感膜	生物活性材料
酶	各种酶类	全细胞	细菌、真菌、动植物细胞
免疫物质	抗体、抗原、酶标抗原	细胞器	线粒体、叶绿体
DNA	聚核苷酸	组织	动植物组织切片
具有亲和能力的物质	配体、受体	模拟酶	高分子聚合物

换能器(Transducer),又称为传感器(Sensor),其作用是将各种生物的、化学的和物理的信息转变成电信号。生物反应过程产生的信息是多元化的,微电子和传感技术的现代成果为检测这些信息提供了丰富的手段,使得在设计生物传感器时对换能器的选择有足够的回旋余地。设计的成功与否主要取决于设计方案的科学性和经济性,可供制作生物传感器的基本换能器如表 12－2 所示。

表 12－2　生物学反应信息和换能器的选择

生物学反应信息	换能器选择	生物学反应信息	换能器选择
离子变化	离子选择性电极	光学变化	光纤、光敏管
电阻、电导变化	阻抗计、电导仪	颜色变化	光纤、光敏管
质子变化	场效应晶体管	质量变化	压电晶体等
气体分压变化	气敏电极	力变化	微悬臂梁
热焓变化	热敏电阻、热电偶	振动频率变化	表面等离子共振

12.2　生物传感器的原理

待测物质经扩散作用进入生物活性材料,经分子识别,发生生物学反应,产生的信息继而被相应的物理或化学换能器转变成可定量和可处理的电信号,再经二次仪表放大并输出,便可知道待测物浓度。生物传感器的原理图如图 12－1 所示。

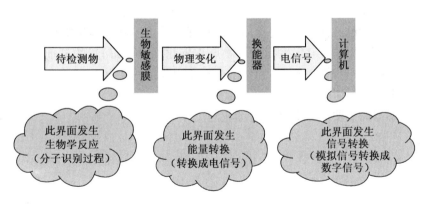

图 12－1　生物传感器原理图

12.3　生物传感器的种类

12.3.1　按生命物质分类

按照其感受器中的采用的生命物质分类,可分为:微生物传感器、免疫传感器、组织传感器、细胞传感器、酶传感器和 DNA 传感器等。

12.3.2 按原理分类

按照传感器器件检测的原理分类,可分为:热敏生物传感器、场效应管生物传感器、压电生物传感器、光学生物传感器、声波道生物传感器、酶电极称王称霸传感器和介体生物传感器等。

12.2.3 按相互作用分类

按照生物敏感物质相互作用的类型分类,可分为亲和型和代谢型两种。但随着生物传感器技术的不断发展,近年来又出现了新的分类方法。如:

微型生物传感器——直径在微米级甚至更小的生物传感器统称。

亲和生物传感器——以分子之间的识别和结合为基础的生物传感器统称。

复合生物传感器——由两种以上不同分子敏感膜材料组成的生物传感器(如多酶复合传感器)。

多功能传感器——能够同时测定两种以上参数的生物传感器(如味觉传感器、嗅觉传感器、鲜度传感器等)。

12.4 生物传感器的优缺点

与通常的化学分析法相比,生物传感器具有以下特点:

①由于具有较高的选择性,因此不需对被测组分进行分离,即不用对样品进行预处理;

②结构简单,体积小,使用方便,特别是便携式的生物传感器,非常有利于食品质量的市场快速评价;

③可以实现连续的在线检测,使食品加工过程的质量控制变得简便;

④可重复使用,采用固定化生物活性物质作催化剂,价格昂贵的试剂可以重复多次使用,克服了过去酶法分析试剂费用高和化学分析烦琐复杂的缺点。

⑤响应速度快,样品用量少。

⑥生物传感器的主要缺点是使用寿命较短。

12.5 常见的几种生物传感器

12.5.1 酶传感器

1. 酶的产生与特点

人们对酶的认识在 19 世纪产生了飞跃,在 1854 年至 1864 年,Pasteur 证明发酵作用是由微生物引起的,推翻了"自生论"。当时曾提出"活体酵素"和"非活体酵素"的名词。1877 年,Kuhne 提出使用"enzyme"这个词,将酶与微生物两者区别开。Liebig 等认为发酵不一定要和酵母细胞相联系,而是由酵母细胞中所分泌的某些化学物质(酶)所引起的。这一假设于 1897 年被 Buchner 兄弟证实,利用酵母细胞滤液成功地进行了糖至乙醇和二氧化碳的转化,这项实验是酶学研究的开始。在此后的近一个世纪中,酶学研究获得一系列重要突破。并且,酶的蛋白质属性和催化功能被普遍认识。

酶是由生物体内产生并具有催化活性的一类蛋白质,此类蛋白质表现出特异的催化功能,因此,酶被称为生物催化剂。酶在生命活动中起着极其重要的作用,它参加新陈代谢过程的所有生化反应,并以极高的速度维持生命的代谢活动(包括生长、发繁殖与运动)。目前,已鉴定出的酶有 2 000 余种。

酶与一般催化剂相似之处是:在相对浓度较低时,仅能影响化学反应的速度,而不改变反应的平衡点。

酶与一般催化剂的不同之处是:

①酶的催化效率比一般催化剂要高 $10^6 \sim 10^{13}$ 倍;

②酶催化反应条件较为温和,在常温、常压条件下即可进行;

③酶的催化具有高度的专一性,即一种酶只能作用于一种或一类物质,产生一定产物,而非酶催化剂对作用物没有如此严格的选择性。

2. 酶传感器的结构与原理

目前,常见的酶传感器有电流型和电位型两种。其中,电流型是由与酶催化反应有关物质电极反应所得到的电流来确定反应物质的浓度,一般采用氧电极,H_2O_2 电极等;而电位型是通过电化学传感器器件测量敏感膜电位来确定与催化反应有关的各种物质的浓度,一般采用 NH_3 电极、CO_2 电极、H_2 电极等。表 12 – 3 列出了两类传感器,电流型是以氧或 H_2O_2 作为检测方式,电位型是以离子作为检测方式。

表 12 – 3 酶传感器分类

	检测方式	被测物质	酶	检测物质
电流型电位型	氧检测方式	葡萄糖	葡萄糖氧化酶	O_2
		过氧化氢	过氧化氢酶	
		尿酸	尿酸氧化酶	
		胆固醇	胆固醇氧化酶	
	过氧化氢检测方式	葡萄糖	葡萄糖氧化酶	H_2O_2
		L – 氨基酸	L – 氨基酸氧化酶	
	离子检测方式	尿素	尿素酶	NH_4^+
		L – 氨基酸	L – 氨基酸氧化酶	NH_4^+
		D – 氨基酸	D – 氨基酸氧化酶	NH_4^+
		天门冬酰胺	天门冬酰胺酶	NH_4^+

下面以葡萄糖酶传感器为例说明其工作原理与检测过程。图 12 – 2 所示为葡萄糖酶传感器的结构原理图,它的敏感膜为葡萄糖氧化酶,固定在聚乙烯酰胺凝胶上。敏感元件由阴极 Pt、阳极 Pb 和中间电解液组成。在电极 Pt 表面上覆盖一层透氧化的聚四氟乙烯膜,形成封闭式氧电极,它避免了电极与被测液直接接触,防止电极毒化。当电极 Pt 浸入含蛋白质的介质中,蛋白质会沉淀在电极表面上,从而减小电极有效面积,使两电极之间的电流减小,传感器受到毒化。

测量时,葡萄糖酶传感器插入到被葡萄糖溶液中,葡萄糖氧化时产生,膜附近的氧化量减少,相应电极的还原电流减少,从而通过电流值的变化来确定葡萄糖的浓度。而通过选择性透气膜,使聚四氟乙烯值得提出的是,酶作为生物传感器的敏感材料虽然已有许多应用,但其价格比较昂贵,性能不够稳定,其应用也受到限制。

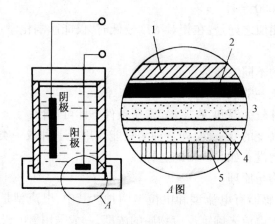

图 12 − 2　葡萄糖酶传感器的结构原理图
1—Pb 阳极;2—聚四氟乙烯膜;3—固相酶膜;
4—半透膜多孔层;5—半透膜致密层

12.5.2　微生物传感器

近年来,随着微生物固化技术的不断发展,固化微生物越来越多地被用于生物化学中,于是产生了微生物传感器。

微生物本身就是具有生命活性的细胞,具有各种生理机能,其主要机能有呼吸功能(O_2 的消耗)和新陈代谢机能(物质的合成与分解),也具有菌体内复合酶功能、能量再生功能、辅助酶再生功能等。因此,在不损坏微生物机能的情况下,微生物传感器关键是如何把细胞内的酶反应与电化学过程结合起来。

1. 生物活性材料固定化技术

(1)固定化的特点

在研制生物传感器时,关键是把生物活性材料与载体固定化成为生物敏感膜,而且固定化生物敏感膜应该具有以下特点:

①物质进行选择性好、专一性好;

②性能稳定;

③可以反复使用,长期保持其生理活性。

④使对被测用方便。

(2)固定化的方法

①夹心法

将生物活性材料封闭在双层滤膜之间(如图 12 − 3(a)所示)。该方法的特点是操作简单,不需要任何化学处理,固定生物量大,响应速度快,重复性好。

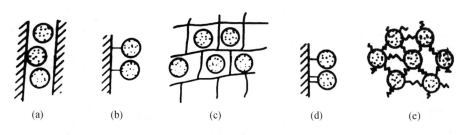

图 12 – 3　生物活性材料固定化方法
(a)夹心法;(b)吸附法;(c)包埋法;(d)共价连接法;(e)交联法

②吸附法

用非水溶性固相载体物理吸附或离子结合,使蛋白质分子固定化的方法(如图 12 – 3(b)所示)。载体种类较多,如活性炭、高岭土、硅胶、玻璃、纤维素和离子交换体等。

③包埋法

把生物活性材料包埋并固定在高分子聚合物三维空间网状结构基质中(如图 12 – 3(c)所示)。该方法的特点是一般不产生化学修饰,对生物分子活性影响较大,缺点是相对分子质量大的底物在凝胶网格内扩散较困难。

④共价连接法

使生物活性分子通过共价键与固相载体结合固定的方法(如图 12 – 3(d)所示)。该方法的特点是结合牢固,生物活性分子不易脱落,载体不易被生物降解,使用寿命长,缺点是实现固定化麻烦,酶活性可能因发生化学修饰而降低。

⑤交联法

依靠双功能团试剂使蛋白质结合到惰性载体或蛋白质分子彼此交联成网状态结构(如图 12 –3(e)所示)。该方法被广泛应用于酶膜和免疫分子膜制备,操作简单,结合牢固。

近年来,由于半导体生物传感器迅速发展,因而又出现了采用集成电路工艺制膜的技术,如光平板印刷法、喷射法等。

2. 微生物传感器的分类

微生物传感器从工作原理上可分为呼吸机能型和代谢机能型两类。其中,呼吸机能型微生物传感器是指好气型细菌呼吸时使有机物氧化,消耗氧并生 CO_2,从而可用 O_2 电极或 CO_2 电极进行检测;代谢机能型传感器指微生物代谢产物是电极活性物质,通过借不活泼金属电极进行电信号检测,例如,某些氢菌的微生物可使葡萄糖、蔗糖、淀粉及各种氨基酸的蛋白质转化产生氢,从而可通过测量氢的氧化电流,获得微生物的作用。

3. 呼吸机能型生物传感器

微生物呼吸机能存在好气型和厌气型两种,其中好气型微生物生长需要氧气,可通过测量氧气来了解其生理状态;而厌气型微生物不需要氧气,氧气反而会阻碍它的生长,可通过测量 CO_2 消耗及其他生物来了解其生理状态。呼吸机能型微生物传感器是由微生物固化膜和 O_2 电极(或 CO_2)电极组成。在用 O_2 作为电极时,把微生物放在纤维性蛋白质中固化处理,然后把固化膜附着在封闭式 O_2 电极的透氧膜上。

4. 代谢机能型微生物传感器

代谢型微生物传感器的基本原理是微生物使有机物氧化而产生各种代谢生成物。在这些代谢生物中,含有遇电极产生电化学反应的物质(即电极活性物质)。因此,微生物固定化膜与离子选择性电极(或燃料电池型电极)相结合就构成了代谢机能型微生物传感器。图12-4所示为甲酸传感器结构示意图。将产生氢的酪酸梭状芽菌固定在低温胶冻膜上,并把它装在燃料电池 Pt 电极上。Pt 电极、Ag_2O_2 电极、电解液以及液体连接面即组成传感器。

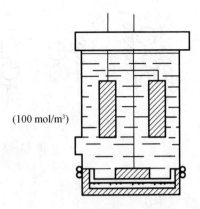

(100 mol/m³)

图12-4　甲酸传感器的结构图

在浸入含有甲酸的溶液时,甲酸通过聚四氟乙烯膜向酪酸梭芽菌扩散,被资化后产生 H_2,而 H_2 又穿过 Pt 电极表面上的聚四氟乙烯膜与 Pt 电极产生氧化还原反应电流,此电流与微生物所产生的 H_2 的含量成正比,而 H_2 的量又与待测甲酸浓度有关,因此传感器能测定发酵溶液中的甲酸浓度。

12.5.3　免疫传感器

免疫传感器的基本原理是免疫反应。利用抗体能识别抗原并与原结合的功能的生物传感器称为免疫传感器。它利用固定化抗体(或抗原)膜与相应的抗原(或抗体)的特异反应,反应的结果使生物敏感膜的电位发生变化。

免疫传感器一般可分为非标识免疫传感器和标识免疫传感器。当抗体固定在传感器表面,并与含有抗原体的溶液接触时,传感器表面就会形成抗菌素体的复合体。比较抗原抗体复合体形成前后的特性,即可得知发生的物理变化。此种结构的传感器称为非标识免疫传感器。而标识免疫传感器是利用酶的标识剂来增加免疫传感器的检测灵敏度。前者适合于定量检测,后者适用于如荷尔蒙、胰岛素等高灵敏度检测。

图12-5所示为梅毒抗体传感器的结构原理图,它由三个窗口组成,1为基准容器,2为测试容器,3为抗原容器。梅毒抗菌抗体传感器使用脂质抗菌素原固定化膜,将乙酰纤维素和抗原溶于二氯乙烷与乙醇混合溶液中,然后将它摊在玻璃板上,形成厚度为 10 μm 的膜。将抗原在膜中进行包裹固定化,干燥后将膜剥下,通过支持物将它固定在容器中内。参考膜与抗原膜由容器1和容器3分开。将血清注入容器2中,令抗原膜作为带电膜而工作,如果血清中存在抗体,则抗体被吸附于抗原表面形成复合体。因抗体带正电荷,所以膜的负电荷减少,引起膜电位变化,最后通过测定两个电极间的电位差,来判断血清中是否存在梅毒抗体。

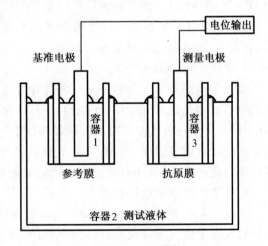

电位输出

基准电极　　　　测量电极

容器1　　　容器3

参考膜　　　抗原膜

容器2　测试液体

图12-5　梅毒抗体传感器的结构示意图

12.6　生物传感器的发展趋势与展望

生物传感器在近年来发展迅速,在食品工业、环境监测、发酵工业、医学等方面得到了高度重视和广泛应用。

12.6.1　生物传感器在发酵工业应用

1. 发酵中葡萄糖测定

过去用还原糖方法只能近似地估计葡萄糖的变化,现在提供了快速而准确的固定化酶的测定方法,发酵中可根据糖消耗确定微生物的生长速率,随时与产物的产生一起估算转化率,确定补料效果和及时判断发酵结束的时间。

2. 谷氨酸发酵液的分析

现在可随时跟踪目标产物的产生,快速获得主控参数的变化信息,令分析时间大大缩短。在发酵中期可根据谷氨酸产生速率,预知最终的产量。在发酵后期,可根据谷氨酸产生速率确定放罐时间。

3. 乳酸传感器在发酵上的应用

乳酸是需氧发酵产物转化过程的中间产物,是过程控制的敏感参数,与生物素的加入量、补糖、活菌数、菌活力、空气补给等控制直接相关。发酵旺盛期,乳酸必然产生,适度的乳酸浓度是高产罐的重要指示。

12.6.2　生物传感器在食品检验中的应用

生物传感器在食品分析中的应用包括食品成分、食品添加剂、有害毒物及食品鲜度等的测定分析。

1. 食品成分分析

在食品工业中,葡萄糖的含量是衡量水果成熟度和储藏寿命的一个重要指标。已开发的酶电极型生物传感器可用来分析水果成熟度,白酒、苹果汁、果酱和蜂蜜中的葡萄糖等。

2. 食品鲜度的测定

鱼鲜度传感器在日本、加拿大等国广泛用于鱼类鲜度的测定,鱼死后体内 ATP 经酶解依次形成 ADP、AMP、IMP、肌苷、次黄嘌呤和尿酸,其鲜度可用 K 值表示。

3. 食品添加剂的分析

过量的食品添加剂通常会对人体造成危害,因此对食品中添加剂含量进行分析和监测是非常必要的。亚硫酸盐是常用的食品防腐剂和漂白剂,但是亚硫酸盐容易引起哮喘,因此美国 FDA 规定了其在新鲜水果和蔬菜等食品中的含量不得超过 1×10^{-6} mol/L。

12.6.3　未来生物传感器的特点

1. 功能多样化

未来的生物传感器将进一步涉及医疗保健、疾病诊断、食品检测、环境监测、发酵工业的各个领域。

2. 生物传感器研究

希望能代替生物视觉、听觉和触觉等感觉器官的生物传感器,即仿生传感器。

3. 微型化

各种便携式生物传感器使人们在家中进行疾病诊断,在市场上直接检测食品成为可能;

4. 智能化与集成化

未来的生物传感器必定与计算机紧密结合,自动采集数据、处理数据,更科学、更准确地提供结果,实现采样、进样、结果一条龙,形成检测的自动化系统。

5. 集成化和一体化

芯片技术将越来越多地进入传感器领域,实现检测系统的集成化、一体化;

6. 低成本、高灵敏度、高稳定性和高寿命

生物传感器技术的不断进步,必然要求不断降低产品成本,提高灵敏度、稳定性和延长寿命。

思考与练习

12.1 生物传感器有哪些类型,有什么特点?

12.2 酶传感器的检测方式有哪几种? 试举例说明。

12.3 免疫传感器有哪两种类型,其工作原理分别是什么?

参 考 文 献

[1] 唐文彦.传感器[M].第四版.北京:机械工业出版社,2006.

[2] 何希才.传感器及其应用电路[M].北京:电子工业出版社,2001.

[3] 吴建平.传感器原理及应用[M].北京:机械工业出版社,2012.

[4] 金庆发.传感器技术与应用[M].第3版.北京:机械工业出版社,2012.

[5] 郁有文,常建,陈继红.传感器原理及工程应用[M].第四版.西安:西安电子科技大学出版社,2014.

[6] 周传德.传感器与测试技术[M].重庆:重庆大学出版社,2009.

[7] 王庆有.光电传感器应用技术[M].北京:机械工业出版社,2007.

[8] 王元庆.新型传感器原理及应用[M].北京:机械工业出版社,2002.

[9] 沈聿农.传感器及应用技术[M].北京:化学工业出版社,2001.

[10] 范晶彦.传感器与检测技术应用[M].北京:机械工业出版社,2005.

[11] 王俊峰,孟令启.现代传感器应用技术[M].北京:机械工业出版社,2007.

[12] 杨清梅,孙建民.传感器与测试技术[M].哈尔滨:哈尔滨工程大学出版社,2005.

[13] 张建民.传感器与检测技术应用[M].北京:机械工业出版社,2000.

[14] 李晓莹.传感器与测试技术[M].北京:高等教育出版社,2005.

[15] 宋文绪,杨帆.自动检测技术[M].北京:高等教育出版社,2000.

[16] 张福学.传感器应用及其电路精选[M].北京:电子工业出版社,2003.

[17] 王绍纯.自动检测技术[M].北京:冶金工业出版社,1995.

[18] 夏银桥,吴亮,李莫.传感器技术及应用[M].武汉:华中科技大学出版社,2011.

[19] 陈书旺,张秀清,董建宾.传感器应用及电路设计[M].北京化学工业出版社,2008.

[20] 黄鸿,吴石增,施大发,等.传感器及其应用技术[M].北京:北京理工大学出版社,2008.

[21] 陈裕泉,葛文勋.现代传感器原理及应用[M].北京:科学出版社,2007.